ナーシング・サプリ supple 編集委員会 編

「ナーシング・サプリ」シリーズは，看護学生のみなさんにとって必須となる，看護学の基礎知識について，わかりやすくまとめた学習参考書・問題集です．

授業で学ぶ内容をしっかりとフォローし，実習で役立つ知識も盛り込んでいます．問題を解いたり，ノート代わりに書き込んだり，さまざまに活用することができます．本書を積極的に役立てていただき，あなただけのオリジナルの学習参考書・問題集を完成させてください．
きっと看護学を学ぶ楽しさが実感できます！

■本書の特徴

●これだけは必ず学ぶべき知識について，繰り返し問題を解くことで身につけられるようにできており，看護師国家試験に向けて基礎学力を養うことができます．

●症候マップで疾患と症候のつながりをつかむことができます．

●コラムページを設け，病態生理学について，知っておくと役立つ知識を楽しく学べるようにしています．

●問題の解答・解説は取り外せる別冊挟み込み．答え合わせも簡単です．

※本書の記述は，ナーシング・グラフィカ『疾病の成り立ち①病態生理学』（山内豊明編．第5版．メディカ出版，2018）を参考にしています．

はじめに

看護学生の皆さんは看護学校の勉強，国家試験の勉強，どのように取り組んでおられますか？

次々に襲ってくる課題や実習，時間が無限にあるわけでなし，何とか頑張って，そしてできればより効率的に勉強したい．手間暇かけるより手っ取り早く覚えきってしまいたい．

そんなお気持ちもきっとあるかと思います．

とにかく丸暗記で，あいだの理屈など関係なしに猛烈に知識を詰め込んでしまえば，試験にパスするのはおそらく可能です（異論はあるかも知れませんが……）．

しかし，付け焼刃の丸暗記の勉強ではすぐに知識は抜け落ちてしまいます．

ここで心しておいていただきたいのですが，皆さんの看護師としてのキャリアは国家試験合格がゴールではなくスタートです．

今，皆さんが勉強されていることは，これから将来の仕事に必ず役に立ってくるものですし，また役立てるような勉強をしなければなりません．

試験にパスするだけで燃え尽きてしまうような，さびしい勉強はしないでください．

患者さんの体の中で何が起こっているのだろう．なぜこの病気になるとこんな症状が出てくるのだろう．そんなことに想像をめぐらせながら，病気について系統立てて勉強していけば，得た知識は必ず皆さんの血となり肉となります．

『イメージできる病態生理学』という本のタイトルには，そのような願いが込められている．小生はそう考えて編集に携わらせていただきました．

目の前の患者さんの病態を理解し，プロフェッショナルの判断をする．そのための勉強を重ねる．その繰り返しが看護師としてのキャリアアップにつながっていきます．

そのためのお役に立てる書でありたい．これから看護師になるための勉強をし，そして看護師になってからも楽しく勉強を続ける，そんな皆さんのおそばにおいていただける書でありたいと願っています．

末筆ではありますが，田舎の病院の一介の勤務医に過ぎない小生に，伝統あるこの書籍の責任編集という大役を与えていただいたメディカ出版編集部の皆様，臨床業務にお忙しい中，協同編集という小生の無理なお願いを快諾してくださった畑啓昭・三枝隆博両先生に心よりお礼申し上げます．

この書を手に取ってくださった皆さんが，プロフェッショナルの看護師として輝かしい第一歩を踏み出されることを祈って．

編者　角　謙介

イメージできる 病態生理学

CONTENTS

編者・執筆者一覧

■編　者

角　　謙介　すみ　けんすけ　国立病院機構南京都病院呼吸器センター診療部長

■執筆者（掲載順）

角　　謙介　すみ　けんすけ　国立病院機構南京都病院呼吸器センター診療部長
●1章，2章1～5・7・10節，11節1，コラム1～6

畑　　啓昭　はた　ひろあき　国立病院機構京都医療センター外科・感染制御部医師　●2章6節

三枝　隆博　みつえだ　たかひろ　大阪市立総合医療センター脳神経内科部長
●2章8・9節，11節2

■症候マップ（掲載順）

阿形奈津子　あがた　なつこ　（専）京都中央看護保健大学校副学校長
●2章1節1，6節5，9節2～7

浜崎　美子　はまさき　よしこ　武田病院グループ本部部長
●2章1節2，3節3，4節3，6節2・3，8節1，11節1

四俣　芳子　よつまた　よしこ　鹿児島医療技術専門学校看護学科専任教員　●2章2節

山本　絵奈　やまもと　えな　（専）京都中央看護保健大学校看護学科副学科長
●2章3節1，5節3

池西　静江　いけにし　しづえ　Office Kyo-Shien代表　●2章3節2，5節1・2，8節2

渡邉江身子　わたなべ　えみこ　訪問看護ステーションそい管理者
●2章3節4，4節1・2，8節6，10節

石束　佳子　いしづか　けいこ　（専）京都中央看護保健大学校顧問
●2章6節1・4・6～11，8節8

松田　弥生　まつだ　やよい　元（専）京都中央看護保健大学校教務副部長　●2章6節12

池田　　恵　いけだ　めぐみ　（専）京都中央看護保健大学校看護学科専任教員　●2章7節

池田万喜子　いけだ　まきこ　元（専）京都中央看護保健大学校看護保健学科学科長
●2章8節3～5・7，9節1

池田　　智　いけだ　さとし　福岡大学医学部看護学科助教　●2章11節2

中島　充代　なかしま　みつよ　福岡大学医学部看護学科准教授　●2章11節2

本書の使い方

- 本書は，**要点整理**を中心に，必要に応じて**トレーニング**・**実力アップ**へとステップ・バイ・ステップで学習する方式をとっています．重要度の高い項目は，要点整理とトレーニング，さらに重要度の高い項目は，要点整理，トレーニングと実力アップで構成されています．
- 要点整理にチャレンジする前に「**ワンポイントチェック！**」を読み，これから勉強する項目について確認してください．
- 各問題にチェックボックスをつけています．何回この問題にチャレンジしたか，メモとして使ってください．繰り返し問題を解き，知識を定着させていきましょう．

基本知識

ワンポイントチェック！

基本的な内容の確認です．必要な知識が習得できているか，振り返ってください．

要点整理

穴埋め問題で構成されています．基本的な知識について書かれた文章の途中に〔　〕があります．選択肢の中または〔　〕内から最も適切な言葉を選び，文章を完成させて基礎学力を身につけましょう．

トレーニング

○×問題で構成されています．文章の内容が正しいか判断していくことで，正確な知識を身につけているかどうか，確認しましょう．

実力アップ

看護師国家試験と同じく，4つもしくは5つの選択肢の中から適切なものを選ぶ問題です．実際に出題された問題をベースに作られています．実戦さながらの問題にチャレンジして，実力アップをめざしましょう．

症候マップを活用しよう！

2章の病態症候論では，症候の原因，メカニズム，分類，観察項目（出現する症状）が症候マップとしてまとめられています．症候マップを見ながら，**mini case** の質問を考えることで，各症候がどのようなことが影響して，どうやって起こるのかを確認してください．

凡例：原　因　メカニズム　分　類　観察項目

- **コラム**を設け，病態生理についての豆知識や，知っておきたい事柄を楽しく学べるようにしました．

1章

病理病態論：病態生理学の基礎知識

1 体液の異常

ワンポイントチェック！

体液とは，水分とその中に溶解している電解質，タンパク質などを含む体内の水溶液の総称である．体液は，大きく細胞内にある細胞内液と細胞外にある細胞外液（間質液・血漿）に分けられ，体重の約60％を占める．

要点整理

〔　〕に適する語を次頁の選択肢，または〔　〕内から選び，文や図表を完成させよう．

体液の恒常性

□□ 1. 体液とは〔a　　　　　〕とその中に溶解している電解質，タンパク質などを含む体内の水溶液の総称である．体液は体重の〔b　　　　　〕％を占める．

□□ 2. 体液─┬─細胞内液（体重の〔a　　　　　〕％）
　　　　└─〔b　　　　　〕（体重の20％）─┬─間質液（組織液）（体重の15％）
　　　　　　　　　　　　　　　　　　　└─〔c　　　　　〕（体重の5％）

□□ 3. 体液の割合は年齢，体格，性別などにより変化する．脂肪組織は水分を含む割合が〔a 少ない・多い〕ため，女性や肥満者では体重に対する体液量の割合が標準の男性より〔b 低く・高く〕なる．

●体内総水分量（％）

	幼児	男性	女性
やせ	80	〔c　〕	55
標準	70	60	50
肥満	65	55	〔d　〕

●体液の電解質組成

□□ 4. 細胞外液中の主な陽イオンは〔a　　　　　〕イオン，細胞内液中の主な陽イオンは〔b　　　　　〕イオンである．

□□ 5. 細胞外液中の主な陰イオンは〔a　　　　　〕イオン（クロール），細胞内液中の主な陰イオンは〔b　　　　　〕イオンである．

□□ 6. 細胞内外の電解質組成の差異は，細胞膜にあるイオンポンプが行う〔　　　　　〕により生じる．

□□ 7. 血管壁を介した血漿と間質液との間の水の移動は，〔　　　　　〕と，相反する力である血圧とのバランスによって，継続的に起こっている．

□□ 8. 体液量の調節は，水分の摂取と排泄量の調節により行われる．摂取は飲水・〔a　　　　　〕・代謝水であり，排泄は肺（呼気）と皮膚（発汗）からの〔b　　　　　〕，尿，便である．

●体液量の調節（1日当たり）

摂取 2,200mL	飲水	1,000mL
	食物	1,200mL
代謝水		300mL
肺（呼気）		400mL
皮膚（発汗）		400mL
排泄 1,700mL	尿	1,500mL
	便	200mL

※体重60kgの成人

電解質の異常

□□ 9. ナトリウムイオンは，〔a　　　　　〕の維持と細胞外液の浸透圧の規定に働く．高ナトリウム血症は，血清ナトリウムイオン濃度が〔b　　　　　〕mEq/L以上，低ナトリウム血症は，血清ナトリウムイオン濃度が〔c　　　　　〕mEq/L以下の状態をいう．

□□ 10. カリウムイオンは，細胞内の酵素活性の維持，〔a　　　　　〕・筋肉などの細胞の興奮・伝達・収縮などの重要な働きをしている．高カリウム血症は，血清カリウムイオン濃度が〔b　　　　　〕mEq/L以上の状態，低カリウム血症は，血清カリウムイオン濃度が〔c　　　　　〕mEq/L以下の状態をいう．

酸塩基平衡の異常

□□ 11. 体液は通常，pH〔　　　　　〕～7.45の範囲に調整されている．

□□ 12. 血液を酸性の状態に動かすような病態を〔a　　　　　〕，アルカリ性の状態に動かすような病態を〔b　　　　　〕という．

選択肢

細胞外液　間質液　血漿　水分　20　40　45　60　65　80
能動輸送　受動輸送　リン酸　塩化物　カルシウム　ナトリウム　カリウム
食物　体液量　膠質浸透圧　神経　不感蒸泄　3.5　5.5　135　145
酸血症　アルカリ血症　アシドーシス　アルカローシス　7.00　7.35

トレーニング

正しいものには ○ を，誤っているものには × を記入しよう．

□□ 1. 〔　〕多量の発汗で水分を喪失すると，血漿浸透圧が低下し，低ナトリウム血症になる．

□□ 2. 〔　〕高ナトリウム血症は，幼児や意識障害などの自発的に飲水できない状況下で起こることが多い．

□□ 3. 〔　〕低ナトリウム血症の自覚症状には，虚脱感や倦怠感，消化器症状（食欲不振，嘔気，嘔吐）などがある．

□□ 4. 〔　〕代謝性アシドーシスの原因の鑑別には，アニオンギャップの値が指標として役立つ．

□□ 5. 〔　〕呼吸性アルカローシスとは，呼吸が異常に亢進し，血中のO_2濃度が低下する酸塩基障害である．

2　血行障害（循環障害）

ワンポイントチェック！

血行障害(循環障害)とは，血液の循環に障害が発生することをいう．最終的には酸素が欠乏し，細胞，組織，臓器(器官)などの働きに悪影響を及ぼす．

要点整理

〔　〕に適する語を次頁の選択肢から選び，文や図表を完成させよう．

□□ 1. 血行障害とは，血液の循環に障害が発生し，生命の維持に必要な〔a　　　　　〕が欠乏することにより，細胞，組織，器官などの働きに悪影響が現れた状態である．血行障害は〔b　　　　　〕ともいう．

□□ 2. 血行障害の主なものは，次の7つである．

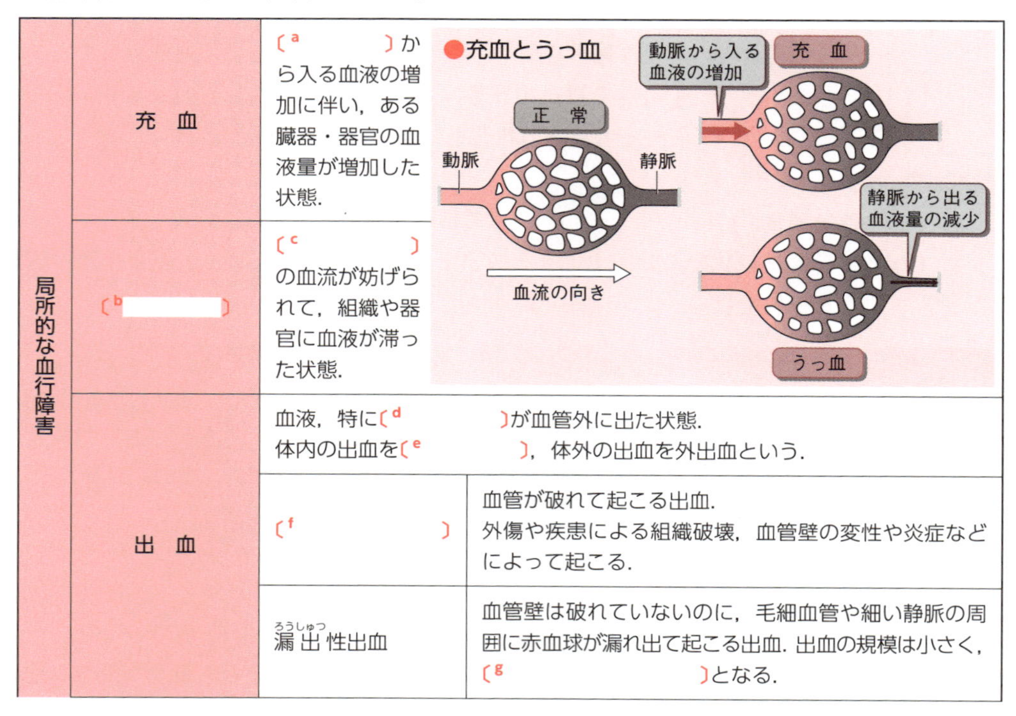

局所的な血行障害			
	充 血	〔a　　　〕から入る血液の増加に伴い，ある臓器・器官の血液量が増加した状態．	
	〔b　　　〕	〔c　　　〕の血流が妨げられて，組織や器官に血液が滞った状態．	
	出 血	血液，特に〔d　　　〕が血管外に出た状態． 体内の出血を〔e　　　〕，体外の出血を外出血という．	
		〔f　　　〕	血管が破れて起こる出血． 外傷や疾患による組織破壊，血管壁の変性や炎症などによって起こる．
		漏出(ろうしゅつ)性出血	血管壁は破れていないのに，毛細血管や細い静脈の周囲に赤血球が漏れ出て起こる出血．出血の規模は小さく，〔g　　　　　〕となる．

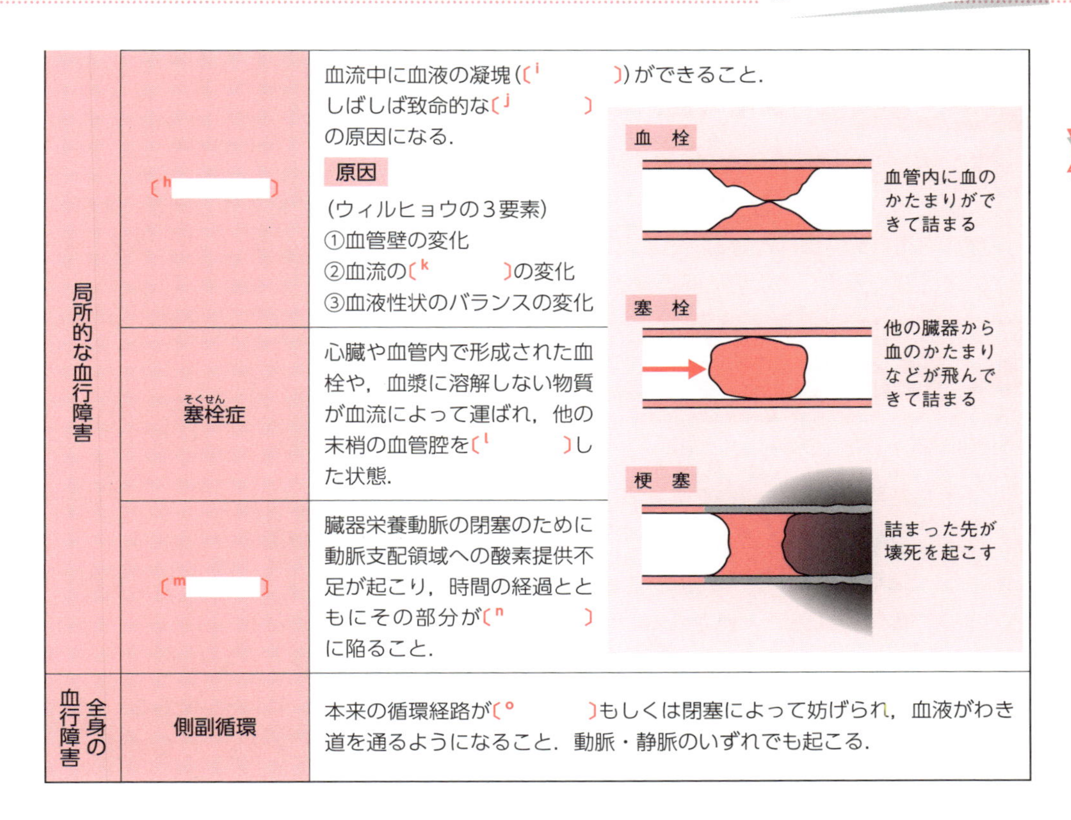

局所的な血行障害	〔h 〕	血流中に血液の凝塊(〔i 〕)ができること. しばしば致命的な〔j 〕の原因になる. **原因** (ウィルヒョウの3要素) ①血管壁の変化 ②血流の〔k 〕の変化 ③血液性状のバランスの変化
	塞栓症(そくせん)	心臓や血管内で形成された血栓や，血漿に溶解しない物質が血流によって運ばれ，他の末梢の血管腔を〔l 〕した状態.
	〔m 〕	臓器栄養動脈の閉塞のために動脈支配領域への酸素提供不足が起こり，時間の経過とともにその部分が〔n 〕に陥ること.
全身の血行障害	側副循環	本来の循環経路が〔o 〕もしくは閉塞によって妨げられ，血液がわき道を通るようになること．動脈・静脈のいずれでも起こる.

選択肢

充血　うっ血　循環障害　動脈　静脈　壊死　内出血　破綻性出血
血管　血管壁　血栓症　赤血球　白血球　動脈血　静脈血　狭窄　速度
血栓　梗塞　阻血　閉塞　塞栓　点状・斑状出血　酸素

トレーニング

正しいものには ○ を，誤っているものには × を記入しよう.

□□ 1. 〔 〕心臓のポンプ機能の低下は，全身性のうっ血を引き起こす.

□□ 2. 〔 〕肝硬変などでみられる門脈圧亢進は，充血である.

□□ 3. 〔 〕虫に刺されたところが点状や斑状に赤くなることを破綻性出血という.

□□ 4. 〔 〕血栓とは，血液の凝固によって血管内に形成される凝塊のことである.

□□ 5. 〔 〕心筋に酸素を送っている血管は肺動脈である.

□□ 6. 〔 〕胎児の心血管系に形成異常がある場合，側副血行路が発達する.

□□ 7. 〔 〕梗塞とは，閉塞のために静脈支配領域への酸素不足が起こり，その先の末梢部分が壊死に至ることである.

3 炎症と修復

ワンポイントチェック！

炎症とは,“炎”に似た症状を示す疾患で，赤く，熱く，疼痛を起こす．発赤，腫脹，発熱，疼痛を炎症の4徴候と呼び，これに機能障害を加えて，炎症の5徴候という．修復とは，炎症の後に続く元通りの状態に回復する過程である．

要点整理

〔　　〕に適する語を下の選択肢から選び，文を完成させよう．

□□ 1. 細胞や組織に傷害を与える有害な刺激に対する生体の〔　　　　　〕を炎症という．

□□ 2. 炎症の徴候は発赤,〔　　　　　〕，発熱，疼痛，機能障害の5つである．

□□ 3. 炎症の原因は，物理的・化学的・〔　　　　　〕・アレルギーや自己免疫疾患などの生体側の原因に大別される．

□□ 4. 炎症の生物学的原因には,〔　　　　　〕，細菌，真菌などがある．

□□ 5. 〔　　　　　〕が炎症細胞として多く認められるのは急性炎症である．

□□ 6. 炎症の全身への影響には発熱,〔　　　　　〕，白血球増加，C反応性タンパク(CRP)の上昇がある．

□□ 7. 炎症性疾患でよくみられる全身性の発熱は，リンパ球やマクロファージが分泌する〔　　　　　〕が体温調節中枢に作用して起こるものである．

選択肢

防御反応　膨張　発熱　機能障害　赤沈の亢進　内科的　改善
リンパ球の増加　腫脹　血液　ウイルス　好中球　リンパ球
赤血球　欠損　サイトカイン　ヒスタミン　生物学的　疼痛

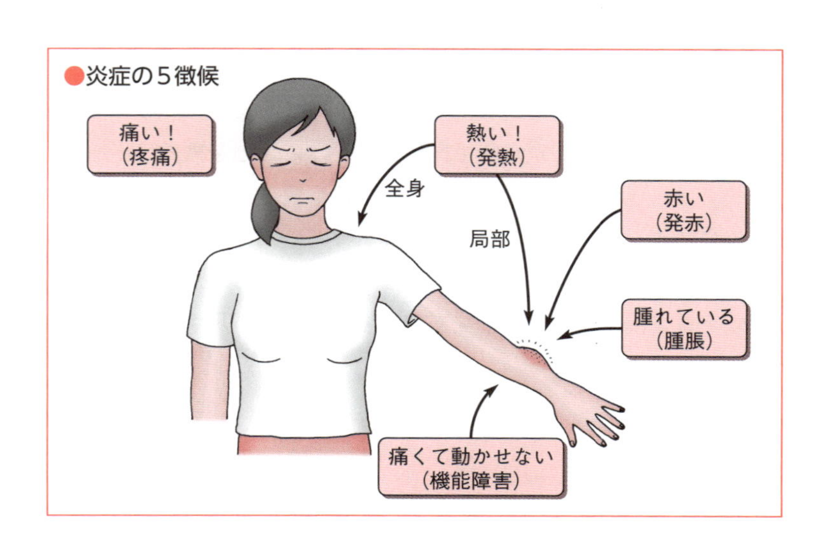

●炎症の原因

分　類	代表的な例
物理的原因	機械的外力（外傷，手術） 放射線（放射線治療，原子爆弾，原子力発電所の事故） 熱，低温（火傷，凍傷） 日光（日焼け） 電気（感電）
化学的原因	酸，アルカリ（硫酸，強アルカリ） 有機物（アルコール飲料） 薬剤（薬剤性肺炎）
生物学的原因	ウイルス（感冒，肝炎） 細菌（肺炎，膀胱炎） 真菌（腟カンジダ症） 寄生虫（アニサキス） その他の微生物（クラミジア，リケッチア）
生体側の原因	アレルギー（気管支喘息） 自己免疫疾患（関節リウマチ，全身性エリテマトーデス）

トレーニング

正しいものには ○ を，誤っているものには × を記入しよう．

□□ 1. 〔　　〕炎症の修復に関わるのは血液中の赤血球である．
□□ 2. 〔　　〕リンパ球は炎症の場に最初に駆けつけ，侵入してきた微生物を貪食する．
□□ 3. 〔　　〕サイトカインとは，細胞が互いに情報伝達するための化学物質をいう．
□□ 4. 〔　　〕免疫グロブリンはT細胞が産生分泌するタンパク質である．
□□ 5. 〔　　〕炎症性疾患ではC反応性タンパク（CRP）の上昇がみられる．

4 免疫および自己免疫疾患

ワンポイントチェック！

私たちの身体に侵入してくる微生物や異物を排除する機能を生体防御系という．免疫は，生体防御系の一つである．免疫疾患は，アレルギー疾患と自己免疫疾患(膠原病)に大別される．

要点整理

〔　〕に適する語を下の選択肢から選び，文を完成させよう．

□□ 1. 免疫とは，〔a　　　　〕と〔b　　　　〕を識別して，後者を排除しようとする働きのことである．

□□ 2. 免疫の担い手である〔　　　　〕は，骨髄由来のB細胞と胸腺由来のT細胞に分類される．

□□ 3. 身体に侵入してくるウイルスなどの微生物や小さな異物を〔a　　　　〕といい，これを凝集させる働きをもつタンパクが〔b　　　　〕(Ig)である．〔b〕は〔c　　　　〕と呼ばれる．

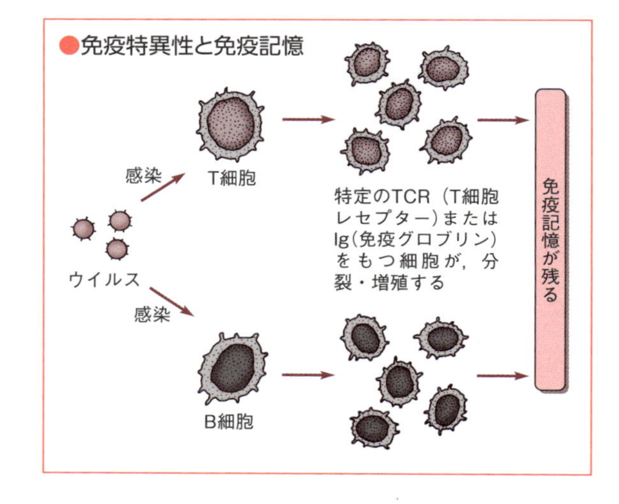

□□ 4. 抗原は，T細胞表面にある〔　　　　〕(MHC)というタンパクの溝に入って認識される．

□□ 5. 〔　　　　〕とは，免疫反応が過剰に起こったり，抗原が持続的に存在した結果，組織傷害をきたした状態をいう．

□□ 6. 免疫系は，いったん侵入した抗原を認識して〔　　　　〕を残す．これによって，次に同じ抗原が侵入してきたときに，より早く，より効率的に反応できるようになる．

□□ 7. 自己を非自己と誤認して，自分自身の正常な細胞を〔　　　　〕が破壊・排除しようと攻撃する病気を，自己免疫疾患(膠原病)という．

選択肢

自己　非自己　薬有害物質　抗原　赤血球　アレルギー反応
主要組織適合遺伝子複合体　抗体反応　リンパ球　抗体　免疫系
免疫記憶　自己抗体　非自己抗体　甲状腺機能亢進症　免疫グロブリン

トレーニング

正しいものには ○ を，誤っているものには × を記入しよう．

□□ 1. 〔　　〕抗原と抗体が，結合・凝集することで，排除する働きをもつ．

□□ 2. 〔　　〕IgMは血液中に最も多量にある抗体で，病原体防御の主役である．

□□ 3. 〔　　〕IgMは感染初期に発現し，生体防御のはじめの段階を担う．

□□ 4. 〔　　〕B細胞と，B細胞から分化した形質細胞が抗体をつくる．

□□ 5. 〔　　〕IgAは乳汁などの分泌液に含まれる．

□□ 6. 〔　　〕ベーチェット病は，自己免疫疾患である．

□□ 7. 〔　　〕スギ花粉症は，スギ花粉に対して身体が過剰な免疫反応を起こす．このとき働いている抗体はIgGである．

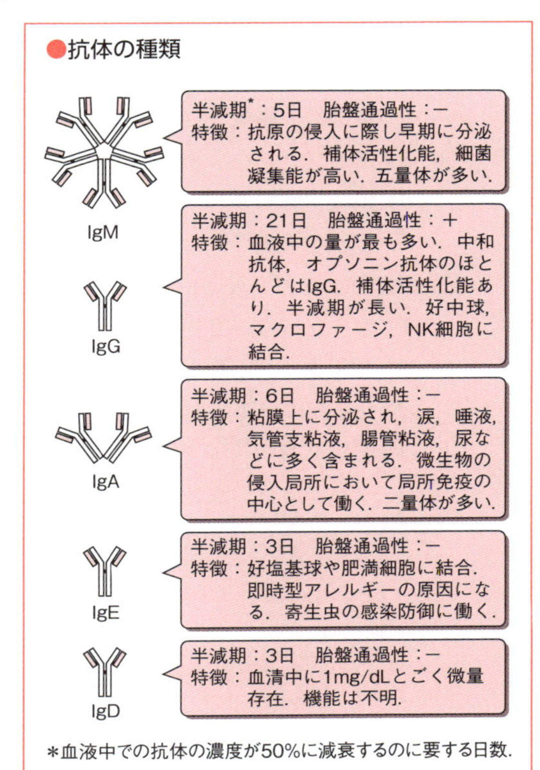

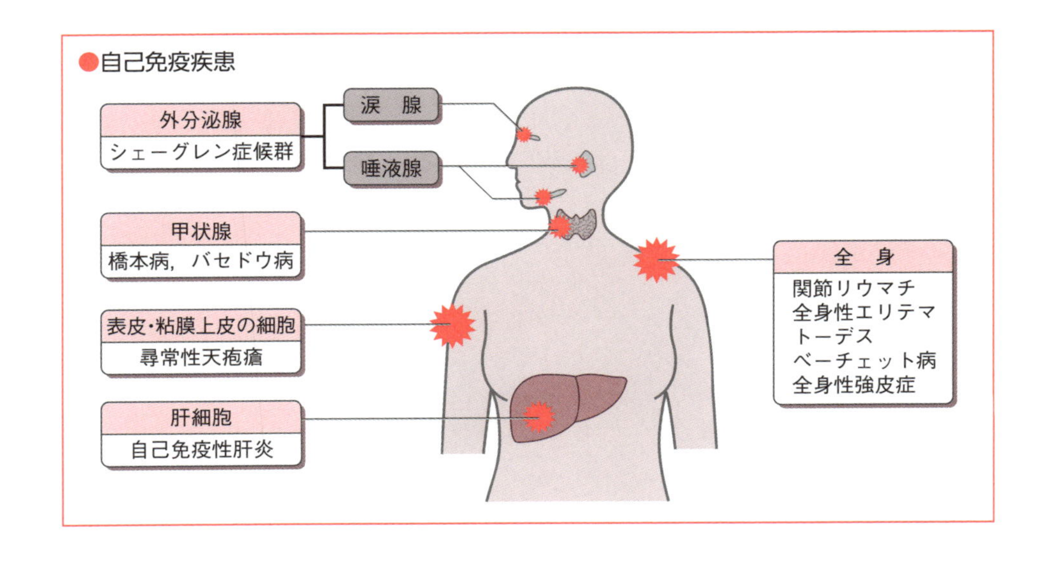

実力アップ

以下の問いに答えよ.

□□ **1**. 次のうち, Ⅰ型アレルギー反応はどれか. 〔　　　〕

1. ツベルクリン反応陽性
2. 潰瘍性大腸炎
3. アナフィラキシーショック
4. 過敏性肺臓炎
5. 接触皮膚炎

□□ **2**. Ⅳ型アレルギー反応について正しいものはどれか. 2つ選べ. 〔　　　〕

1. Tリンパ球が関与する.
2. ヒスタミンが放出される.
3. IgE抗体が関与する.
4. 肥満細胞が関与する.
5. ツベルクリン反応でみられる.

5 感染

ワンポイントチェック！

感染を示す徴候を見逃さないことは重要である．感染を疑い，疾患やとるべき予防策を想定すること，つまり，経験的予防策をとることが交叉感染を防ぐ第一歩である．

要点整理

〔　〕に適する語を下の選択肢から選び，文を完成させよう．

□□ 1. 感染とは，宿主の中に侵入した〔　　　　〕によって，疾病が引き起こされる状況をいう．

□□ 2. 感染の成立には，宿主と病原体と〔　　　　〕が必要である．

□□ 3. 感染の成立には，宿主の〔　　　　〕と病原体（病原微生物）の感染力が大きく関与する．

□□ 4. 感染を示す徴候には，発熱，下痢，〔　　　　〕，意識障害，咳などがある．

□□ 5. 感染経路の主なものは，〔a　　　　〕感染，〔b　　　　〕感染，飛沫感染，空気感染である．

□□ 6. 〔　　　　〕（標準予防策）とは，すべての患者に対して標準的に講じる感染対策である．

□□ 7. インフルエンザの病原体は〔　　　　〕である．

選択肢

宿主　キャリア　病原微生物　寄生虫　発疹　抵抗力　排他的
疾患特異的　疾患非特異的　垂直　接触　感染経路　細菌
ウイルス　風疹　スタンダードプリコーション

●感染経路に関する用語

用語	意味
病原体	疾病を引き起こす微生物
宿主（しゅくしゅ）	一時的に病原体を保有する生物
院内感染	病院内の環境下で起こったもの
市中感染	病院外の環境下で起こったもの
水平感染	感染源との接触や飲食物，空気，媒介者などを介することで，個体から個体へと感染すること．
垂直感染	病原体をもつ母体から胎盤あるいは産道を通じて，胎児または新生児へ直接感染すること．①子宮内：胎盤を介して腟から子宮へ上行性，②出産時：腟を通過するとき，③出産後：授乳による
飛沫感染	病原体が付着した，直径5μm以上の飛沫粒子による感染
空気感染	空気中を浮遊する飛沫核を吸引することで引き起こされる感染
接触感染	感染源である宿主に直接触れることや，汚染された物体に触れることによる感染

◆◆トレーニング◆◆

正しいものには ○ を，誤っているものには × を記入しよう．

□□ 1. 〔　〕インフルエンザは空気感染によって感染する．

□□ 2. 〔　〕病原体を保有しているが症状が出ていない人のことをキャリアという．

□□ 3. 〔　〕母親から胎児または新生児に感染することを水平感染という．

□□ 4. 〔　〕病原体と接触してから症状が発現するまでの期間を潜伏期という．

□□ 5. 〔　〕帯状疱疹の起因微生物は，帯状疱疹菌である．

●感染のタイプに関する用語

潜伏期（incubation）	病原体と接触してから症状が発現するまでの期間
全身性感染（systemic infection）	血流やリンパにのって，感染が全身に及ぶこと
急性感染（acute infection）	短期間（数日，数週）で激しい症状を呈すること
亜急性感染（subacute infection）	数カ月の経過で，徐々に症状を呈すること
慢性感染（chronic infection）	長期間（数カ月，数年）にわたって症状が持続すること
遷延（せんえん）性感染（persistent infection）	典型的かつ効果的な治療を続けているにもかかわらず，持続する活動性の感染
再活性化（reactivation）	感染している微生物が宿主の体内で，長期間（数カ月，数年，数十年）休眠状態に入った後，活性化し，再び症状を呈すること
再感染（reinfection）	ある微生物による感染から完全に回復した後，同じ微生物により起こる感染．もしくは，微生物種にかかわらず，ある感染から回復した同じ臓器に生じる感染のこと
混合感染（mixed infection）	何種類かの微生物による感染．好気性菌と嫌気性菌による混合感染が代表的
日和見（ひよりみ）感染（opportunistic infection）	比較的病原性の低い微生物が免疫力の低下した宿主の中で疾病を引き起こす状態．同じ微生物は，正常な免疫力をもった人には疾病を起こさない
流行（outbreak：集団発生）	ある地域や民族において，比較的短期間に病原体により感染を受けた人口が増加する状態
パンデミック（pandemic）	感染が大陸を越えて広がった大流行状態
化膿性（pyogenic，suppurative）	病原体が炎症反応を起こし，膿が形成される状態
熱性感染	病原体が熱を引き起こす感染

6 変性・壊死・萎縮・老化

ワンポイントチェック！

変性とは，細胞が外部からの傷害因子(刺激)に対して反応し，形態や機能に変化をきたした状態をいう．

強い傷害で細胞機能が維持できなくなると，細胞は壊死し，死滅する．細胞・組織が傷害によって変性や壊死に陥ると，修復する生体反応が機能し，組織は修復・再構築される．

外部からの刺激に反応した結果，組織・臓器レベルで縮小や増大を示す適応現象がみられる．これらをそれぞれ萎縮，肥大という．

老化とは，加齢とともに全身の各臓器の機能低下や機能障害が起こることである．

要点整理

〔　〕に適する語を p.21 の選択肢，または〔　〕内から選び，文や図表を完成させよう．

変性

□□ 1. 細胞が傷害された結果生じる，可逆的な形態・機能の変化を〔　　　　〕という．

□□ 2. 変性には，硝子滴変性，空胞変性，〔　　　　〕，好酸性変性などがある．

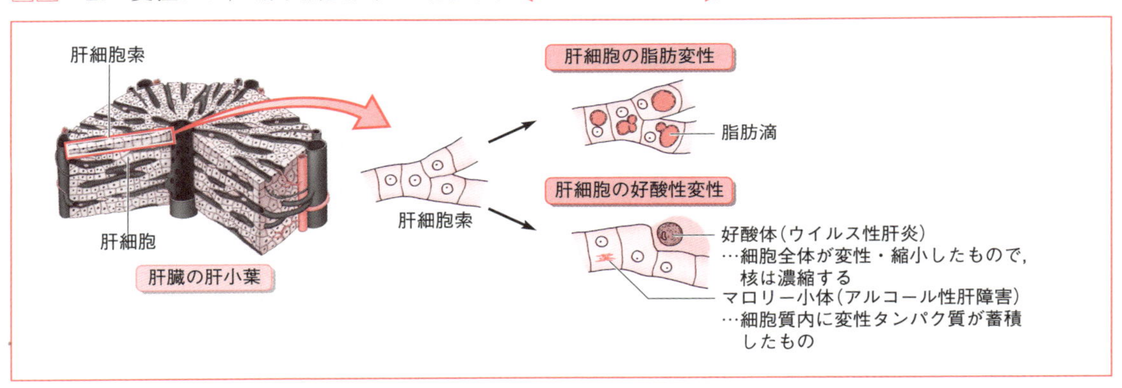

壊死

□□ 3. 強い傷害によって細胞が不可逆的に変化し，細胞の機能が維持できなくなる，すなわち細胞の傷害による死を〔a　　　　〕という．〔a〕は，次の2つに大きく分類される．

分類	病態	原因・好発部位
〔b　　　　〕	壊死組織(壊死を起こした部分)のタンパク質が凝固して硬くなる．	貧血性梗塞，心臓(心筋梗塞)，腎臓，脾臓
	※結核菌に感染した肺で見られる**乾酪壊死**も，凝固壊死の一種である．	
〔c　　　　〕	壊死組織が溶けて軟化する．壊死組織に凝固のもとになるタンパク質が少ないか，〔d　　　　〕が高度に起こると生じる．液化壊死ともいう．	脳(脳梗塞)

□□ 4. 組織の比較的広い範囲が壊死に陥り，細菌感染を合併した状態を〔　　　　　　〕という．糖尿病患者の足底などに見られる場合が多い．

アポトーシス

□□ 5. 細胞死のメカニズムには，壊死のほかに〔a　　　　　　〕がある．壊死は細胞外からの刺激に対する受動的な死であり，〔a〕は細胞自身の予定された死（〔b　　　　　　〕）である．

萎 縮

□□ 6. いったん正常の大きさに発育・成熟した組織や臓器が，後天的にその容積を減じる現象を〔a　　　　　　〕という．〔a〕は，〔b　　　　　　〕の容積あるいは数のいずれか一方，または容積と数の両方が〔c　増加・減少　〕することで起こる．

□□ 7. **●萎縮の分類**

加齢による萎縮（〔a　　　　　　〕）	老化により全身の代謝が低下して起こる．
〔b　　　　　　〕による萎縮	動脈硬化で腎動脈が狭窄した場合の腎萎縮など．
廃用性萎縮（無為萎縮）	骨折のため，長期間下肢を使わない場合の骨格筋萎縮など．
神経性萎縮	筋萎縮性側索硬化症（ALS）で運動神経が変性した場合の骨格筋萎縮など．

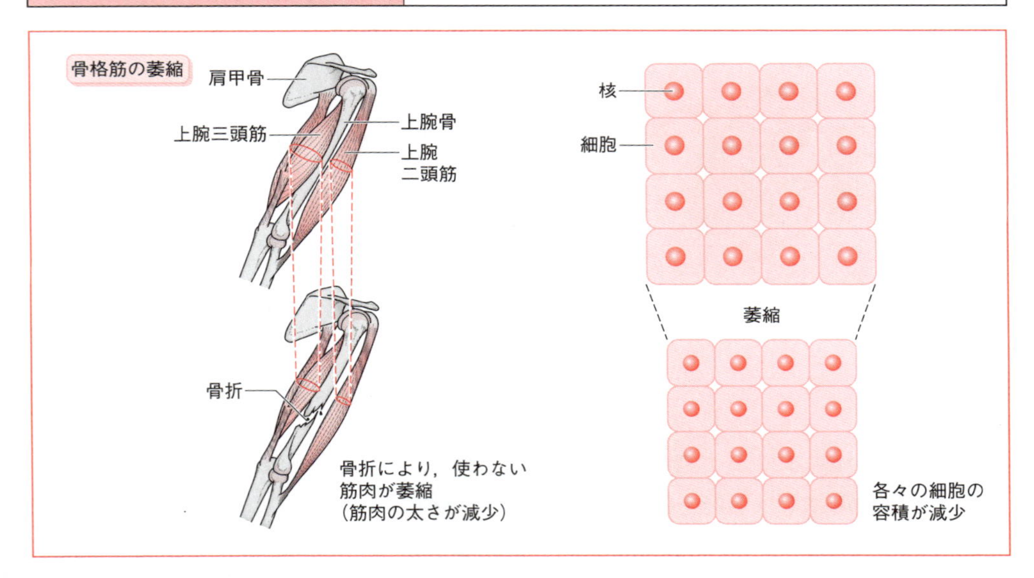

肥大と過形成

□□ 8. 細胞の容積が増大する現象を〔a　　　　　　〕という．〔a〕により臓器全体の容積が増し，一般的には機能が〔b　低下する・高まる　〕．

□□ 9. 細胞の数が増加する現象を〔a　　　　　　〕という．〔a〕は，肥大と同時に起こることが多い．臓器のなかで〔b　　　　　　〕は特に再生能力が高く，部分切除を行っても，細胞の肥大と〔a〕によって，〔b〕はほぼ元の大きさまで再生する．

化 生

□□ 10. 通常存在しない部位に異所性に特定の組織が生じる現象を〔　　　　　　〕という．

□□ 11. 化生の代表例は，円柱上皮が重層扁平上皮に置換する扁平上皮化生である．扁平上皮化生は，気管支粘膜の上皮では〔a　　　　　　〕や慢性炎症によって，子宮頸部の上皮では〔b　　　　　　〕の感染や慢性頸管炎によって起こる場合が多い．

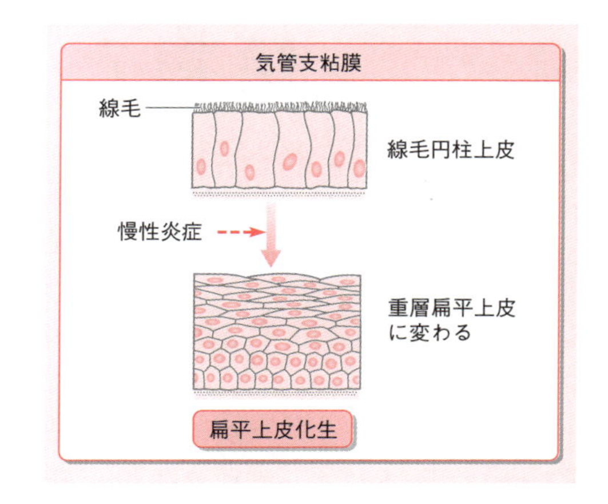

老 化

□□ 12. 老化とは，個体が死に至るまでの生理的過程であり，〔　　　　　　〕とともに全身の機能低下や障害が起こることをいう．

選択肢

萎縮　変性　乾酪壊死　脂肪変性　肥大　壊死　化生　壊疽　融解壊死
自己融解　凝固壊死　細胞　栄養障害　過形成　プログラム細胞死
アポトーシス　加齢　肝臓　ヒトパピローマウイルス　生理的萎縮　喫煙

トレーニング

正しいものには ○ を，誤っているものには × を記入しよう．

□□ 1. 〔　〕外部からの刺激によって生じた，細胞の可逆的な変化を壊死という．

□□ 2. 〔　〕融解壊死は，心筋梗塞の起こった心臓でよくみられる．

□□ 3. 〔　〕アポトーシスは，細胞自身の予定されていた死である．ヒトの手指の形態形成など，個体の発生過程においても起こる．

□□ 4. 〔　〕加齢により全身の代謝が低下して起こる萎縮を廃用性萎縮という．

□□ 5. 〔　〕心筋は，高血圧やスポーツによって運動負荷がかかると，個々の細胞（筋線維）が肥大して機能が増大する．

□□ 6. 〔　〕慢性炎症による刺激は，扁平上皮化生などの化生の原因にはならない．

□□ 7. 〔　〕原因を特定できない高血圧を，本態性高血圧という．

□□ 8. 〔　〕消化器系の臓器は予備能力が大きく，老化による影響は比較的少ない．

□□ 9. 〔　〕肺は呼吸により伸縮を繰り返しており，老化によって収縮力が低下すると縮小する．

□□ 10. 〔　〕加齢に伴って高齢者に多くみられる症状・徴候を，総じて老年症候群という．

7 腫瘍と過形成

ワンポイントチェック！

細胞同士の制御力が消失し，増殖に歯止めがかからず無秩序に増殖するものを腫瘍細胞という．過形成とは，正常組織に比べて細胞数が増加し，容積が増している状態をいう．

要点整理

〔　〕に適する語を下の選択肢から選び，文を完成させよう．

□□ 1. 腫瘍とは，個体の組織・細胞に由来する腫瘍細胞（異常細胞）が，個体の調整機構から外れ〔a　　　　　〕に，〔b　　　　　〕をもって増殖した状態をいう．

□□ 2. 細胞は分裂・増殖を繰り返して，未熟なものから〔　　　　　〕して成熟していく．

●病理学的分化度と異型度

反対語	分化度	低 →	高	正常組織
	異型度	高 ←	低	

がんの種類にもよるが，一般に分化度が低い（異型度が高い）ほど予後不良である．

□□ 3. 〔a　　　　　〕とは，正常組織・構造からどれだけ隔たっているかをいい，〔b　　　　　〕とは，組織学的に正常に成熟（分化）した組織にどれだけ近いかをいう．

□□ 4. 正常の組織に比べて細胞数が増加し，容積が増している状態を〔　　　　　〕といい，これには非腫瘍性と腫瘍性の2つがある．非腫瘍性は，創傷治癒などにみられる生体にとって必要かつ合目的的なもの，腫瘍性は，生体にとって非合目的的なものである．

□□ 5. 悪性腫瘍とは，腫瘍細胞が異常増殖・〔　　　　　〕・再発を起こすものをいう．

□□ 6. TNM分類において，Tは原発部位の腫瘍の状態（大きさと深達度），Nは〔　　　　　〕，Mは遠隔転移を表す．

選択肢

無秩序　自律性　秩序的　制限性　分裂　細胞のがん化　遠隔転移
所属リンパ節転移　異型度　悪性度　異常度　分化度　成熟度　病変
過形成　異形成　修復過程　分化

トレーニング

正しいものには ○ を，誤っているものには × を記入しよう．

□□ 1. 〔　〕悪性腫瘍を上皮性と非上皮性に分類すると，胃癌は上皮性の悪性腫瘍である．

□□ 2. 〔　〕悪性腫瘍の治療法は，外科療法と化学療法に加えて，免疫療法の3つを柱とする．

□□ 3. 〔　〕胃癌が，直腸子宮窩に播種性転移したものを，ウィルヒョウ転移という．

□□ 4. 〔　〕肝臓癌で，癌性腹膜炎により腹水が貯留した場合の転移を血行性転移という．

□□ 5. 〔　〕大腸ポリープは，異型性を伴う．

□□ 6. 〔　〕悪性腫瘍の遺伝子には，癌遺伝子と癌抑制遺伝子がある．

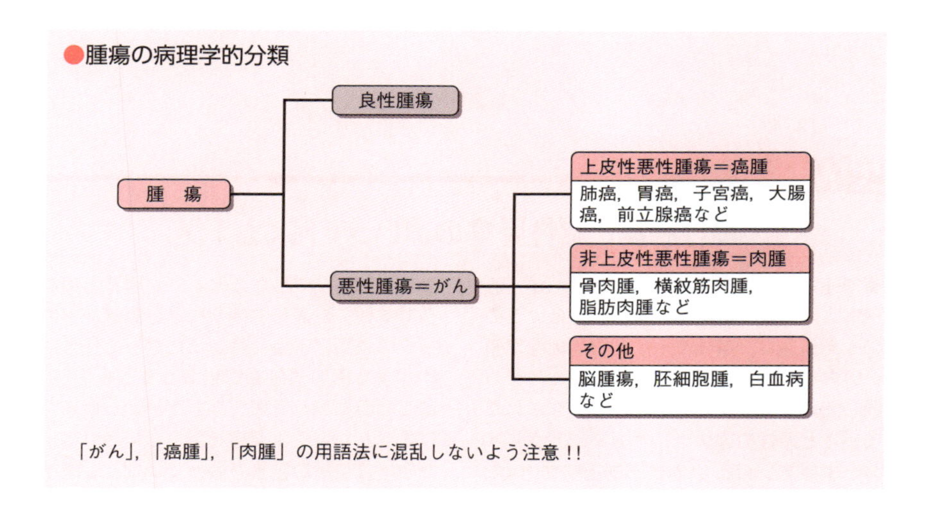

実力アップ

以下の問いに答えよ．

□□ **1. 次のうち，肝細胞癌で正しいものはどれか．** 〔　　　〕

1. 肝硬変を併発していることが多い．
2. 早期から黄疸が出現する．
3. 特異性の高い腫瘍マーカーはCEAである．
4. 日本ではB型肝炎ウイルスに起因するケースが多い．

□□ **2. 以下は，消化管の腫瘍を説明するものである．正しいのはどれか．** 〔　　　〕

1. 癌腫は非上皮性腫瘍である．
2. 腺腫は良性腫瘍である．
3. 大腸の腺腫は癌化しない．
4. 平滑筋腫は上皮性腫瘍である．

□□ **3**. 乳癌について正しいのはどれか. 〔　　　〕

1. 乳房の外側上部に多い.
2. 疼痛を伴う腫瘤が特徴である.
3. エストロゲン補充療法を行う.
4. 40代より20代のほうが発生リスクが高い.

COLUMN1

良性腫瘍と悪性腫瘍の違いって何でしょう

良性腫瘍で死にいたる人は滅多にいませんが，悪性腫瘍は日本人で一番多い死因です．腫瘍というのは，本文にもある通り，無秩序・無制限な細胞増殖のことをいいます．

では，同じ腫瘍でありながら，生命予後をこれだけ左右する良性と悪性の違いってイメージできますか？ 違いを挙げていけばいろいろあるのですが，一言大切なキーワードを言えば，“増殖する力がどちらに向いているか？”ということなのです．

良性腫瘍は，腫瘍の内側に向けて成長します．対して悪性腫瘍は，腫瘍の外側に向けて成長します．例えば，ゴム風船に水をゆっくり入れていく状態をイメージしてください．水の量はどんどん増えていきますが，風船が大きくなっていくだけなので，周りの構造物には圧排以外の直接的な影響はほとんどありません．風船の中の水は風船の外側に向けて多くなっているのではなく，あくまでの風船の内側に向けて“成長”しています．問題なければ放置すればいいのですが，あまりに圧排が強く，周りの構造物の働きを阻害しそうな時は，その風船だけコロンと取ってあげればいいのです．きれいに取り除けば終わりです．これが良性腫瘍のイメージです．

では次に，乾いた白いタオルに黒インクをポトポトと落としていく状態をイメージしてください．黒インクはジュワーッと広がり，白い領域がどんどん黒に変わっていきます．この白いタオル，黒い色が少しでもついてしまうととても困るものだったらどうですか．洗濯して完全に落ちればいいですが，インクの種類によってはシミになって残ってしまいます．また黒い部分を切り取ってしまおうとしても，ぱっと目に見える黒い部分だけ切り取るだけではいけません．よくよく目を凝らしてみれば，切り取った端っこに黒い色素が残っていたりします．そしてこの少しでも残った黒い色素が，しばらくして勝手に増殖を始めるとしたら…….

ゆえに，ある程度の安全を見越して少し広めに白い部分まで切り取ってしまわなければなりません．これが悪性腫瘍のイメージです．さしずめ，黒インクのついたタオルを洗濯するのは化学療法（抗癌剤治療），黒い部分を切り取ってしまうのは手術と考えればわかりやすいでしょうか．そしてこの黒インクの染み渡るスピードが早ければ早いほど，悪性度の高い腫瘍ということになるのです．

良性腫瘍

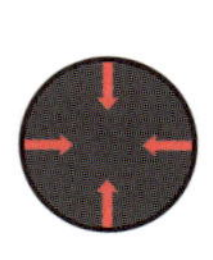

悪性腫瘍

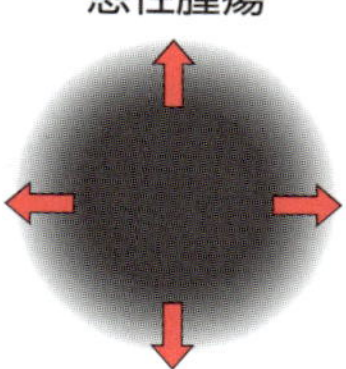

8 先天異常

ワンポイントチェック！

先天異常には，①単一遺伝子によるもの，②染色体異常によるもの，③多因子遺伝によるもの，④外因によるもの，⑤原因不明のものなどがある．

要点整理

〔　　〕に適する語を次頁の選択肢から選び，文や図表を完成させよう．

先天異常と先天奇形

□□ 1. 出生前からその原因が存在し，出生時点あるいは乳幼児期・小児期になって生じる異常を〔　　　　　　〕という．

□□ 2. 先天異常には，体表面・体内臓器の解剖学的な〔a　　　　　　〕のほかに，先天的要因による臓器の〔b　　　　　　〕が含まれる．

□□ 3. 〔　　　　　　〕は，先天異常のうち，解剖学的な構造異常のことを指す．

●先天異常と先天奇形

先天異常

先天奇形

□□ 4. 奇形には，放置すると生命に関わり，日常生活に支障をきたす〔a　　　　　　〕と，医療上の問題となることの少ない〔b　　　　　　〕がある．

□□ 5. 大奇形には，〔a　　　　　　〕や口唇裂，〔b　　　　　　〕などがある．

□□ 6. 小奇形には，〔　　　　　　〕，眼・耳の異常などがある．

先天異常の原因

□□ 7. 先天異常は，遺伝性疾患（〔a　　　　　　〕またはメンデル遺伝病ともいう），染色体異常，出生前の環境要因などの外因，〔b　　　　　　〕などによって起こる．

□□ 8. 遺伝情報の担い手は〔a　　　　　　〕（デオキシリボ核酸）であり，〔a〕分子内の塩基（A，T，G，C）の配列が遺伝情報を示している．〔a〕は幾重にも折りたたまれて〔b　　　　　　〕となり，核の中に収納されている．

□□ 9. からだを構成する体細胞の核には，それぞれ〔a　　　　　　〕本（〔b　　　　　　〕対）の染色体が含まれている．

□□ 10. 染色体のうち，1番染色体から22番染色体までの22対，計44本の染色体を〔　　　　　　〕という．

先天異常の分類

□□ 11. 単一遺伝子病は，常染色体上にある遺伝子に変異が起こったものと，〔　　　　　　〕であるX染色体上にある遺伝子に変異が起こったものに大別される．

□□ 12. 染色体異常のうち，常染色体が1本増える異常を〔a　　　　　　〕という．代表的なものに，〔b　　　　　　〕を発症する21〔a〕などがある．

□□ 13. 外因による先天異常の原因には，感染，〔　　　　　　　〕，化学物質などがある．

□□ 14. ●先天異常の疾患

単一遺伝子病	常染色体優性遺伝病	〔a　　　　　〕，マルファン症候群
	常染色体劣性遺伝病	〔b　　　　　〕
	X連鎖優性遺伝病	ビタミンD抵抗性くる病
	X連鎖劣性遺伝病	血友病A・B，デュシェンヌ型筋ジストロフィ
染色体異常	常染色体の異常	ダウン症候群
	性染色体の異常	〔c　　　　　〕
多因子遺伝病	肥厚性幽門狭窄症（男児に多い），先天性股関節脱臼（女児に多い），口唇裂，口蓋裂，〔d　　　　　〕，無脳症など	
外因によるもの	〔e　　　　　〕，胎児性アルコール症候群	

選択肢

先天異常　先天奇形　小奇形　大奇形　無脳症　染色体　DNA
単一遺伝子病　多因子遺伝病　性染色体　44　46　22　23
構造異常　機能異常　染色体異常　遺伝子異常　トリソミー　ターナー症候群
ダウン症候群　フェニルケトン尿症　薬剤　常染色体　先天性風疹症候群
先天性心疾患　ハンチントン病　母斑　多指

トレーニング

正しいものには ○ を，誤っているものには × を記入しよう．

□□ 1.〔　〕フェニルケトン尿症などの先天性代謝異常の大部分は，常染色体劣性遺伝病である．

□□ 2.〔　〕常染色体の数が1本減る染色体異常のことを，トリソミーという．

□□ 3.〔　〕複数の遺伝子が相互に作用し合って症状を呈するものを，多因子遺伝病という．

□□ 4.〔　〕風疹の免疫をもたない妊婦が妊娠20週ごろまでに風疹に罹患すると，先天性風疹症候群を発症する危険がある．

□□ 5.〔　〕血友病A・Bの原因遺伝子は，X染色体上に存在する．

※日本遺伝学会は2017年9月の用語改訂で，優・劣という価値観を含んだ語感から，より中立的な表現とするため，優性→顕性，劣性→潜性に変更した．

9　代謝異常

ワンポイントチェック！

古いものと新しいものが入れ替わることを代謝という．生体の細胞や組織も物質代謝により常に新しいものに置き換えられているが，それが機能せず，代謝ができなくなることを代謝異常という．

要点整理

〔　　〕に適する語を次頁の選択肢から選び，文や図表を完成させよう．

糖質代謝

□□ 1. 糖質は生体にとって大切な〔　　　　　　〕である．

□□ 2. 血中の〔　　　　　　〕(血糖)は，常にほぼ一定の範囲内に維持されている．

□□ 3. インスリンと〔a　　　　　　〕などのホルモンは，血糖の調節に大きな役割を果たしている．

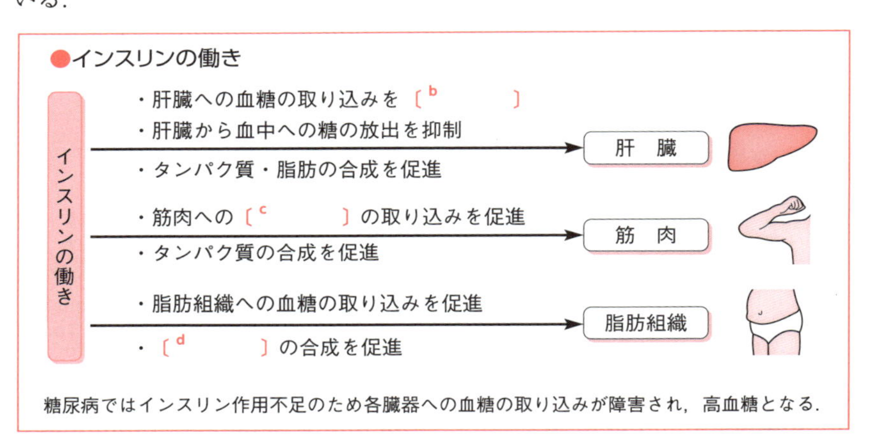

●インスリンの働き
インスリンの働き
・肝臓への血糖の取り込みを〔b　　　〕
・肝臓から血中への糖の放出を抑制
・タンパク質・脂肪の合成を促進
肝　臓
・筋肉への〔c　　　〕の取り込みを促進
・タンパク質の合成を促進
筋　肉
・脂肪組織への血糖の取り込みを促進
・〔d　　　〕の合成を促進
脂肪組織

糖尿病ではインスリン作用不足のため各臓器への血糖の取り込みが障害され，高血糖となる．

代謝異常

□□ 4. 代謝異常には糖質代謝異常をはじめ，〔　　　　　　〕代謝異常，タンパク質代謝異常，核酸・ビタミンの代謝異常などがある．

□□ 5. 糖質代謝異常の代表的な疾患には，〔　　　　　　〕や糖原病がある．

□□ 6. 持続的な〔a　　　　　　〕状態となる糖尿病は，〔b　　　　　　〕の絶対的，もしくは相対的不足によって引き起こされる．

□□ 7. 糖尿病は，自己免疫的機序により発症する〔a　　　　　　〕と，それ以外の原因で発症する〔b　　　　　　〕に大別できる．

□□ 8. 血中への〔　　　　　　〕の供給が病的に不足すると，低血糖を生じる．

□□ 9. 〔a　　　　　　〕を分解する酵素が先天的に欠損しているため，〔a〕(糖原)が沈着する代謝異常を〔b　　　　　　〕という．

□□ 10. ガラクトース血症などの〔　　　　　　　〕では，特定の酵素の欠損によって，代謝される物質が代謝されずに蓄積したり，異常代謝物質が生成されたりするなどの異常が生じる．

□□ 11. 〔a　　　　　　　〕の原因は，血中コレステロールや中性脂肪などの脂質が結合した〔b　　　　　　　〕の過剰産生や，代謝障害などである．

□□ 12. タンパク質代謝の異常をきたす疾患には，〔　　　　　　　〕をはじめ，高タンパク血症，血清タンパク分画の異常，特殊なタンパク質の沈着(アミロイドーシス)などがある．

□□ 13. 高尿酸血症には，体内で生成される尿酸量が尿酸排泄量を超えることで生じる〔a　　　　　　　〕高尿酸血症と，尿中への尿酸の排泄低下によって生じる〔b　　　　　　　〕高尿酸血症がある．

□□ 14. 高尿酸血症になると尿酸が〔a　　　　　　　〕として沈着する．この〔a〕による急性関節炎を〔b　　　　　　　〕という．

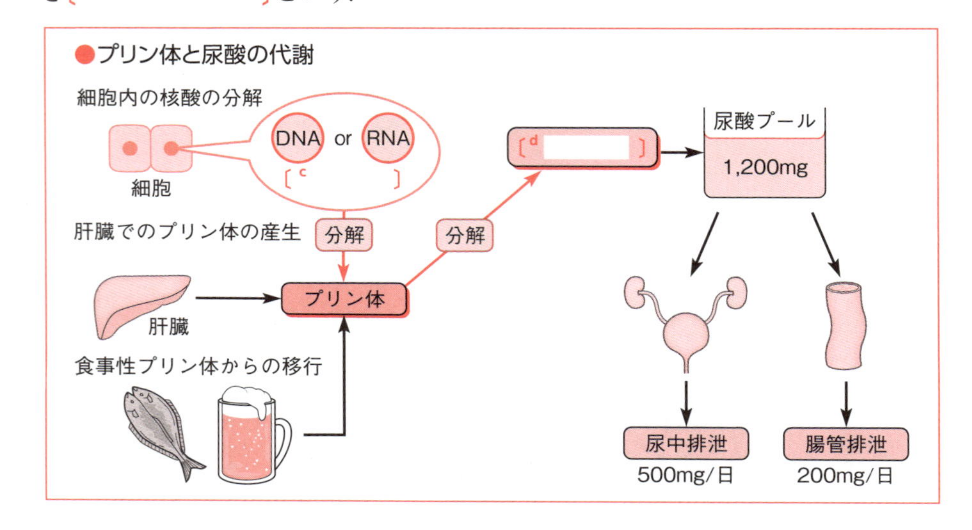

選択肢
糖原病　1型　2型　ブドウ糖　促進　血糖　脂肪　脂質　尿酸　核酸
糖尿病　低血糖　高血糖　インスリン　先天性糖代謝異常　尿酸結晶
脂質代謝異常　リポタンパク　グルカゴン　グルコース　グリコーゲン　痛風
低タンパク血症　尿酸産生過剰型　尿酸排泄低下型　エネルギー源

トレーニング

正しいものには ○ を，誤っているものには × を記入しよう．

□□ 1. 〔　〕糖は筋肉でも取り込まれ，グリコーゲンとして蓄積される．

□□ 2. 〔　〕空腹や飢餓状態では，膵臓から分泌されたインスリンの作用で腎臓からブドウ糖が放出され，血糖は一定に維持される．

□□ 3. 〔　〕血中のケトン体が増えて蓄積した状態をケトアシドーシスという．

□□ 4. 〔　　〕近位尿細管におけるブドウ糖の再吸収には限度があり，血糖が120mg/dLを超えると過剰分は体外へ排泄される．

□□ 5. 〔　　〕2型糖尿病は，日本人の糖尿病の95％以上を占める．

□□ 6. 〔　　〕2型糖尿病ではインスリンの量が不足する上，肝臓や筋肉，脂肪組織でのインスリンの働きも低下する．

□□ 7. 〔　　〕血糖値が80mg/dL以下程度になると，インスリン分泌が亢進される．

□□ 8. 〔　　〕血糖値が60mg/dLまで低下すると，成長ホルモン，コルチゾールなどのインスリン拮抗ホルモンの分泌が起こる．

□□ 9. 〔　　〕血糖値を下げるインスリンが不足すると，血糖値が上がったままの状態になる．

□□ 10. 〔　　〕先天性糖代謝異常としては，乳糖不耐症，果糖不耐症，ガラクトース血症が挙げられる．

□□ 11. 〔　　〕脂質代謝異常は，脂質が結合したリポタンパクが不足することで生じる．

□□ 12. 〔　　〕脂質は，リポタンパクの形で血液中を運搬される．

□□ 13. 〔　　〕カイロミクロンや超低比重リポタンパク（VLDL）が増加すると，高トリグリセリド血症の原因になる．

□□ 14. 〔　　〕プリン体は，最終的には尿酸となって主に尿中に排泄される．

□□ 15. 〔　　〕ビタミンB_{12}が不足すると，骨粗鬆症や低カルシウム血症になりやすい．

□□ 16. 〔　　〕血清カルシウム（Ca）濃度は，副甲状腺ホルモン，カルシトニン，ビタミンDによって調整されている．

実力アップ

以下の問いに答えよ．

□□ **1.** メタボリックシンドロームの診断において必須の診断基準項目はどれか．〔　　　〕

1. 血　糖
2. 腹　囲
3. 脂　質
4. 尿　酸
5. 血　圧

□□ **2.** 2型糖尿病の食事療法において，1日のエネルギー摂取量の算出に必要なのはどれか．〔　　　〕

1. 体　温
2. 体表面積
3. 胸　囲
4. 体　重
5. 標準体重

2章 病態症候論：主な症状・徴候

1◉皮膚・体温調節の異常

1 皮膚瘙痒

ワンポイントチェック！

皮膚の瘙痒感，つまりかゆみ感は皮膚症状のうちで最もありふれた症状である．かゆみの程度は，時々感じる軽いものから，夜眠れないくらい強いものまであり，長く続くと患者に耐えられない苦痛を与える．

要点整理

〔　〕に適する語を下の選択肢から選び，文を完成させよう．

□□ 1. 皮膚は，表面から表皮，真皮，〔　　　　〕の層がある．

□□ 2. 〔　　　　〕は最も外の層で，体の内部環境を保護する役割がある．

□□ 3. 表皮と真皮には感覚器として重要な受容器があり，これは外部の刺激をC線維に伝え，その刺激は〔　　　　〕を通り視床を経て，大脳皮質体性感覚野まで伝えられる．

□□ 4. かゆみを引き起こす原因には物理的(外的)刺激と〔a　　　　〕や，トリプシン・プロテアーゼなどの〔b　　　　〕の関与が推定されている．

□□ 5. 起痒（きよう）物質(かゆみを起こす物質)が表皮に付着したり，食物摂取などにより体内に侵入すると，表皮と真皮の接合部の〔　　　　〕を刺激し，毛包を取り巻くC線維によって伝達され，かゆみを引き起こす．

□□ 6. アトピー性皮膚炎は，ダニや花粉などの抗原に対する〔　　　　〕によって起こる．

●皮膚の構造

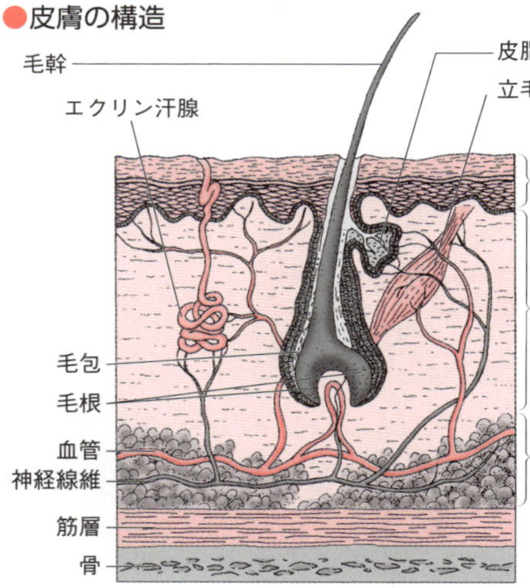

選択肢

コラーゲン　皮下組織　真皮　表皮　遊離神経網　脊髄視床路
ヒスタミン　アドレナリン　C線維　Ⅰ型アレルギー　エンドペプチダーゼ

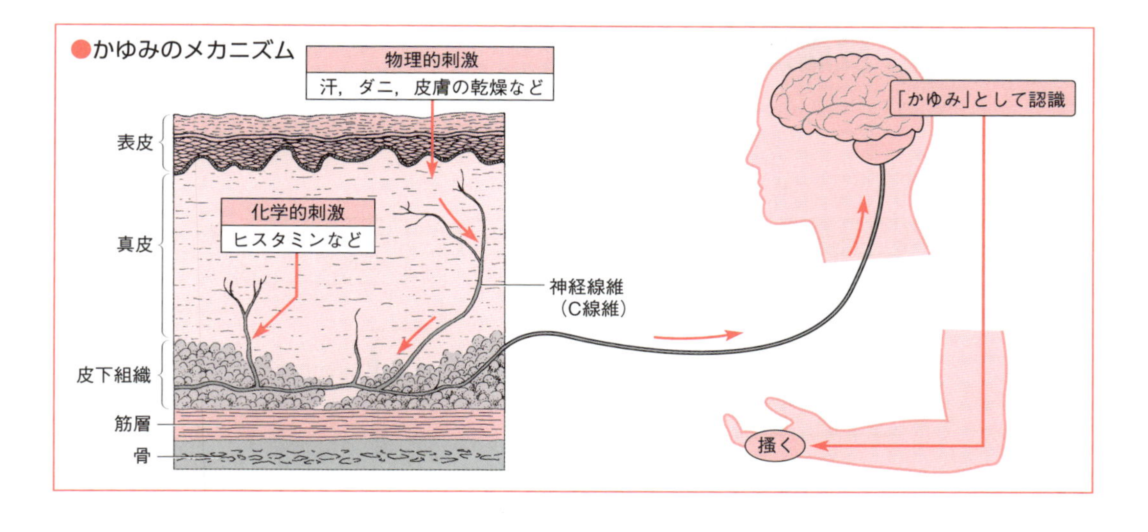

トレーニング

正しいものには ○ を，誤っているものには × を記入しよう．

□□ 1. 〔　〕アトピー性皮膚炎は湿疹を伴わない．

□□ 2. 〔　〕閉塞性黄疸ではかゆみが起こる．

□□ 3. 〔　〕老人性瘙痒症は皮疹を伴う．

□□ 4. 〔　〕心身症的な瘙痒症は，強度で頑固なかゆみであり，難治性である．

□□ 5. 〔　〕皮下組織は，最も外の層で，体の内部環境を保護する役割がある．

●瘙痒感を伴う病態の原因と分類

分類	原因	症状
皮疹に伴う瘙痒感	アレルギー機序：特異抗原，物理的刺激，感染症，自己免疫機序，血管性浮腫	限局もしくは拡大する皮疹，湿疹に伴うかゆみ
	非アレルギー機序：肥満細胞に作用，不耐症	
内科疾患に伴う瘙痒感	内科疾患による皮膚の刺激物質産生・代謝異常，皮膚自体の変化など（このメカニズムの詳細は，まだ不明な点が多い）	かゆみが全身に及ぶもの：代謝・内分泌異常，肝疾患，腎疾患，悪性腫瘍，血液疾患，妊娠など
		かゆみが限局するもの：泌尿器疾患，婦人科疾患，寄生虫など
心身症的な瘙痒症	神経症患者の幻覚や妄想から引き起こされるかゆみ	強度で頑固なかゆみであり，難治性
神経疾患や循環障害による瘙痒症	神経疾患による皮膚知覚異常，知覚鈍麻，知覚過敏	異常感覚をかゆみとして感じる
	心血管疾患による循環障害	まれに，下肢などにかゆみを感じる

症候マップ 皮膚瘙痒

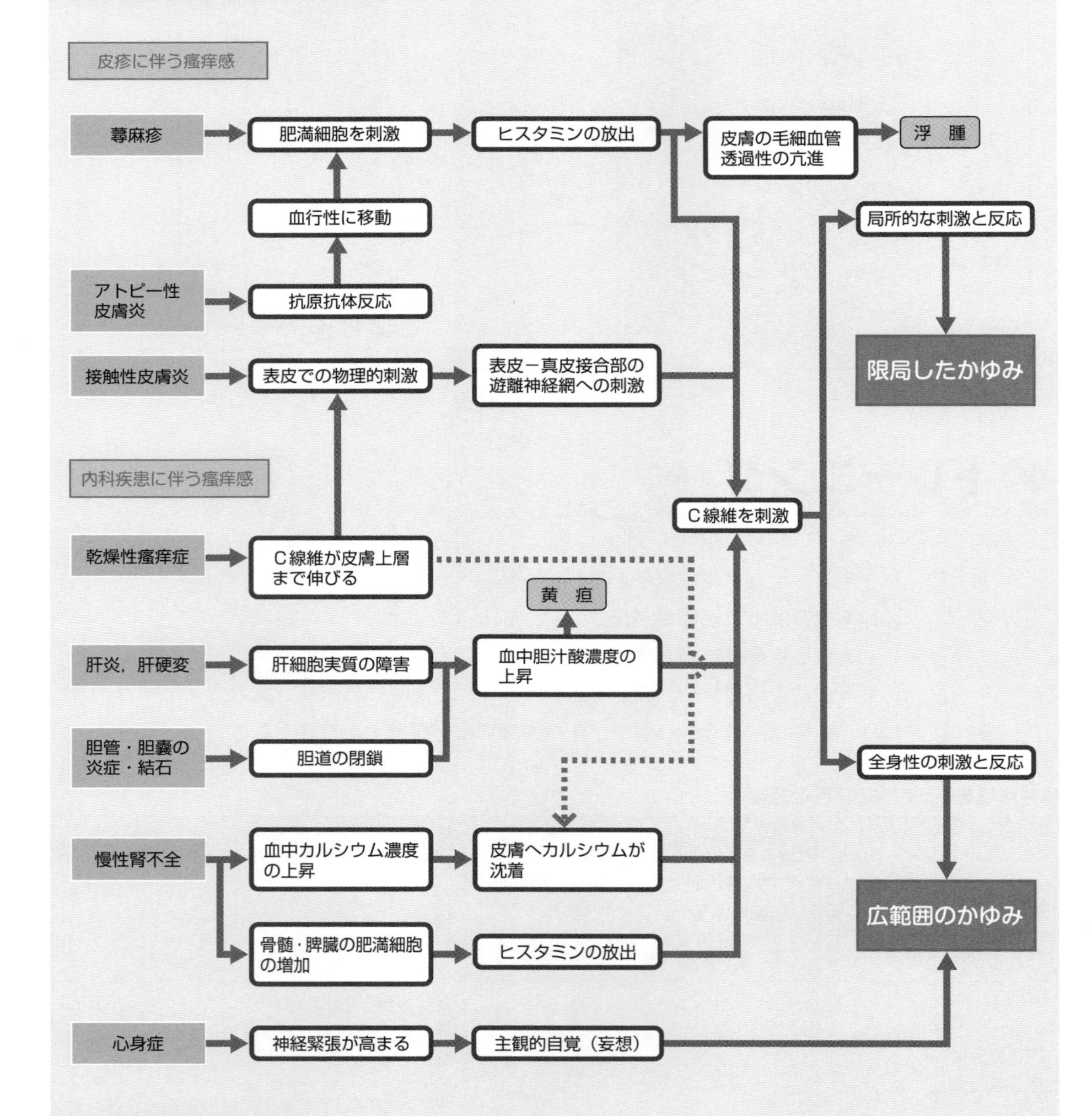

mini case

「皮膚がむずむずして掻きたくなる」と訴えていますが，この訴えだけでは原因が特定できません．

1. かゆみの原因となる疾患には，どのようなものがあるか症候マップで確認しよう．
2. 原因を特定するためには，どのような情報が必要か考えよう．

2 発熱・低体温

ワンポイントチェック！

発熱とは，視床下部にある体温調節中枢に異常が生じた結果，体温のセットポイント（設定温度）が上昇し，体温が高められた状態である．

低体温とは，深部体温が35℃以下になった状態である．低栄養や高齢などによる熱産生の低下，低温環境下などによる熱放散の亢進，体温のセットポイントの低下などにより起こる．

要点整理

〔　〕に適する語を下の選択肢から選び，文や図表を完成させよう．

□□ 1. 一般的に正常な体温の範囲は〔　　　　〕以上，37℃未満だが，個人差が大きい．

□□ 2. 体温の産生因子には基礎代謝，筋肉運動，〔　　　　〕の作用などがある．

□□ 3. 体温の放散には〔　　　　〕，伝導，対流，蒸発，発汗がある．

□□ 4. 体熱の産生と〔　　　　〕のバランスをとることで，深部体温（核心温度）を調節している．

□□ 5. 体温が異常に上昇した状態を〔　　　　〕という．

□□ 6. 高体温 ── 発熱　：体温調節中枢の機能に異常が起こり，体温が上昇した状態．
　　　　　└ 〔　　　　〕：熱産生と熱放散のバランスが崩れ，体内に熱がこもってしまう状態．体温調節中枢は正常に機能している．

□□ 7. 発熱の原因は，脳出血などによる体温調節中枢の損傷で起こる機械的刺激，発熱物質による〔　　　　〕，大脳皮質からの影響による精神的刺激の3つに大きく分けられる．

□□ 8. ●熱型の種類

熱型	定義	原因
〔a　　　〕	日差1℃以内の持続する高熱	クループ肺炎，腸チフス，発疹チフス，髄膜炎
弛張熱	日差1℃以上，低いときでも平熱にはならない	敗血症，化膿性疾患，結核の末期，気管支肺炎，ウイルス性感染症
〔b　　　〕	日差1℃以上，平熱になることもある	マラリア，膿瘍
波状熱	有熱期と〔c　　　〕が交互にみられる	ホジキンリンパ腫，回帰熱，ブルセラ症，胆道閉塞
二峰熱	発熱が初期に一度下がり，再び上昇する	〔d　　　〕，麻疹，泉熱
〔e　　　〕	熱の高低，持続に一定の傾向がない	種々の疾患

□□ 9. 低体温は，一般的に〔　　　　〕によって，高度（28℃未満），中等度（28～32℃），軽度（32～35℃）に分類される．

選択肢

化学的刺激　34℃　35℃　甲状腺ホルモン　副腎皮質ホルモン
輻射　放散　発熱　うつ熱　高体温　深部体温　無熱期　デング熱
間欠熱　稽留熱　不定熱

症候マップ　発熱・低体温

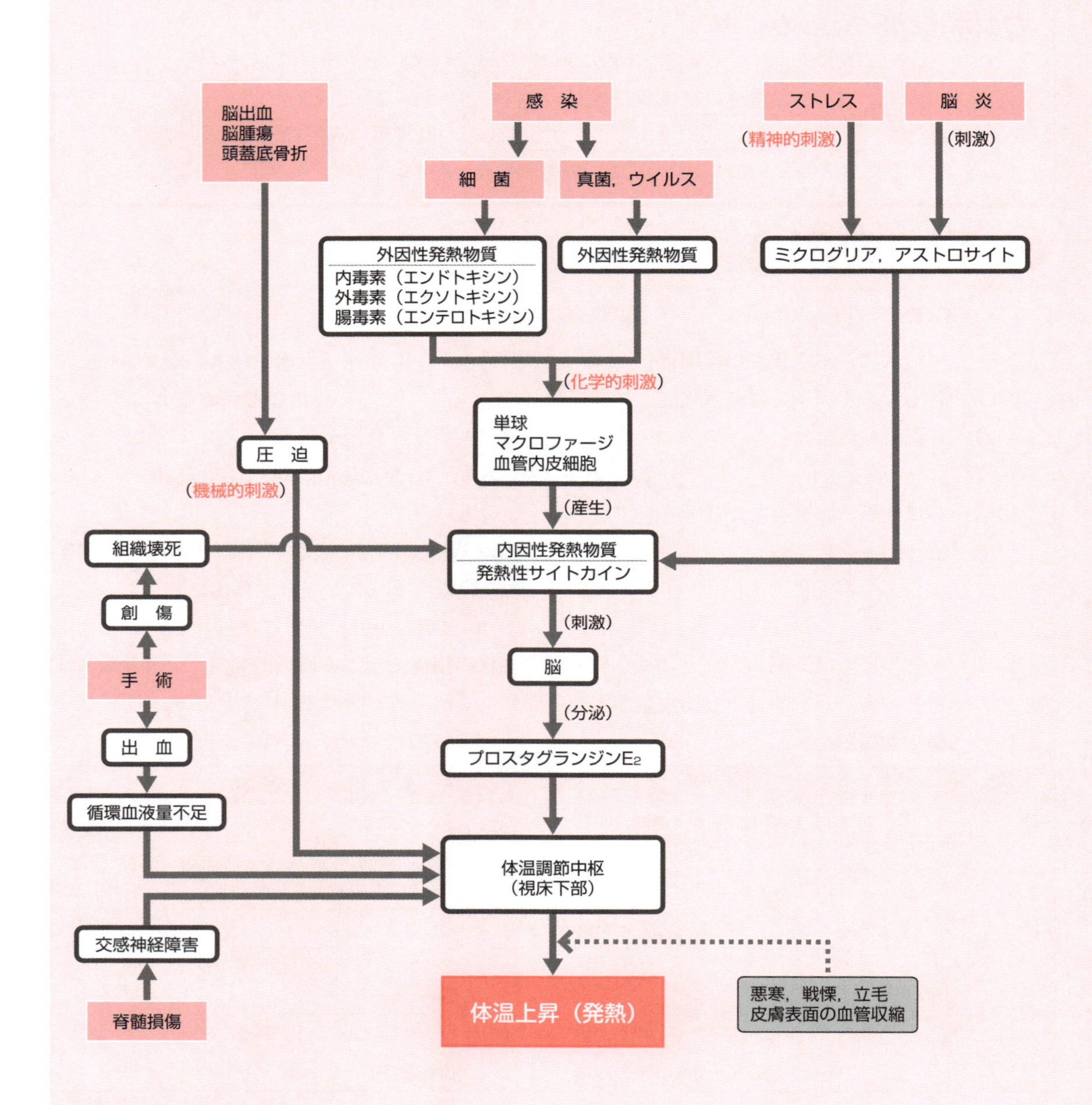

mini case

殿部に10cm×10cmの発赤と腫脹，痛みがあり，膿が出てきました．37.5℃の発熱があります．

・発熱の原因に○をつけ，発熱を生じる経過をたどってみよう．

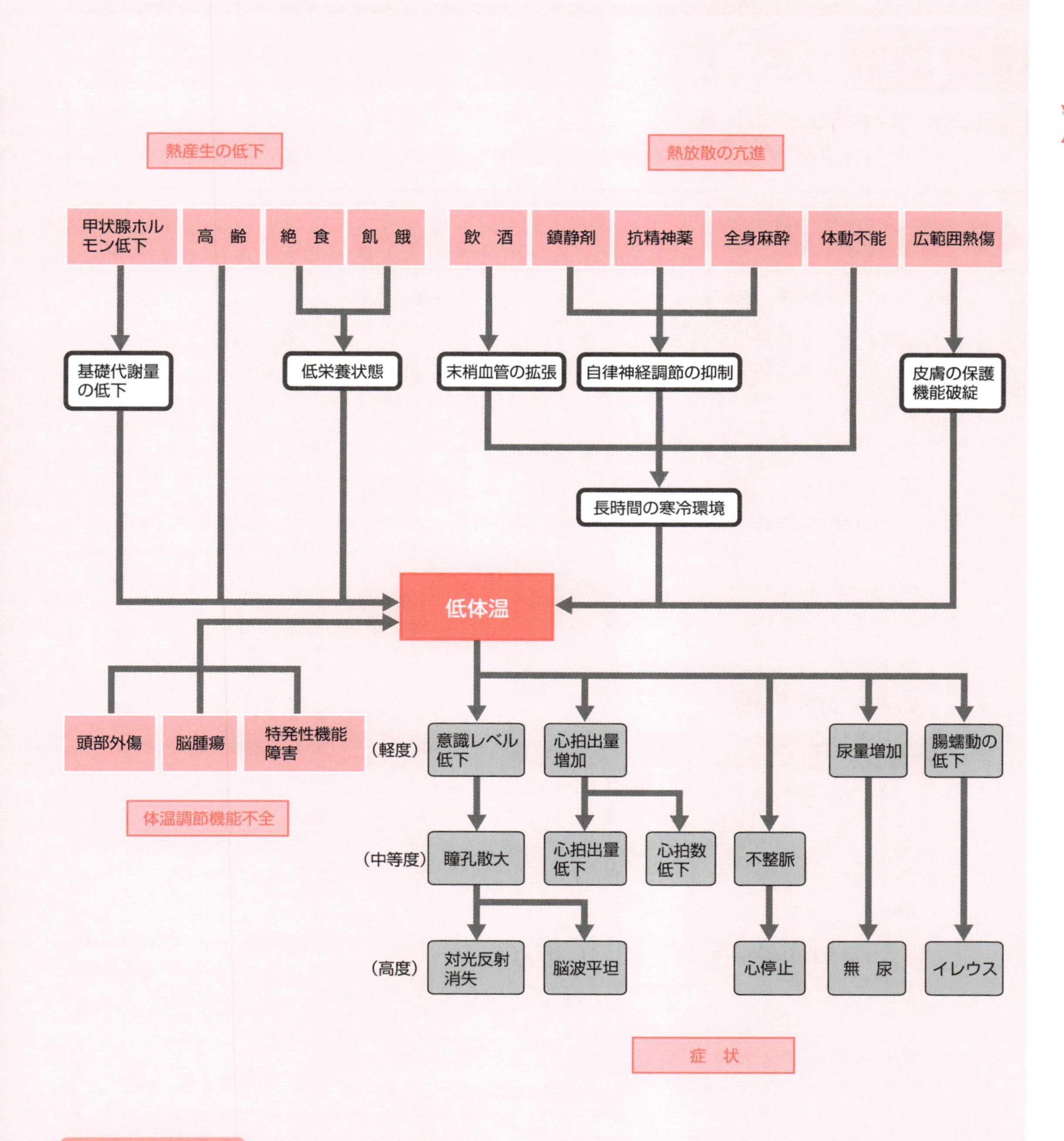

mini case

食事摂取ができず，極度にやせてきた20代の女性．体温が34.8℃です．

• 低体温の原因に○をつけて経過をたどり，予測される症状をチェックしてみよう．

1 浮 腫

ワンポイントチェック！

浮腫とは，組織の間や，胸腔・腹腔などの体腔に，体液(組織液)が過剰に貯留した状態をいう．

要点整理

〔　〕に適する語を下の選択肢，または〔　〕内から選び，文や図表を完成させよう．

□□ 1. 腎臓では，腎血流量が低下すると，〔　　　　　〕でレニンが分泌される．

□□ 2. レニンは，アンジオテンシンⅠ・アンジオテンシンⅡを介して〔a　　　　　〕に働きかけ，〔b　　　　　〕の分泌を促進する．

□□ 3. アルドステロンは遠位尿細管や集合管で〔a　　　　　〕の再吸収と，それに伴う〔b　　　　　〕の再吸収を促進し，体液量(循環血液量)を増加させる．

□□ 4. 浮腫は毛細血管内圧の上昇，静脈内圧の〔a　上昇・低下　〕，血漿膠質(こうしつ)浸透圧の〔b　上昇・低下　〕，リンパ管の障害(リンパ管閉塞など)，血管壁透過性の〔c　亢進・低下　〕などによって起こる．

□□ 5. 浮腫には，全身に起こる〔a　　　　　〕と，体の一部に限局して起こる〔b　　　　　〕がある．

□□ 6. ●浮腫の分類と特徴

種類		特徴	他の所見
全身性浮腫	心不全による浮腫	立位では下肢に，臥位では腰部・背部に強く出る．夕方に増強する．	うっ血性心不全症状(労作時や夜間の呼吸困難，起座呼吸，静脈怒張)
	腎性浮腫	急性糸球体腎炎では眼瞼，ネフローゼ症候群では全身に強い浮腫が出現する．	タンパク尿，食欲不振，〔a　　　〕
	肝硬変による浮腫	〔b　　　〕を伴うことが多い．	肝障害症状(黄疸など)，門脈圧亢進症状(脾腫，メドゥサの頭，食道静脈瘤)
局所性浮腫	静脈性浮腫	〔c　　　〕を伴う，緊満感の強い浮腫．	静脈怒張，色素沈着，潰瘍形成，皮膚炎
	〔d　　　〕	重量感がある． リンパ管炎時は痛みあり．	リンパ管炎，慢性化すると象皮病

選択肢

局所性浮腫　全身性浮腫　副腎皮質　傍糸球体装置　抗利尿ホルモン
アルドステロン　炭水化物　ナトリウム　カリウム　水
腹水　潰瘍形成　リンパ性浮腫　痛み　倦怠感

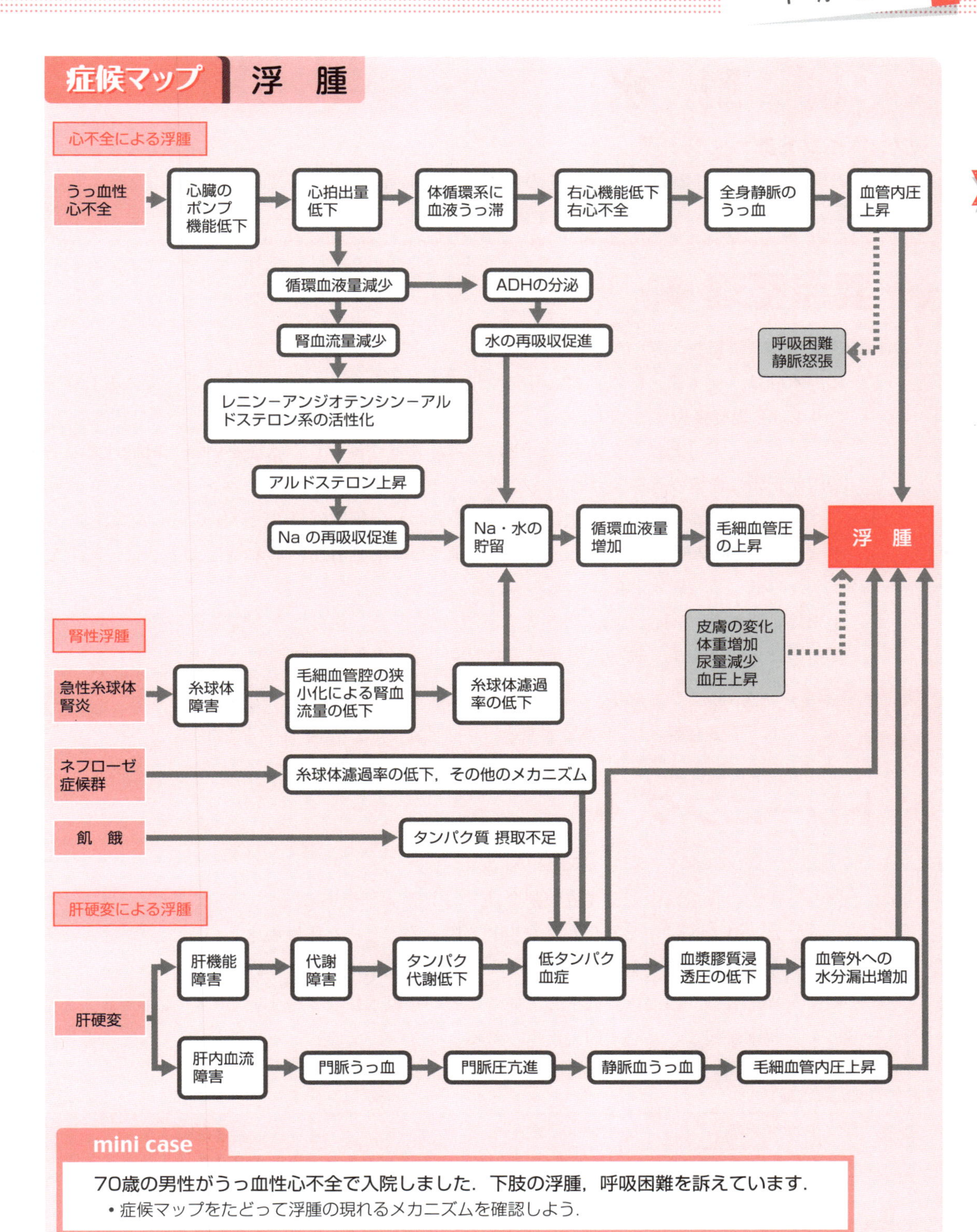

mini case

70歳の男性がうっ血性心不全で入院しました．下肢の浮腫，呼吸困難を訴えています．

• 症候マップをたどって浮腫の現れるメカニズムを確認しよう．

2 脱 水

ワンポイントチェック！

成人の場合，体液は体重の約60％を占める．脱水とは，体液量（特に細胞外液量）が減少した状態をいう．

要点整理

〔　　〕に適する語を下の選択肢から選び，文を完成させよう．

□□ 1. 体内水分は，便・尿・汗以外にも呼気や皮膚からの〔　　　　　　〕によって体重1kg当たり15mL程度喪失する．

□□ 2. 〔　　　　　　〕とは，主に水の欠乏によって体液が減少した状態をいい，細胞外液の浸透圧が正常な血漿浸透圧よりも高くなる．

□□ 3. 〔　　　　　　〕では，水よりもNa^+が多く失われ，細胞外液の浸透圧が低くなる．

□□ 4. 水とNa^+が同程度に失われたときは，血漿の浸透圧はほぼ変化しない．これを〔　　　　　　〕脱水という．

□□ 5. 小児は細胞外液の割合が成人より大きく，〔　　　　　　〕も成人より多いため，水分不足の影響を受けやすく脱水に陥りやすい．

選択肢
細胞内液　細胞外液　不感蒸泄　高張性　等張性　低張性
Na^+欠乏性脱水　水欠乏性脱水　排泄量　水分必要量　血漿浸透圧

トレーニング

正しいものには ○ を，誤っているものには × を記入しよう．

□□ 1. 〔　〕成人の体重に占める体液の割合は，およそ50％である．

□□ 2. 〔　〕水よりもNa^+が多く失われて生じる脱水のことを高張性脱水という．

□□ 3. 〔　〕小児は水分必要量が成人より少ないため，脱水になりにくい．

□□ 4. 〔　〕高齢者は，口渇感が低下していることから脱水になりやすい．

□□ 5. 〔　〕脱水が起こると必ず口渇がみられる．

●脱水の重症度と症状

重症度	水欠乏量	水欠乏性脱水	Na^+欠乏性脱水
軽　症	体重の約2％	口渇	NaClが0.5g/kg以下の欠乏 倦怠感，頭痛，立ちくらみ
中等症	体重の約5％	強い口渇	NaClが0.5～0.75g/kgの欠乏 嘔気・嘔吐，低血圧（収縮期で90mmHg）
重　症	体重の約8％	強い口渇，精神症状（興奮→昏睡）	NaClが0.75～1.25g/kgの欠乏 精神症状（昏睡）

症候マップ 脱 水

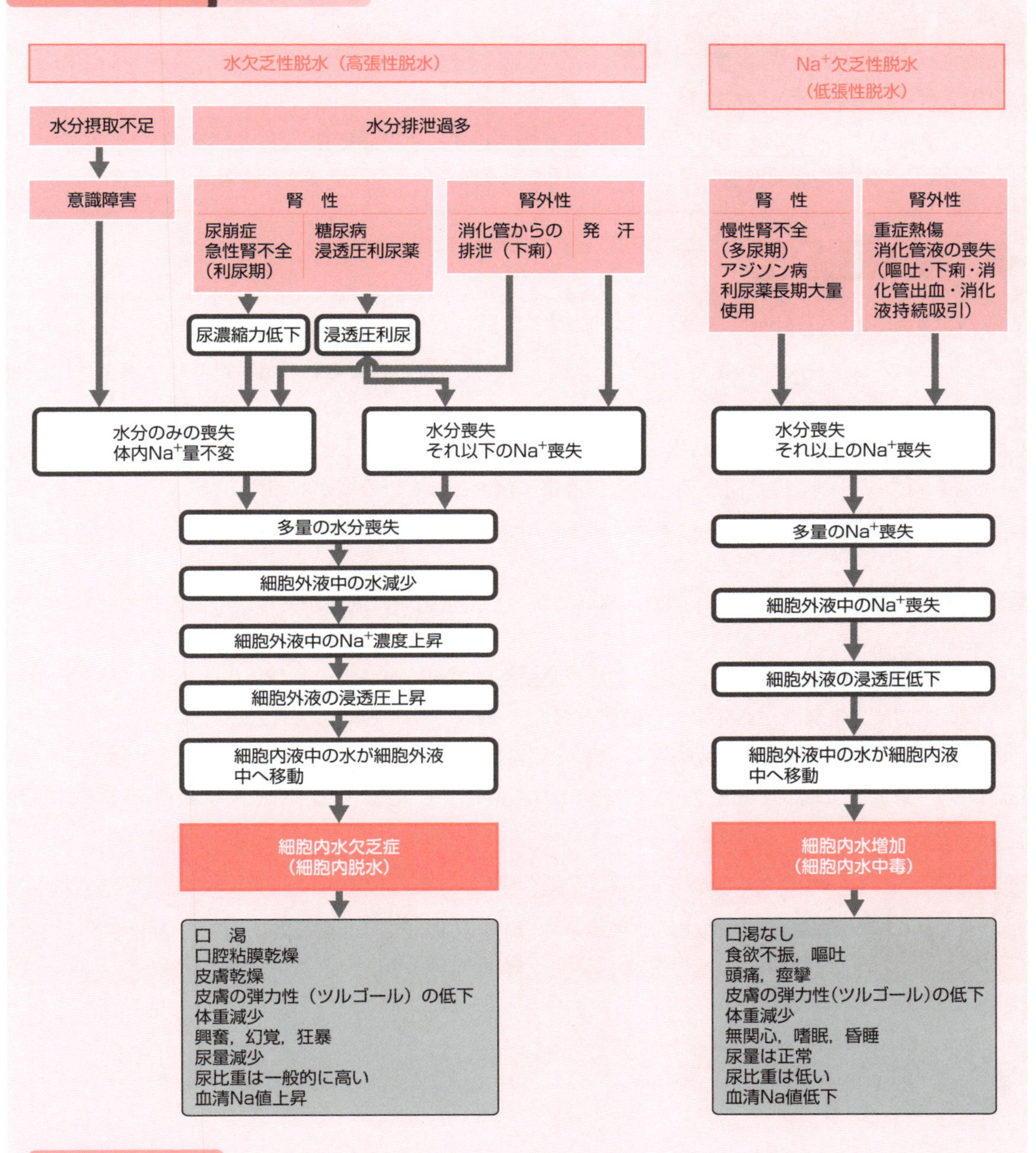

mini case

80歳女性．数日前から，嘔吐と下痢のため食事も水も摂れていません．今朝から頭痛を訴え，意識レベルの低下がみられたため受診しました．

1. 2つのうち，どちらの脱水の分類にあたるか○印をつけよう．
2. 症候マップをたどって脱水の現れるメカニズムを確認しよう．

1 不整脈

ワンポイントチェック！

不整脈とは，心臓収縮のリズムが乱れた状態をいう．不整脈になると，全身への血液供給が不足し，生命や臓器機能を脅かしたり，循環系で血液が滞りさまざまな障害を生じさせる．

要点整理

〔　〕に適する語を下の選択肢から選び，文を完成させせよう．

□□ 1. ペースメーカーの役割を担う〔　　　　　　〕から発せられる電気刺激は心房全体に伝わり，心房が収縮する．

□□ 2. 心房全体に伝わった電気刺激は，〔a　　　　　　〕とヒス束を通り，右脚・左脚，〔b　　　　　　〕へと伝導し，心室に伝わることで心室が収縮する．

□□ 3. 洞結節から発せられた規則正しい電気的興奮が心収縮のリズムを規定している状態を〔　　　　　　〕という．

□□ 4. 〔　　　　　　〕は，刺激伝導路において電気刺激の流れが何らかの原因で妨げられることによって起こる．

□□ 5. 〔a　　　　　　〕には，単発的に余剰な電気刺激が発生する〔b　　　　　　〕と，連続的に異常刺激が頻発する頻拍症がある．

□□ 6. 房室結節または心房から発生する異常刺激を〔　　　　　　〕という．

□□ 7. 洞結節の刺激発生が遅くなったり速くなったりする徐脈－頻脈性不整脈には，〔　　　　　　〕がある．

選択肢

プルキンエ線維　徐脈性不整脈　頻脈性不整脈　心室性期外収縮
洞機能不全症候群　洞調律　房室ブロック　上室性期外収縮　期外収縮
房室結節　洞結節　右脚　発作性上室頻拍

正しいものには ○ を，誤っているものには × を記入しよう．

□□ 1. 〔　　〕心房細動では，脈拍の間隔と強さが不規則になる．

□□ 2. 〔　　〕心房で頻回に電気刺激が発生するものに，心房細動と心室粗動がある．

□□ 3. 〔　　〕刺激伝導系において，心房から心室へと移行する部分で刺激が伝わりにくくなることを房室ブロックという．

□□ 4. 〔　　〕Ⅰ度房室ブロックでは，脈拍数は変わらないことが多い．

□□ 5. 〔　　〕モビッツⅠ型では，一定のPQ間隔が続いたあと，突然にQRSが欠落する．

□□ 6. 〔　　〕アダムス・ストークス発作は，発作性上室頻拍でみられる．

□□ 7. 〔　　〕心房細動では，基線の細かい動揺がみられ，PR間隔が全く不整である．

●徐脈性不整脈

<table>
<tr><td rowspan="5">房室ブロック</td><td>Ⅰ度房室ブロック</td><td>PQ間隔が延長（正常PQ時間0.12～0.20秒）</td></tr>
<tr><td rowspan="2">Ⅱ度房室ブロック</td><td>モビッツⅠ型（ウェンケバッハ型）：PQ間隔が徐々に延長し，QRSが欠落する</td></tr>
<tr><td>モビッツⅡ型：P波が出現後，突然QRSが欠落する</td></tr>
<tr><td>Ⅲ度房室ブロック</td><td>P波，QRS波がそれぞれ無関係にリズムを刻む</td></tr>
<tr><td colspan="2">症状：Ⅰ度房室ブロック，モビッツⅠ型（ウェンケバッハ型）→無症状のことが多い
モビッツⅡ型，Ⅲ度房室ブロック→動悸，めまい，意識消失（アダムス・ストークス発作）
原因：虚血性心疾患，心筋疾患，甲状腺機能低下症，開心術後（心室中隔欠損症，ファロー四徴症など）など</td></tr>
</table>

症候マップ　不整脈

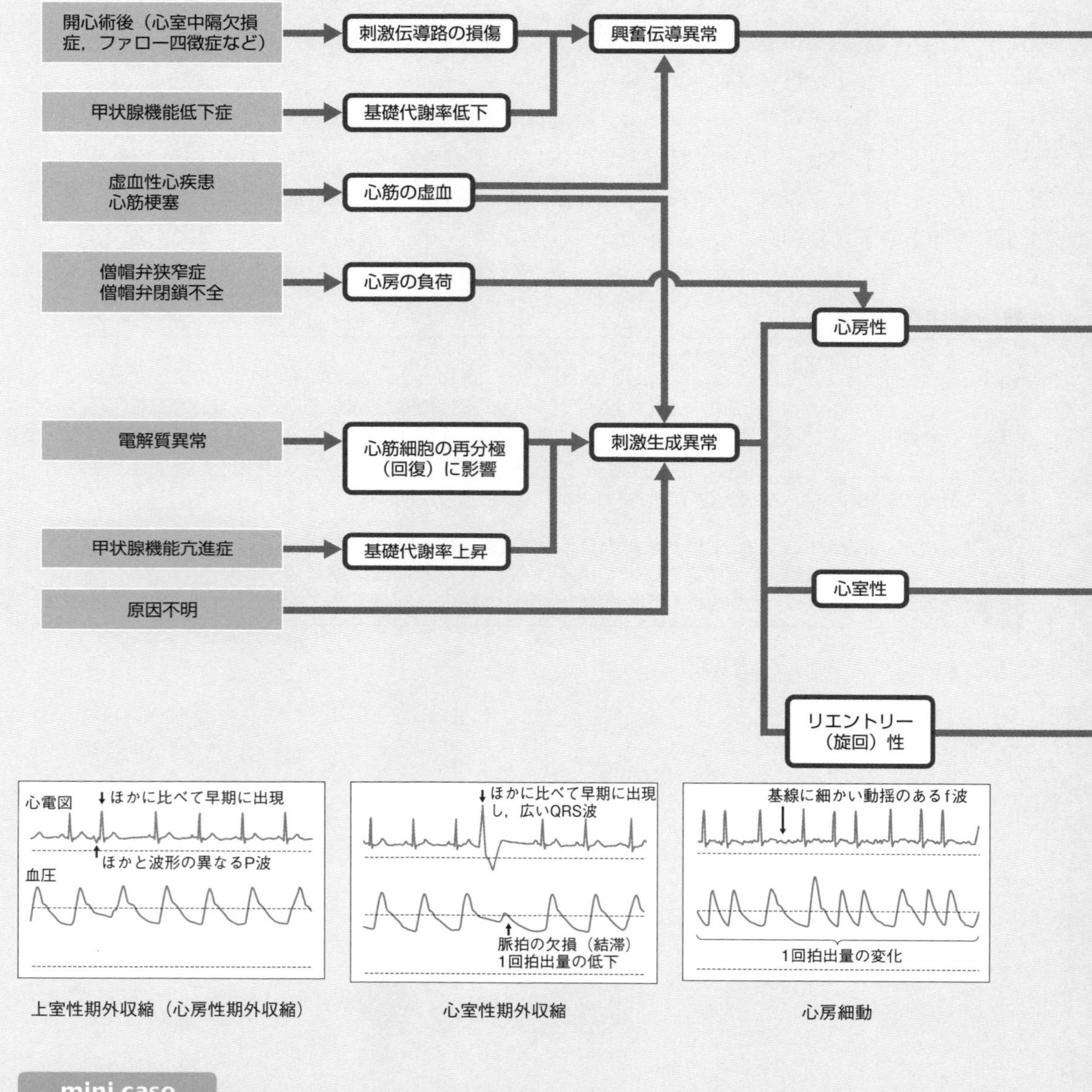

mini case

心筋梗塞で入院中の患者さんが動悸がすると訴えています．脈拍を測定したところ，結滞がみられました．

1. 脈拍欠損（結滞）が起こる原因をいくつか考えよう．
2. 症候マップの原因と観察項目をたどって，メカニズムと分類を確認しよう．

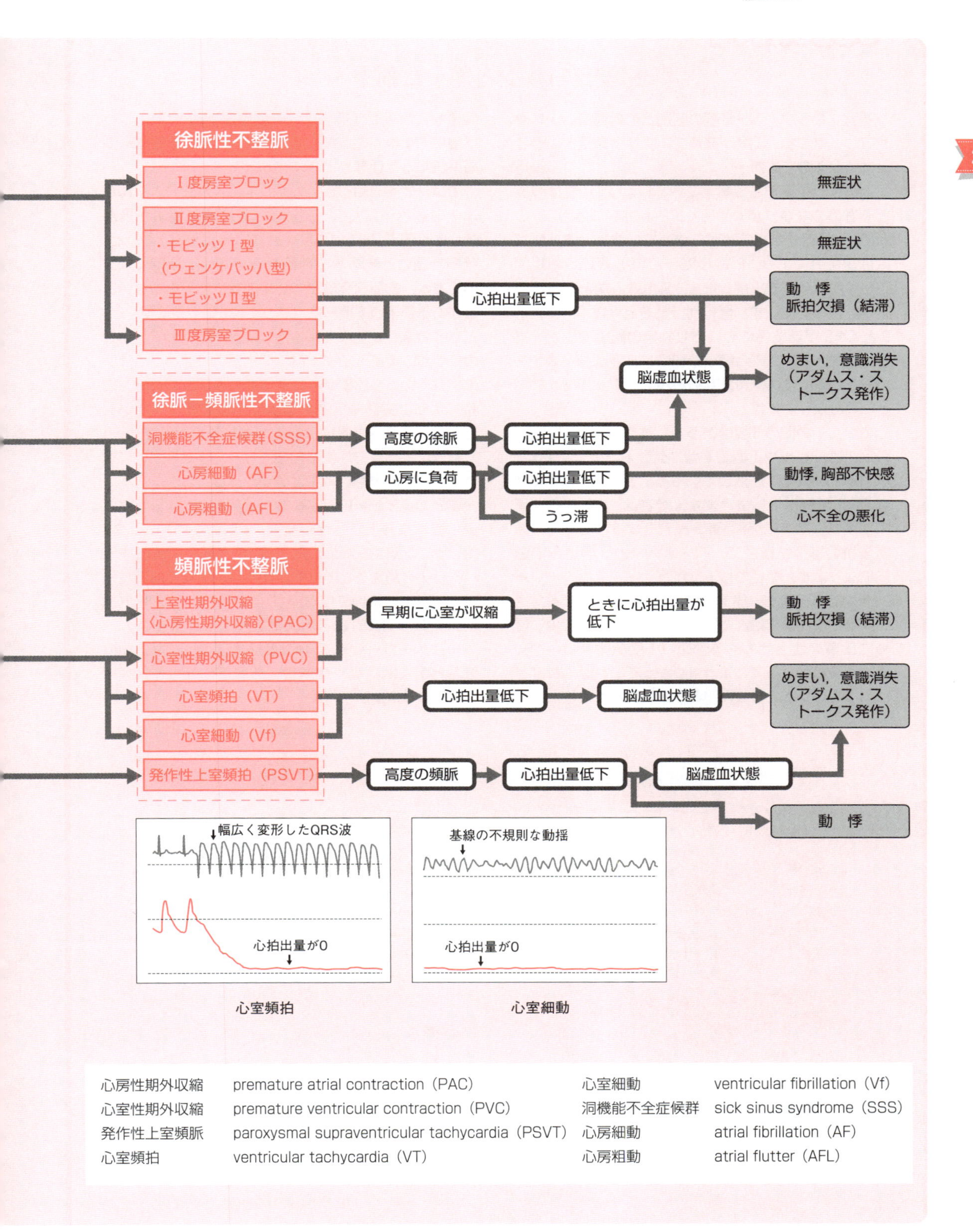

心室頻拍　　　心室細動

心房性期外収縮	premature atrial contraction（PAC）	心室細動	ventricular fibrillation（Vf）
心室性期外収縮	premature ventricular contraction（PVC）	洞機能不全症候群	sick sinus syndrome（SSS）
発作性上室頻脈	paroxysmal supraventricular tachycardia（PSVT）	心房細動	atrial fibrillation（AF）
心室頻拍	ventricular tachycardia（VT）	心房粗動	atrial flutter（AFL）

COLUMN 2

房室ブロックと困った部下

房室ブロック，Ⅰ～Ⅲ度の区別とその対応，少しややこしいですね．Ⅰ度が軽症で，Ⅲ度が重症ということはわかるのですが…….

次のように整理して考えてみましょう．Ⅰ度は心房と心室のつながりがやや悪く，P（心房の収縮）とQ（心室の収縮開始）の間が広がっています．でもリズムは保たれており，PもQRS（心室の収縮）も規則正しく同じ頻度で出現します．Ⅲ度は心房と心室が全くつながっておらず，全く別行動をとります．ゆえにPとQRSが無関係にそれぞれ独自の間隔で出現します．Ⅰ度は通常，無治療経過観察．Ⅲ度はペースメーカーを埋め込むなどの処置が必要です．これはなんとなくわかりますね．

では，その間のⅡ度はどうでしょうか．Ⅱ度房室ブロックはモビッツⅠ型とⅡ型に分かれます．前者は，PQ間隔が徐々に延長していって，ついに何回かに1回QRSが飛んでしまいます．後者は，PQ間隔は正常ですが，たまに突然QRSが飛びます．そして，通常後者のほうが重症で，ペースメーカー植込みの適応になります．なぜでしょうか？

あなたが職場で，部下を持っていると考えてください．部下に仕事を頼んだ時，期限より決まって少し遅めに仕事を仕上げてくる部下（Ⅰ度房室ブロック）．これはまだ許せるでしょう．わかっていればそれほど仕事にさしつかえません．こちらの頼んだ仕事と全く関係なく仕事をする部下（Ⅲ度房室ブロック）．これは困りますね．こんな人ばかりだと，その部署は一つも系統だった仕事ができません．

では，仕事を頼むと少しずつ期限より遅れ，だんだんその遅れが長くなっていき，定期的に仕事が飛んでしまう部下（Ⅱ度房室ブロック，モビッツⅠ型）と，仕事を頼むとまずまず期限を守って仕上げてくれるのですが，ある日突然つむじを曲げて仕事をしないことがある部下（Ⅱ度房室ブロック，モビッツⅡ型）と，どちらのほうが仕事を頼みやすい部下ですか？　前者のほうが，そろそろキャパシティがいっぱいいっぱいになっている，仕事が飛びそうだと予想がつく分，後者のように突然飛ばされるより仕事を頼みやすいと思いませんか？（異論はあるかもしれませんが……）

実際はここまで単純な理屈ではありませんが，まずはそのように理解されてはいかがでしょうか．

まとめると，●Ⅰ度房室ブロック（決まって仕事が少し遅れる部下）→経過観察．●Ⅱ度房室ブロック・モビッツⅠ型（ちょっとずつ遅れが大きくなって，キャパシティを超えるとできない仕事が出てくる部下）→基本は経過観察．●Ⅱ度房室ブロック・モビッツⅡ型（普段大丈夫なのに，ある日突然仕事をさぼる部下）→ペースメーカーを考慮．●Ⅲ度房室ブロック（上司の依頼と全く関係なく仕事をする部下）→ペースメーカーとなります．

●房室ブロックの心電図

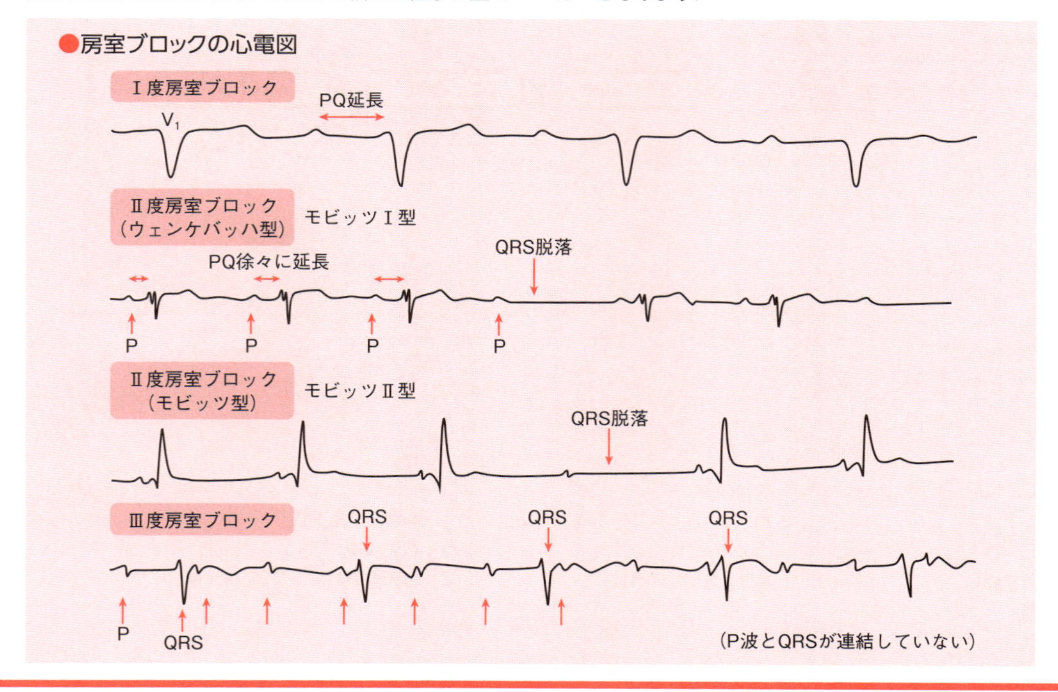

2 チアノーゼ

ワンポイントチェック！

チアノーゼとは，血液中の還元ヘモグロビンが増え，皮膚・粘膜が暗紫色になることをいう．急性呼吸不全などのために突然出現するチアノーゼは，生命の危険を示唆し，緊急処置を必要とすることが多い．

要点整理

〔　〕に適する語を下の選択肢から選び，文や図表を完成させよう．

呼吸のしくみ

□□ 1. 大気中の酸素は〔　　　　　〕によって，気道を通り肺胞に達する．

□□ 2. 肺胞内の酸素は〔a　　　　　〕により，動脈血中に取り込まれ，主に赤血球内のヘモグロビンと結びついて全身に運ばれる．一方，組織で生成された〔b　　　　　〕は静脈血中に移動し，血流に乗って肺に運ばれて肺の毛細血管から肺胞内へと移動し，呼気として排出される．

チアノーゼ

□□ 3. チアノーゼは，一般的に動脈血中の還元ヘモグロビンが〔　　　　　〕以上に増えたときに現れる．

□□ 4. 血液中のヘモグロビン量の基準値は，100mL中〔　　　　　〕であり，正常時にはほとんどすべてのヘモグロビンが酸素に飽和している．

□□ 5. 呼吸または循環の障害により，全身的に動脈血の還元ヘモグロビンが増加した状態を〔　　　　　〕という．

□□ 6. 血流が停滞している部分に生じるチアノーゼを〔　　　　　〕という．

□□ 7. ●チアノーゼの分類

分　類	原　因	代表例
中枢性チアノーゼ	肺のガス交換の異常	COPD，肺水腫，肺血栓塞栓症
	〔a　　　　　〕	無気肺，ファロー四徴症，アイゼンメンジャー症候群
末梢性チアノーゼ	局所の血流の停滞	〔b　　　　　〕供給低下（阻血），静脈還流障害（うっ血）

選択肢

血小板　ヘモグロビン　アルブミン　グロブリン　拡散　排出
二酸化炭素　酸素　吸気　呼気　静脈血　動脈血　動静脈シャント
5g/dL　10g/dL　5g　15g　25g　末梢性チアノーゼ
中枢性チアノーゼ　脱水　浮腫

トレーニング

正しいものには ○ を，誤っているものには × を記入しよう．

□□ 1.〔　〕酸素と結合したヘモグロビンを還元ヘモグロビンという．

□□ 2.〔　〕貧血時には，チアノーゼが出現しやすい．

□□ 3.〔　〕チアノーゼの観察では，口腔粘膜，口唇，爪床，耳介などの色をみる．

□□ 4.〔　〕中枢性チアノーゼの原因は，低血糖である．

□□ 5.〔　〕肺でのガス交換障害により，静脈血が十分に酸素化できないと，還元ヘモグロビンが増加する．

症候マップ　チアノーゼ

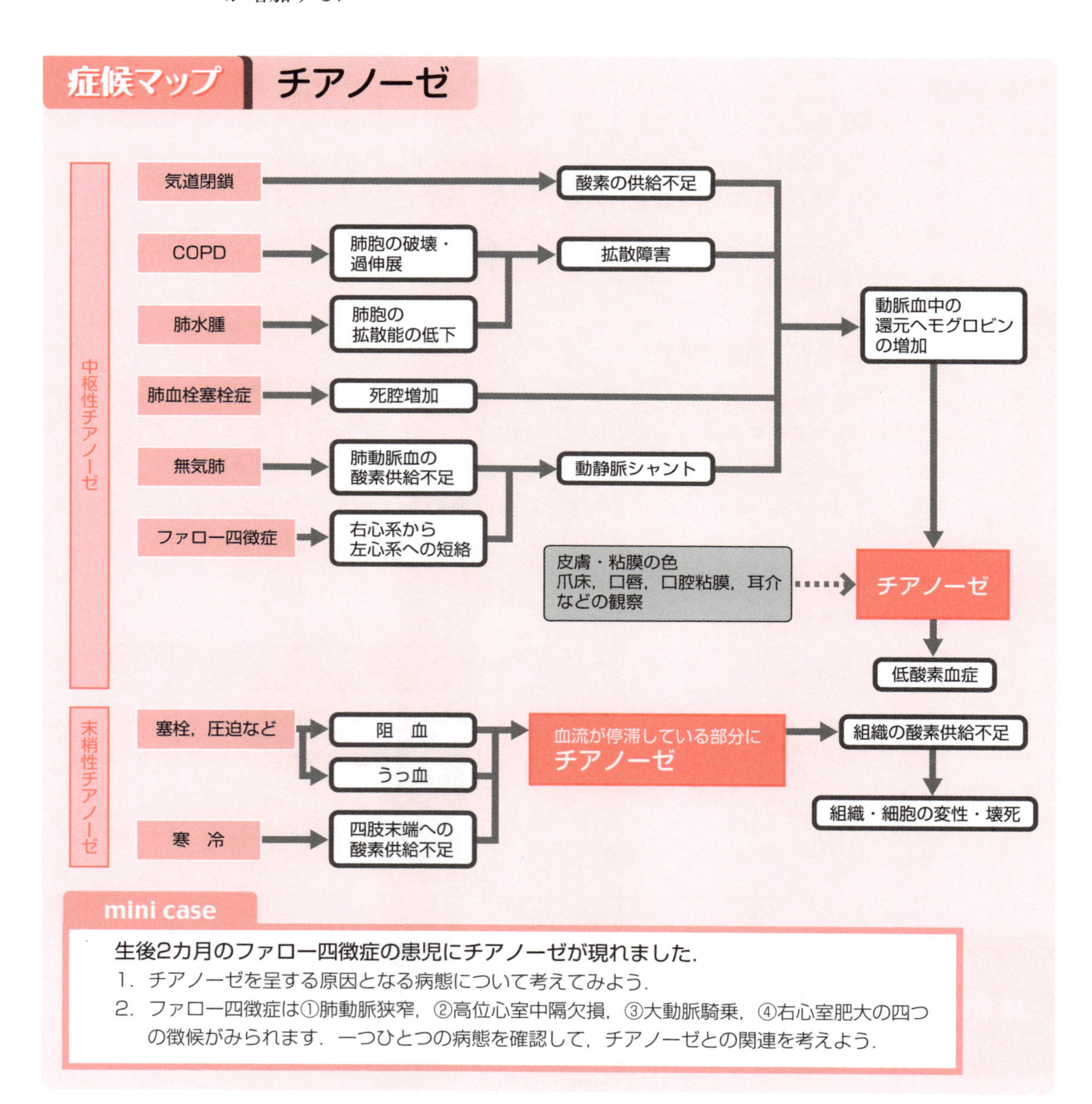

mini case

生後2カ月のファロー四徴症の患児にチアノーゼが現れました．

1. チアノーゼを呈する原因となる病態について考えてみよう．
2. ファロー四徴症は①肺動脈狭窄，②高位心室中隔欠損，③大動脈騎乗，④右心室肥大の四つの徴候がみられます．一つひとつの病態を確認して，チアノーゼとの関連を考えよう．

3 ショック

ワンポイントチェック！

ショックとは，何らかの原因で組織を灌流する血流量が減少して，細胞が低酸素状態になり，機能障害に陥ることをいう．

要点整理

〔　　〕に適する語を下の選択肢から選び，文や図表を完成させよう．

循環血液量

□□ 1. 血液には，呼吸器系で取り込まれた〔　　　　　〕や，消化器系で吸収された栄養分が含まれている．

□□ 2. 組織の血液量を決定するのは，心拍出量と〔　　　　　〕である．

□□ 3. 心拍出量は，1分間に心臓が送り出す血液量のことで，1回拍出量×〔　　　　　〕で計算される．

ショック

□□ 4. 循環血液量減少性ショックは，下痢・嘔吐などによる水分の喪失や，体外または消化管などへの〔　　　　　〕が原因で起こる．

□□ 5. 血液分布異常性ショックのうち，ヒスタミン，ロイコトリエンなどにより血管抵抗が低下するものを〔　　　　　〕という．

□□ 6. ショックは臨床所見から次の3段階に分類される．

第1段階 (代償性ショック)	臓器への灌流障害の所見が明白でない段階． 軽度の血圧低下，脈圧減少，〔a　　　〕がみられる．
第2段階 (非代償性ショック)	血圧低下が進行し，臓器への灌流障害の所見が明白になった段階． 〔b　　　　〕の異常により，ショックの悪循環が始まる．
第3段階 (〔c　　　　　　〕)	細胞死が起こり，〔d　　　　　〕が進行する段階． 播種性血管内凝固症候群，成人呼吸促迫症候群，急性尿細管壊死を伴う．

□□ 7. ショックの重要徴候(ショックの5Ps)は，蒼白，虚脱，〔　　　　　〕，呼吸不全，冷汗である．

□□ 8. ショック時にみられる症状のうち，〔　　　　　〕は，血圧低下に対応するために末梢血管が収縮して起こる．

選択肢

アナフィラキシーショック　酸素　心拍数　血管抵抗　出血　頻脈
徐脈　不可逆的ショック　脈拍触知不能　皮膚温低下　尿量減少
多臓器不全　微小循環

症候マップ　ショック

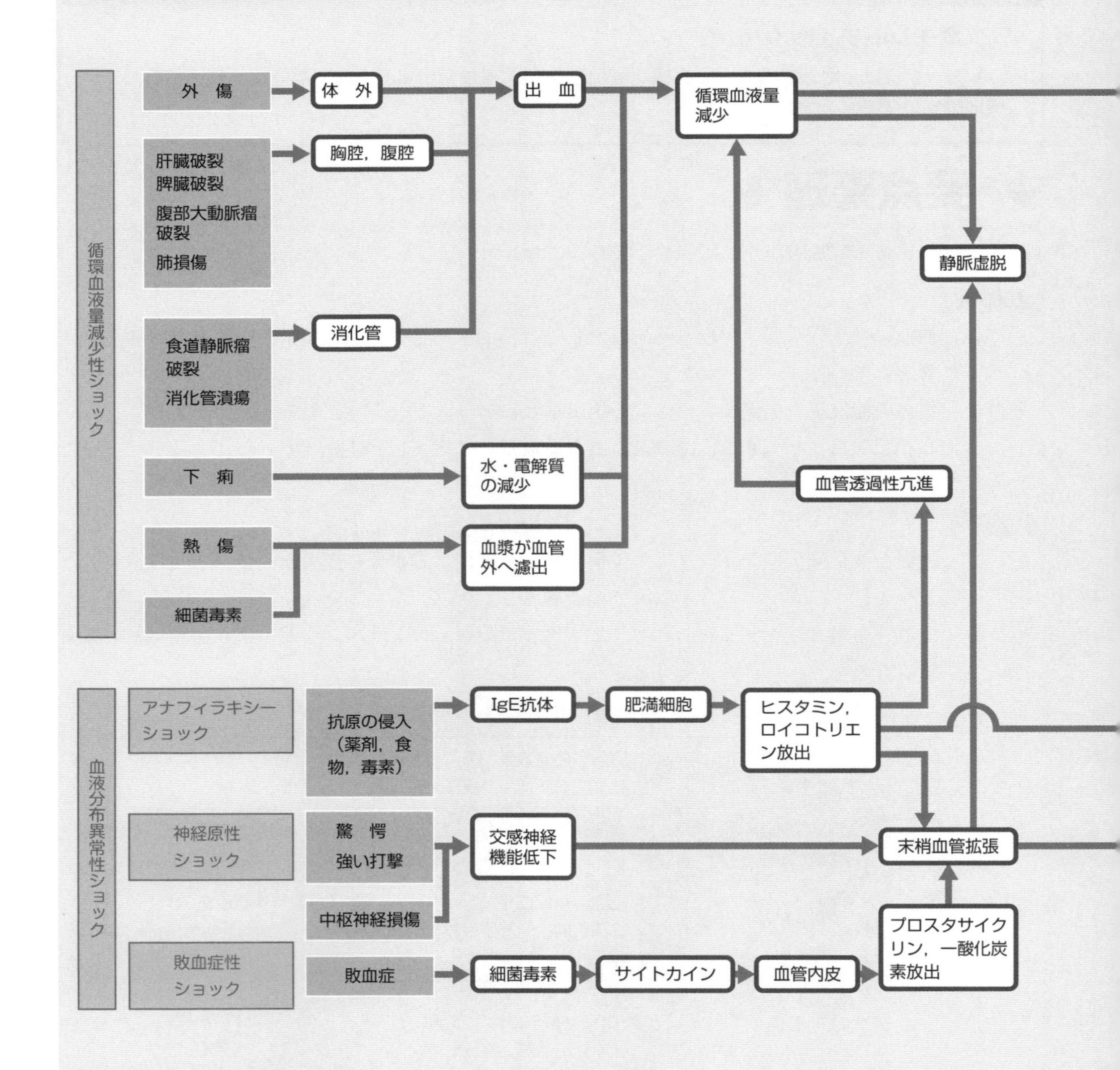

mini case

電気ポットを倒してしまい，熱湯を腹部から両下肢にかけてしまいました．入院3日目，皮膚が剥離し滲出液が多く，血圧が低下してきました．

1. 血圧が低下する経過とその原因を，症候マップ上をペンでなぞって確認しよう．
2. この人に今後，出現すると思われる症状を考えよう．

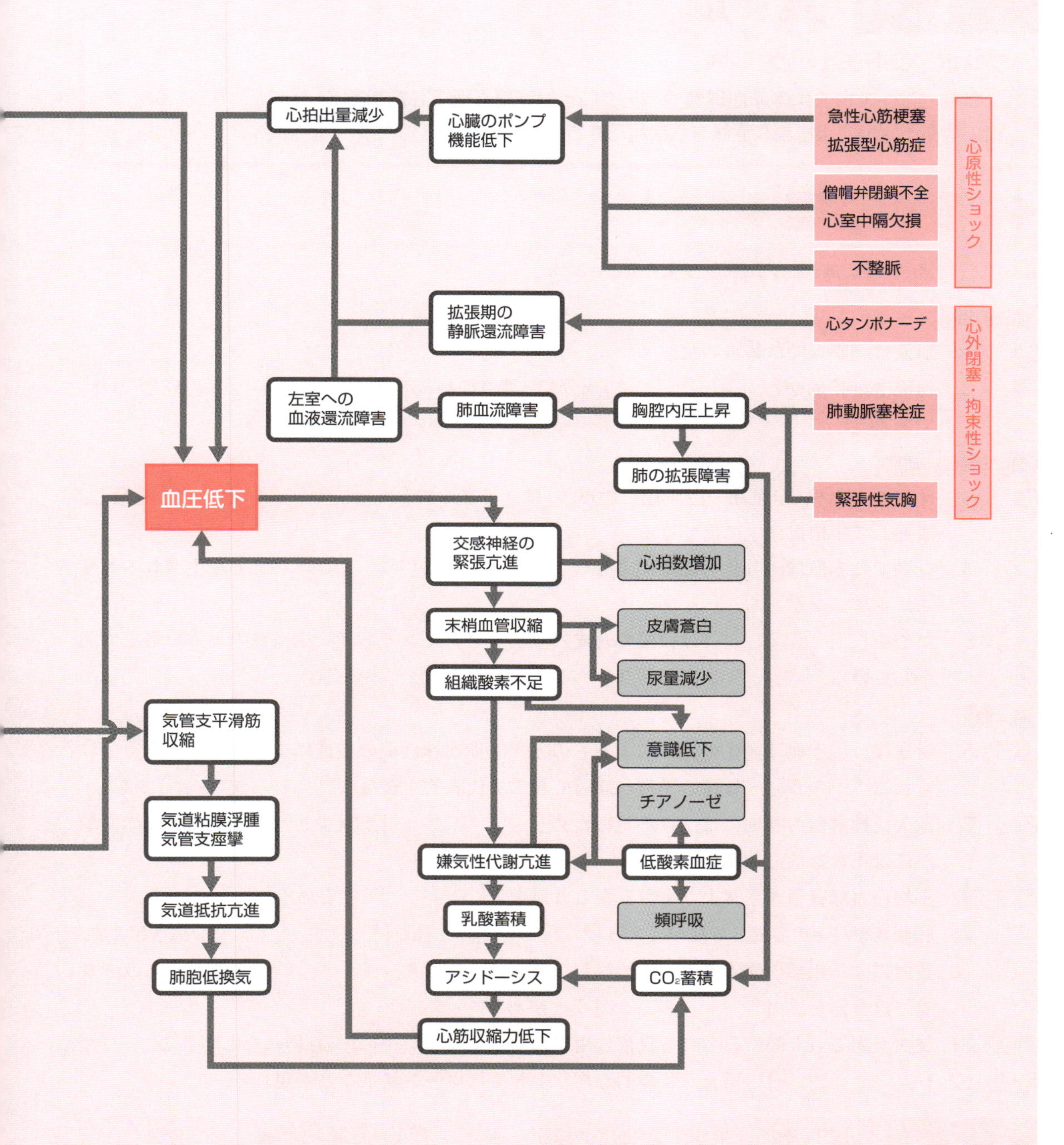
心拍出量減少
心臓のポンプ
機能低下
急性心筋梗塞
拡張型心筋症
僧帽弁閉鎖不全
心室中隔欠損
不整脈
心原性ショック
拡張期の
静脈還流障害
心タンポナーデ
左室への
血液還流障害
肺血流障害
胸腔内圧上昇
肺動脈塞栓症
肺の拡張障害
緊張性気胸
心外閉塞・拘束性ショック
血圧低下
交感神経の
緊張亢進
心拍数増加
末梢血管収縮
皮膚蒼白
尿量減少
組織酸素不足
気管支平滑筋
収縮
意識低下
チアノーゼ
気道粘膜浮腫
気管支痙攣
嫌気性代謝亢進
低酸素血症
気道抵抗亢進
乳酸蓄積
頻呼吸
肺胞低換気
アシドーシス
CO2蓄積
心筋収縮力低下

4 貧　血

ワンポイントチェック！

貧血とは，末梢血中の赤血球数やヘモグロビン濃度が低下した状態をいい，これによる組織の酸素不足がさまざまな症候を引き起こす．

要点整理

〔　　〕に適する語を下の選択肢から選び，文を完成させよう．

血液の組成

□□ 1. 血液は，成人では体重の約〔　　　　　　〕を占めている．

□□ 2. 血液は約45％が〔a　　　　　　〕成分で，残りの約55％が〔b　　　　　　〕成分（液体）である．

血球の分化・成熟

□□ 3. すべての血球（赤血球・白血球・血小板）は，骨髄中の〔　　　　　　〕が分化・増殖し，成熟して末梢血液中に出てくる．

□□ 4. 骨髄での赤血球の分化を促進するものとしては，主に〔　　　　　　〕で産生されるエリスロポエチンがある．

□□ 5. 葉酸や〔　　　　　　〕は核酸の合成に重要なビタミンであり，赤血球の正常な形成に関与している．

貧　血

□□ 6. 貧血は，①赤血球産生の低下によるものと，②赤血球破壊の亢進によるものに大きく分けられる．①のうち，骨髄の異常が原因で起こる代表的な貧血は，〔　　　　　　〕である．

□□ 7. 鉄欠乏性貧血の初期には，鉄不足のため〔　　　　　　〕が減少し，小型で扁平な赤血球がほぼ正常な数だけ産生される．

□□ 8. 平均赤血球容積が正常より小さくなる貧血を〔　　　　　　〕という．

□□ 9. 肝硬変やバンチ症候群の症候である〔a　　　　　　〕は，〔b　　　　　　〕を引き起こす．

□□ 10. 貧血による組織の酸素不足のために起こる症状には，〔a　　　　　　〕，立ちくらみ，耳鳴，全身倦怠感，〔b　　　　　　〕などがある．

□□ 11. 貧血が起こった際にみられる代償作用には，〔　　　　　　〕，息切れなどがある．

□□ 12. 〔　　　　　　〕の場合，特徴的な症状としてスプーン状爪などが現れる．

選択肢

汎血球減少　発作性夜間血色素尿症　腹水　門脈圧亢進　脾腫　赤血球数
ヘモグロビン濃度　ビタミンB_{12}　ビタミンC　15％　8％　鉄欠乏性貧血
腎性貧血　再生不良性貧血　小球性貧血　大球性貧血　幹細胞　NK細胞
肝臓　腎臓　血球　血漿　動悸　めまい　易疲労感

トレーニング

正しいものには ○ を，誤っているものには × を記入しよう．

□□ 1. 〔　　〕貧血とは，末梢血中の白血球数ないしヘモグロビン濃度が低下した状態である．

□□ 2. 〔　　〕慢性腎不全で，腎機能の低下に伴って赤血球数およびヘモグロビン濃度が低下した状態を腎性貧血という．

□□ 3. 〔　　〕赤血球が破壊され，正常では120日の赤血球寿命が短縮して起こる貧血を巨赤芽球性貧血という．

□□ 4. 〔　　〕出血による貧血には，胃潰瘍などからの急性出血による貧血と，大腸癌や痔などに伴う慢性出血による貧血がある．

□□ 5. 〔　　〕溶血の亢進によって起こる貧血の代表的疾患としては，再生不良性貧血がある．

□□ 6. 〔　　〕内因性溶血性貧血は，赤血球自体ではなく，血漿側に原因がある．

□□ 7. 〔　　〕発作性夜間血色素尿症では，黄疸がみられる．

□□ 8. 〔　　〕自己免疫性溶血性貧血は，外因性溶血性貧血の代表例である．

□□ 9. 〔　　〕関節リウマチなどの慢性炎症や，結核などの慢性感染症で起こる貧血を，悪性貧血という．

実力アップ

以下の問いに答えよ．

□□ **1. 貧血の診断に用いられるのはどれか．** 〔　　　〕

1. 収縮期血圧
2. ヘモグロビン濃度
3. 立ち上がると失神すること
4. 血糖値の低下

□□ **2. 貧血について正しいのはどれか．** 〔　　　〕

1. 再生不良性貧血では易感染性がみられる．
2. 鉄欠乏性貧血ではビリルビンが増加する．
3. 溶血性貧血では血清フェリチンが増加する．
4. 悪性貧血では，白血球以外の血球は保たれる．

□□ **3. 鉄欠乏性貧血の症状，または所見として考えられるものはどれか．** 〔　　　〕

1. 匙(さじ)状爪
2. 運動失調
3. 皮膚の紅潮
4. ほてり感

症候マップ　貧　血

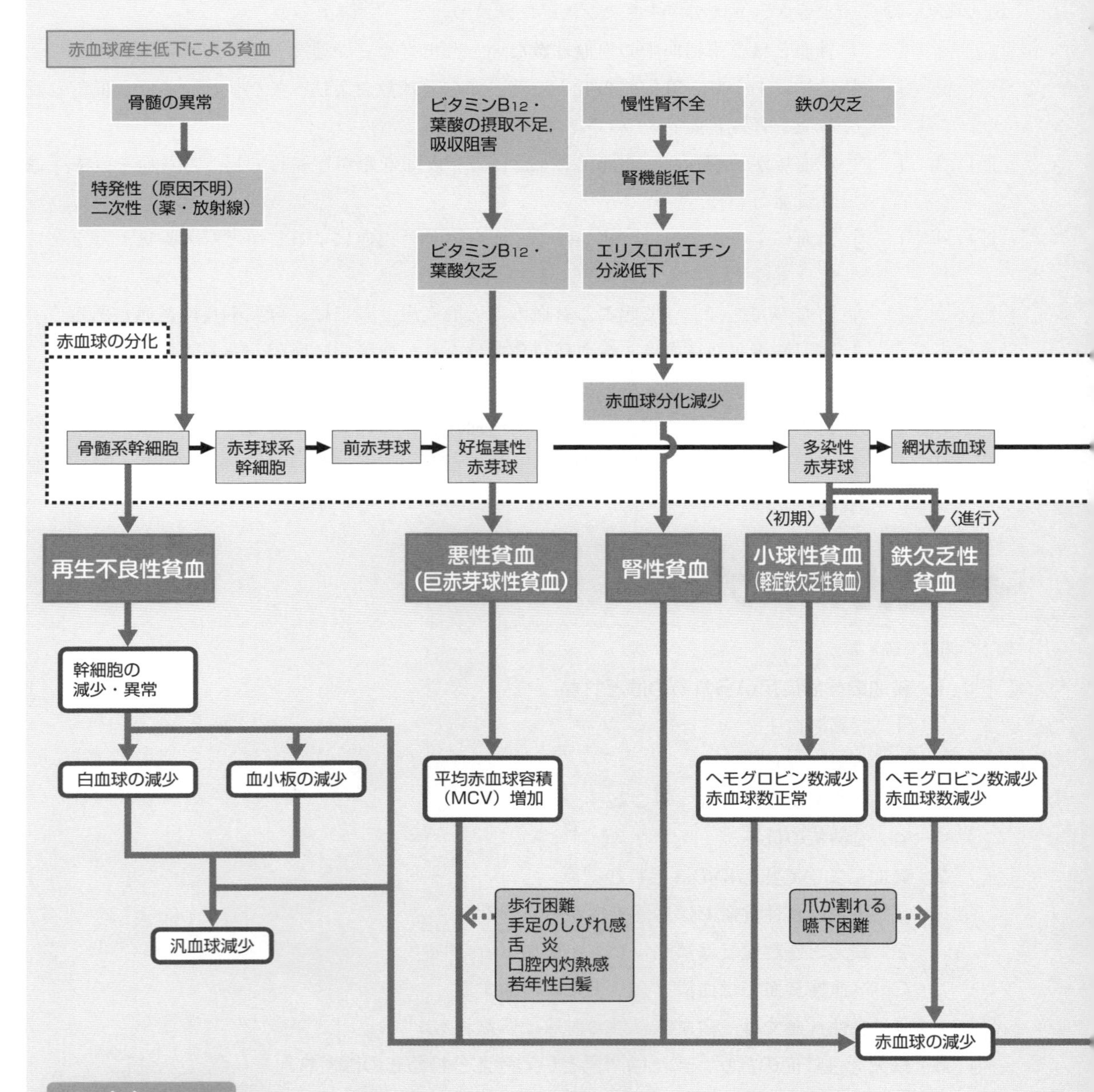

mini case

65歳の男性．3年前に胃癌のため胃全摘手術を受けました．最近，めまいや立ちくらみがよく起こります．また，手足のしびれや舌の荒れが続いています．

1. 原因と考えられる項目に○印をつけよう．
2. 症状として考えられる項目すべてに○印をつけよう．
3. このケースに該当する貧血はどれか考えよう．

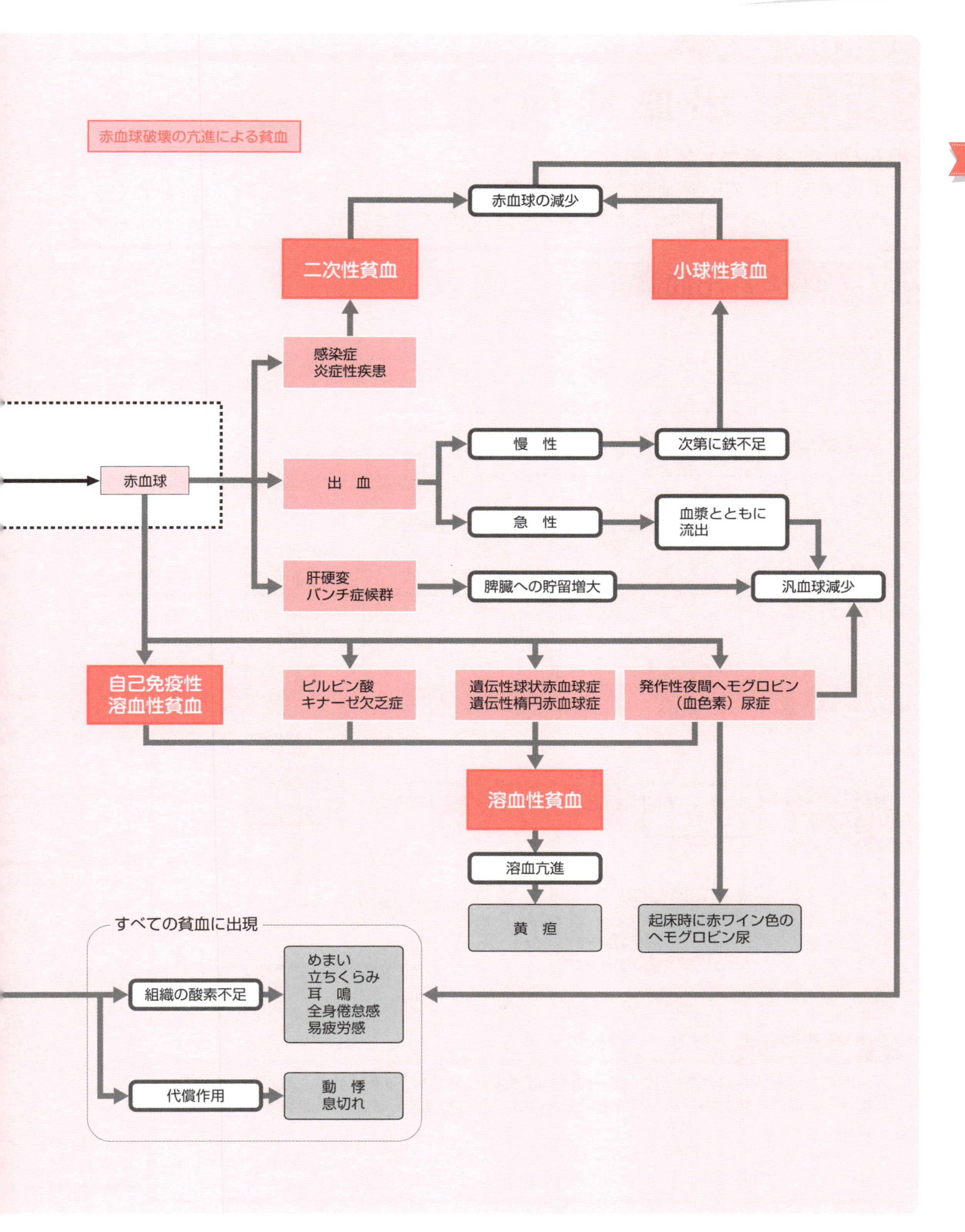

赤血球破壊の亢進による貧血
赤血球の減少
二次性貧血
小球性貧血
感染症
炎症性疾患
慢 性
次第に鉄不足
赤血球
出 血
急 性
血漿とともに
流出
肝硬変
バンチ症候群
脾臓への貯留増大
汎血球減少
自己免疫性
溶血性貧血
ピルビン酸
キナーゼ欠乏症
遺伝性球状赤血球症
遺伝性楕円赤血球症
発作性夜間ヘモグロビン
（血色素）尿症
溶血性貧血
溶血亢進
黄 疸
起床時に赤ワイン色の
ヘモグロビン尿
すべての貧血に出現
組織の酸素不足
めまい
立ちくらみ
耳 鳴
全身倦怠感
易疲労感
代償作用
動 悸
息切れ

1 出血傾向

ワンポイントチェック！

出血傾向とは，何らかの原因で止血機構に異常が起こり，血小板の凝集やフィブリン血栓の形成が阻害されることによって止血困難をきたした状態のことである．

症候マップ 出血傾向

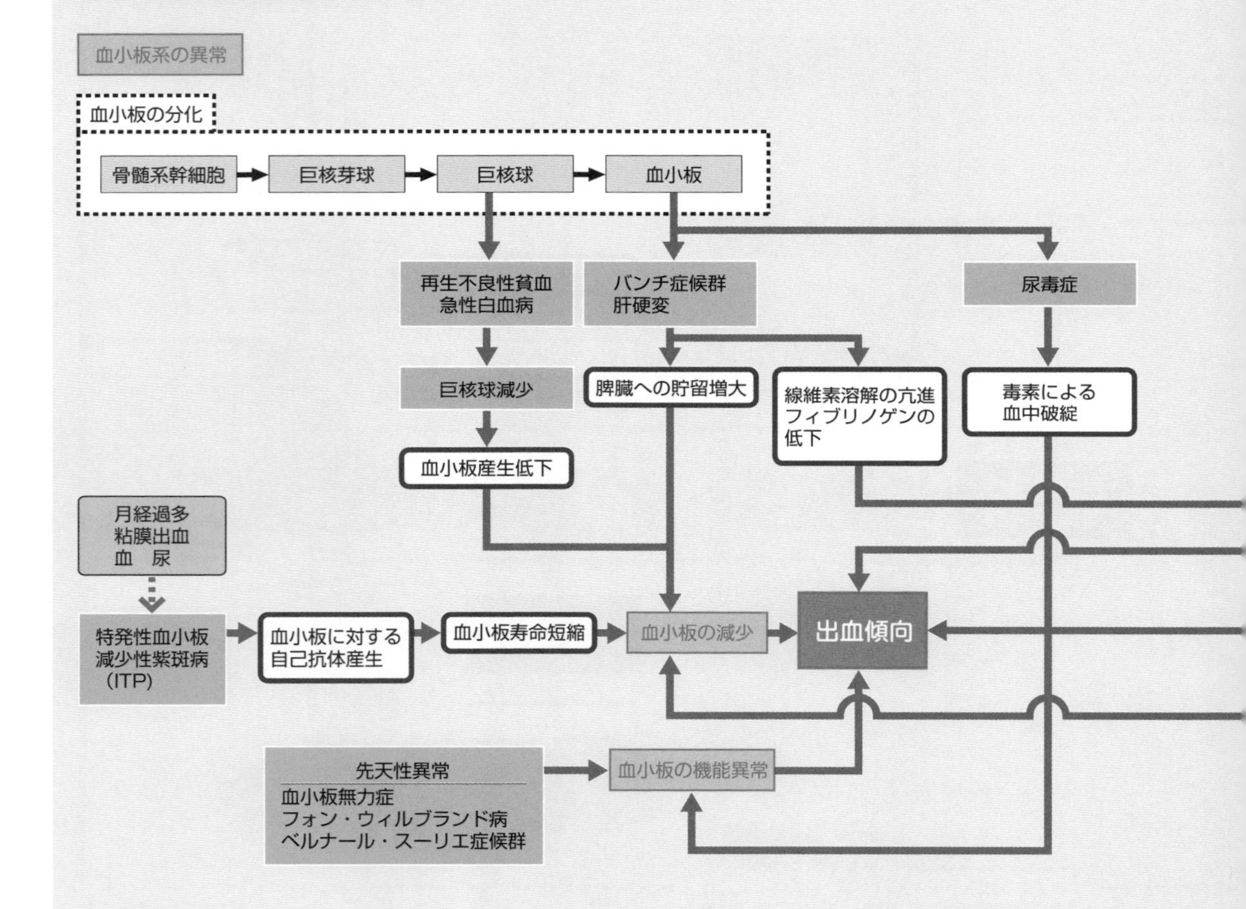

mini case

以前からお酒が好きで，アルコール性の肝障害といわれていましたが，お酒をやめられません．最近は全身がだるく，立ちくらみがよく起こります．また，鼻血や痔出血もあります．

1. 原因と考えられる項目に○印をつけよう．
2. この人が出血傾向に至った経過をペンでたどってみよう．

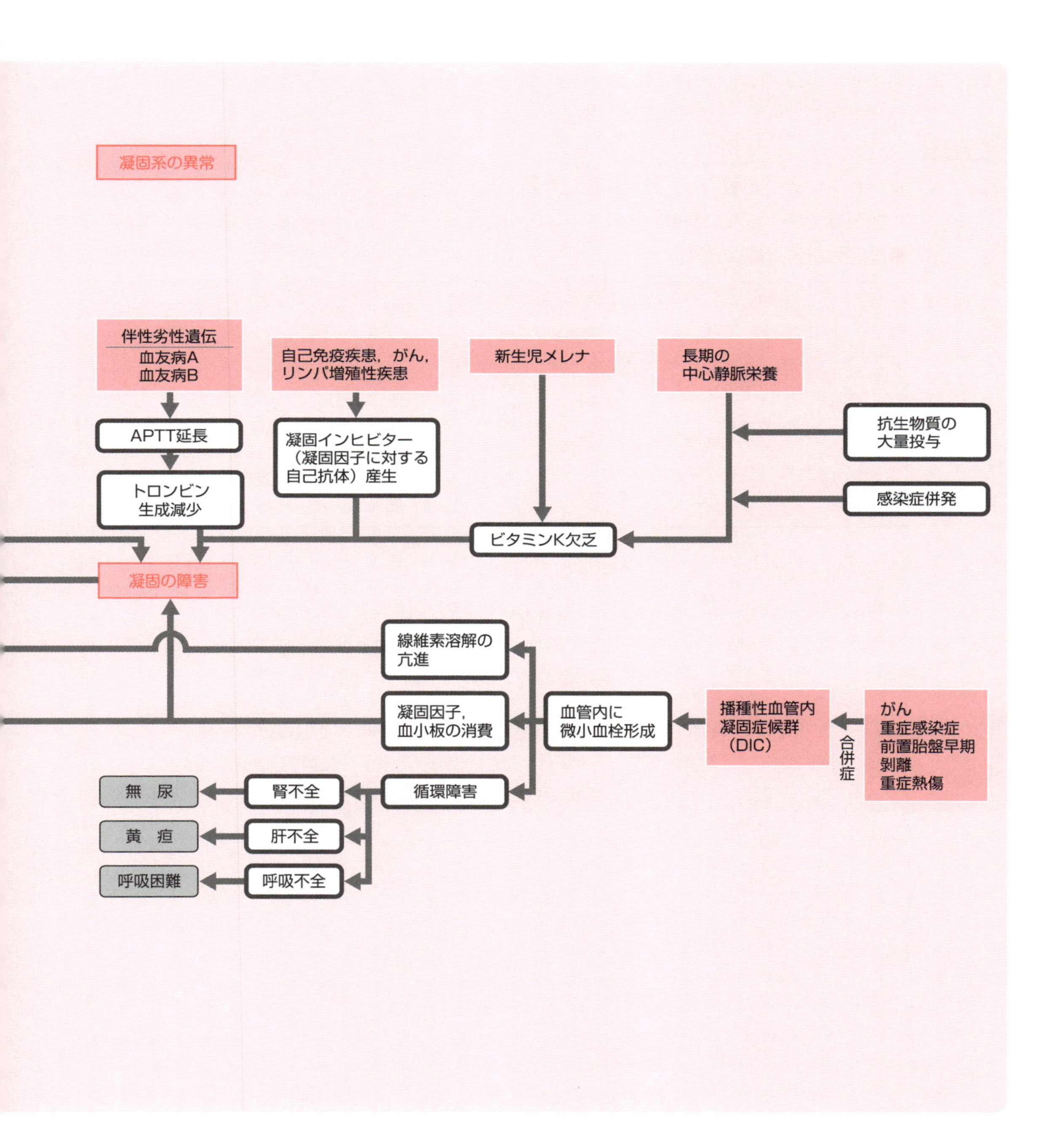
凝固系の異常
伴性劣性遺伝
血友病A
血友病B
APTT延長
トロンビン
生成減少
自己免疫疾患，がん，
リンパ増殖性疾患
凝固インヒビター
（凝固因子に対する
自己抗体）産生
新生児メレナ
長期の
中心静脈栄養
抗生物質の
大量投与
感染症併発
ビタミンK欠乏
凝固の障害
線維素溶解の
亢進
凝固因子，
血小板の消費
血管内に
微小血栓形成
播種性血管内
凝固症候群
（DIC）
合併症
がん
重症感染症
前置胎盤早期
剝離
重症熱傷
循環障害
腎不全
肝不全
呼吸不全
無　尿
黄　疸
呼吸困難

要点整理

〔　〕に適する語を下の選択肢から選び，文や図表を完成させよう．

止血機構

□□ 1. ヒトの止血機構は，〔a　　　　　〕が主体の一次止血と，〔b　　　　　〕が主体の二次止血とに分けて考えられる．

□□ 2. 血小板の基準値は，成人で約15～40万個/μL，寿命は通常〔　　　　　〕程度である．

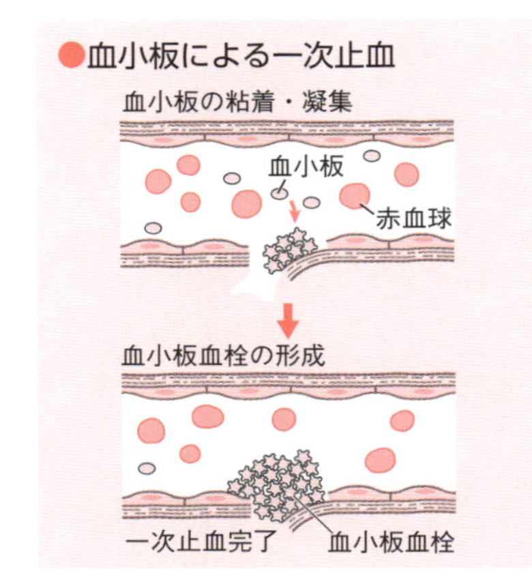

出血傾向

□□ 3. 止血機構に異常が起こり，頻回に出血を起こしたり，止血困難を起こした状態を〔　　　　　〕という．

□□ 4. ●原因別の出血傾向の分類

原　因	分　類		出血の特徴
血小板系の異常	血小板減少症	血小板産生低下	浅在性出血傾向(〔a　　　　〕や鼻出血など)
		血小板破壊・消費亢進	
		分布異常による血小板減少	
	血小板機能異常症		
凝固系の異常	先天性凝固異常症		深在性出血傾向(筋肉内出血，関節内出血，〔b　　　〕・脳出血などの臓器出血)
	後天性凝固異常症		

□□ 5. 血小板数が10万個/μL以下に減少した状態を〔a　　　　　〕と呼ぶ．〔a〕のうち，最も頻度の高い疾患は〔b　　　　　〕である．〔b〕では血小板寿命の短縮がみられる．

□□ 6. 凝固亢進により血管内に微小血栓が形成され，循環不全を引き起こす重症の出血傾向を〔　　　　　〕という．がんや白血病などの合併症としてみられる．

選択肢

血小板　ヘモグロビン　凝固反応　3日　7日　120日
出血傾向　血小板凝集　血尿　皮下出血　播種性血管内凝固症候群
血小板減少症　特発性血小板減少性紫斑病　血友病A

2 リンパ節腫脹

ワンポイントチェック！

リンパ節腫脹とは，感染や腫瘍細胞の浸潤，自己免疫疾患などによって，リンパ節が異常に大きくなったり硬くなったりすることをいう．

要点整理

〔　〕に適する語を下の選択肢，または〔　〕内から選び，文や図表を完成させよう．

リンパ節の構造と働き

□□ 1. リンパ節は，リンパ液中の細菌や腫瘍細胞などを〔　　　　〕し，取り除く働きをしている．

□□ 2. リンパ節内には，無数のリンパ球(B細胞，T細胞)や，マクロファージを中心とした〔　　　　〕が分布している．

□□ 3. 〔　　　　〕リンパ節は，頸部，顎下，鎖骨上窩，腋窩，鼠径部などに存在し，体表から容易に触知することができる．

□□ 4. 深在リンパ節は，肺門，〔　　　　〕，腹部，骨盤などに存在し，胸腹部の各臓器からのリンパ液を受け取っている．

●主なリンパ系組織

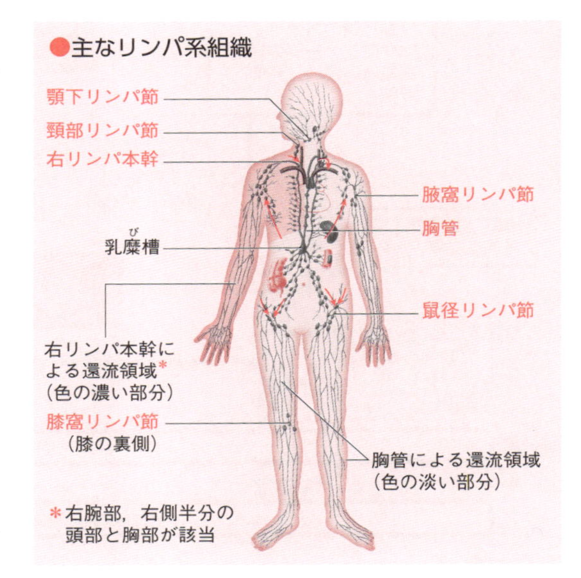

リンパ節腫脹

□□ 5. リンパ節腫脹は，その原因から次の3つに大きく分けられる．

分類	原因
〔a　　　〕リンパ節腫脹	細菌感染(一般細菌や結核菌)，ウイルス感染(風疹，麻疹，HIVなど)
腫瘍性リンパ節腫脹	〔b　　　〕，白血病細胞のリンパ節浸潤，がんのリンパ節転移
反応性リンパ節腫脹	自己免疫疾患(〔c　　　〕など)，壊死性リンパ節炎，〔d　　　〕

□□ 6. 悪性リンパ腫では，進行に伴って表在リンパ節の腫脹が〔 縮小・拡大 〕する．

□□ 7. 壊死性リンパ節炎は，発熱と〔a　　　〕を伴う．〔b　　　〕リンパ節の腫脹をきたす場合が多く，通常はゆっくりと腫脹が〔c 縮小・拡大 〕する．

□□ 8. がんの転移によるリンパ節腫脹は，〔軟らかい・硬い〕場合が多い．

選択肢

疼痛　表在　悪性リンパ腫　中枢　濾過　抗原　食細胞　赤血球
頸部　顎下　縦隔　サルコイドーシス　SLE　感染性　溶血性

症候マップ リンパ節腫脹

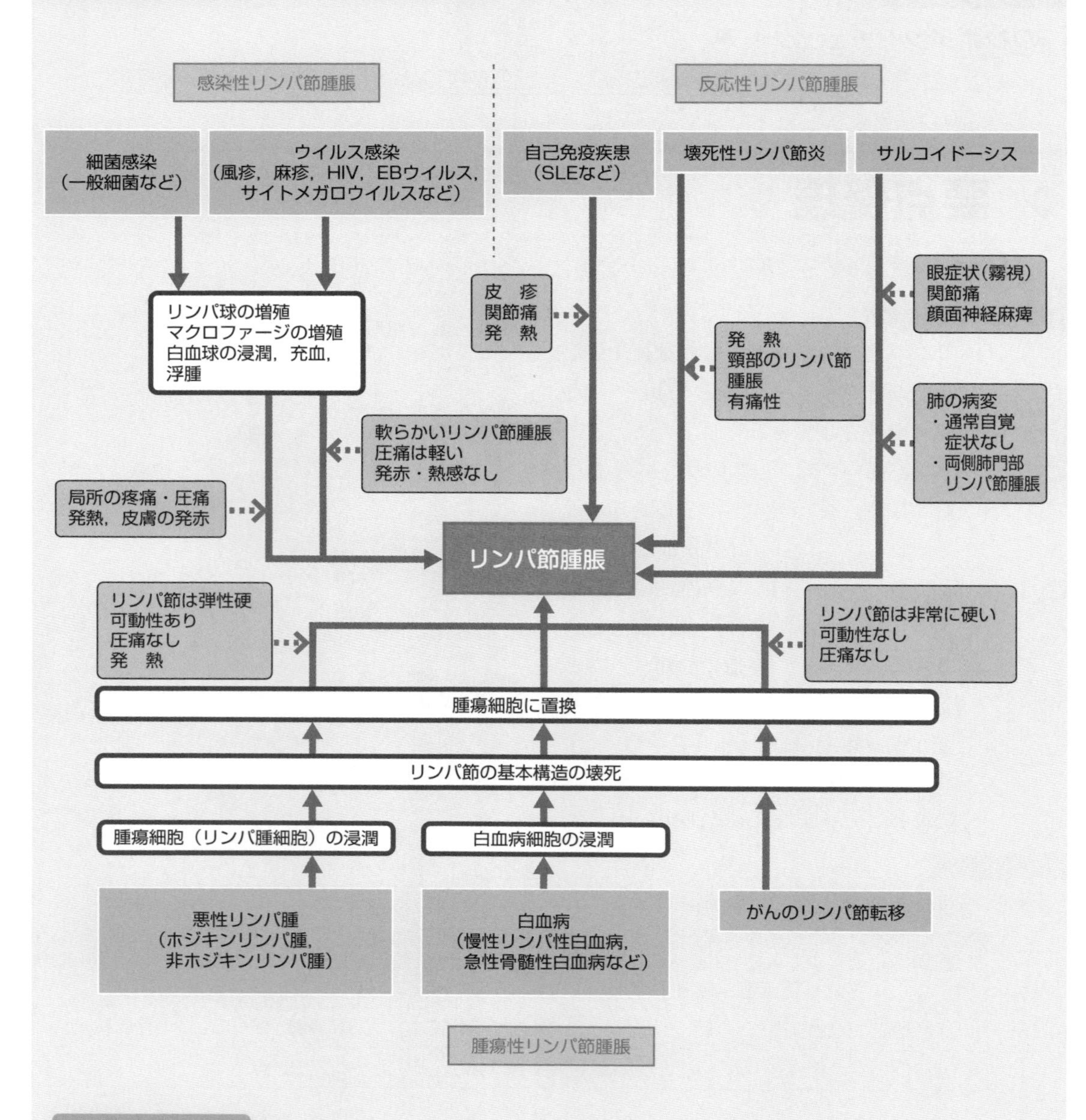

mini case

42歳の会社員です．眼が白くかすんだり，膝が痛んだりします．年のせいだと思っていましたが，健康診断でX線写真に異常があるといわれました．最近，痛みはないのですが，首のリンパ節も腫れています．

1. 考えられる疾患に○をつけよう．
2. リンパ節腫脹以外に起こっている症状も書き込んでおこう．
3. この疾患を確定するには，どのような検査が有効だろうか．

3 レイノー症状

ワンポイントチェック！

レイノー症状とは，寒冷などの刺激にさらされた場合に，発作性に四肢末端に虚血状態が起こり，皮膚が蒼白になったあとチアノーゼとなり，回復期には充血と紅潮が起こる現象である．レイノー現象ともいう．

要点整理

〔　〕に適する語を下の選択肢，または〔　〕内から選び，文や図表を完成させよう．

□□ 1. 血管運動の中枢は〔a　　　〕にあり，血管の収縮と拡張は〔b　　　〕(交感神経，副交感神経)によって支配されている．一般に，交感神経が興奮すると，血管は〔c　収縮・拡張　〕する．

□□ 2. レイノー症状は〔　　　〕の一種であり，末梢動脈の一時的な攣縮(れんしゅく)によって起こると考えられる．

□□ 3. レイノー症状は，次の三段階からなる．

①〔a　　　〕：血管(主に動脈)の収縮が起こり，皮膚が蒼白になる．

②チアノーゼ期：毛細血管と〔b　　　〕が拡張し，皮膚や粘膜が〔c　　　〕になる．

③紅潮期：〔d　　　〕と動静脈吻合が拡張し，皮膚が紅潮する．

□□ 4. 特に原因がなくレイノー症状がみられるものを〔a　　　〕，またはレイノー病という．何らかの原疾患を伴うものは〔b　　　〕という．

●レイノー症状の原因

分類	原因	メカニズム
特発性レイノー現象(レイノー病)	不明	〔c　　　〕などが引き金になり交感神経が興奮し，末梢血管が攣縮する．
二次性レイノー現象	膠原病(〔d　　　〕，混合性結合組織病，全身性エリテマトーデスなど)	交感神経の機能亢進や血管の過敏反応のため，末梢動脈の攣縮が起こる．
	外傷性(職業関連：振動病，タイピスト，ピアニスト)	手腕に〔e　　　〕を受け続けたため，交感神経の機能亢進や血管の過敏反応が起き，末梢動脈が攣縮する．
	閉塞性動脈疾患	動脈が強く圧迫されるため，末梢の血流が障害される．
	神経血管圧迫症候群	末梢血管が圧迫されるため，血流が障害される．
	血液異常(〔f　　　〕)	低温でゲル化しやすいクリオグロブリンが増加するため，末梢の血流が障害される．

選択肢

大脳皮質　ストレス　動脈　静脈　脳神経　紫色　蒼白期　自律神経
クリオグロブリン血症　特発性レイノー現象　末梢性チアノーゼ　延髄　振動
中枢性チアノーゼ　二次性レイノー現象　進行性全身性硬化症

トレーニング

正しいものには ○ を，誤っているものには × を記入しよう．

□□ 1. 〔　〕寒冷にさらされると，皮膚血管が収縮して熱放散が減少する．

□□ 2. 〔　〕チアノーゼ期には，毛細血管と動脈が拡張して皮膚が紫色に変わる．

□□ 3. 〔　〕健常者でも，寒いときには四肢末端が発作的に虚血状態になり，指先が白く冷たくなる．

□□ 4. 〔　〕酸素と結合しているヘモグロビンが過剰に増加した場合や，異常ヘモグロビンが存在して全身にチアノーゼがみられるものを中枢性チアノーゼという．

□□ 5. 〔　〕局所にのみチアノーゼがみられるものを末梢性チアノーゼという．

□□ 6. 〔　〕二次性レイノー現象の基礎疾患には，全身性エリテマトーデスなどの膠原病，クリオグロブリン血症，閉塞性動脈疾患，頸肋などがある．

□□ 7. 〔　〕レイノー症状には，副交感神経の機能亢進が関与していると推定される．

症候マップ　レイノー症状

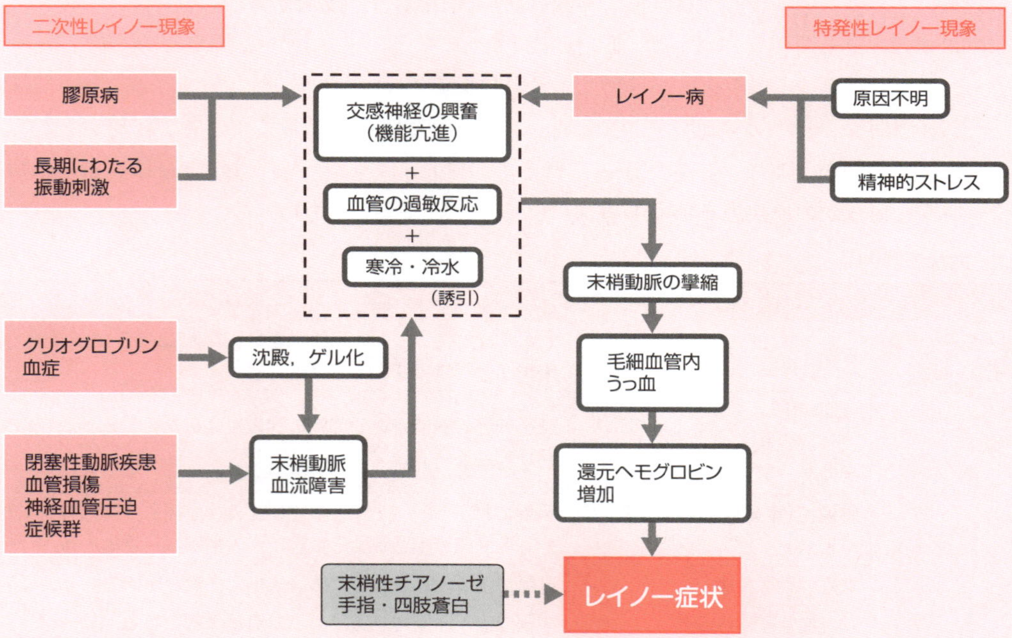

二次性レイノー現象

特発性レイノー現象

膠原病

長期にわたる振動刺激

交感神経の興奮（機能亢進）
＋
血管の過敏反応
＋
寒冷・冷水
（誘引）

レイノー病

原因不明

精神的ストレス

クリオグロブリン血症 → 沈殿，ゲル化 → 末梢動脈血流障害

閉塞性動脈疾患
血管損傷
神経血管圧迫症候群 → 末梢動脈血流障害

末梢動脈の攣縮 → 毛細血管内うっ血 → 還元ヘモグロビン増加 → レイノー症状

末梢性チアノーゼ
手指・四肢蒼白 ⋯→ レイノー症状

mini case

60歳の男性です．35年間林業を営み，チェーンソーを使用していました．寒い日には手がしびれ，指先が冷たく，白くなります．

・症候マップから，症状が現れる原因とメカニズムを確認しよう．

5◉呼吸器系の異常

1 咳嗽・喀痰・喀血

ワンポイントチェック！

咳嗽とは，気道内の異物や分泌物を取り除くための防御反応の一つである．

喀痰とは，咳嗽によって喀出されたもの(痰)で，気管・気管支粘膜からの分泌物や漏出液に，気道からはがれ落ちた細胞や，喉に吸い込まれた異物などが混じり合っている．

喀血とは，気管・気管支・肺などからの出血が，気道からはき出されることをいう．

要点整理

〔　〕に適する語を下の選択肢から選び，文を完成させよう．

●気道の線毛運動

線毛は有害な物質を粘液とともに肺から体外へ押し出す運動を繰り返す．

□□ 1. 気道にある異物は，気道粘液が〔　　　　〕によって咽頭へ移動することで排出される．

□□ 2. 気道粘液で除去しきれない異物や分泌物，化学物質などの刺激により，肺内の空気が爆発的に呼出されることを〔　　　　〕という．

□□ 3. 咳嗽は，喀痰を伴うものと伴わないものに大別できる．喀痰を伴わない咳を〔　　　　〕という．

□□ 4. 細菌性肺炎や肺結核，肺化膿症など，細菌感染による喀痰の特徴は，好中球などが混じった黄色ないし緑色の痰で，これらを〔　　　　〕性痰という．

□□ 5. 肺腫瘍や肺結核などにより，組織破壊性の病変が気道・肺内血管に波及すると，〔　　　　〕が混じった痰がみられる．

□□ 6. 喀血か吐血かの鑑別にはいくつかの方法がある．このうち，pHを試験紙法で調べると，喀血は中性を，吐血は〔　　　　〕を示す．

□□ 7. 喀血の原因となる呼吸器の炎症性疾患の主なものとして，肺化膿症，肺炎，〔　　　　〕が挙げられる．

選択肢

湿性咳嗽　乾性咳嗽　線毛運動　血液　咳嗽　喀痰　粘液　膿
泡沫　酸性　中性　アルカリ性　塩基　気管支炎　肺結核

症候マップ 咳嗽・喀痰・喀血

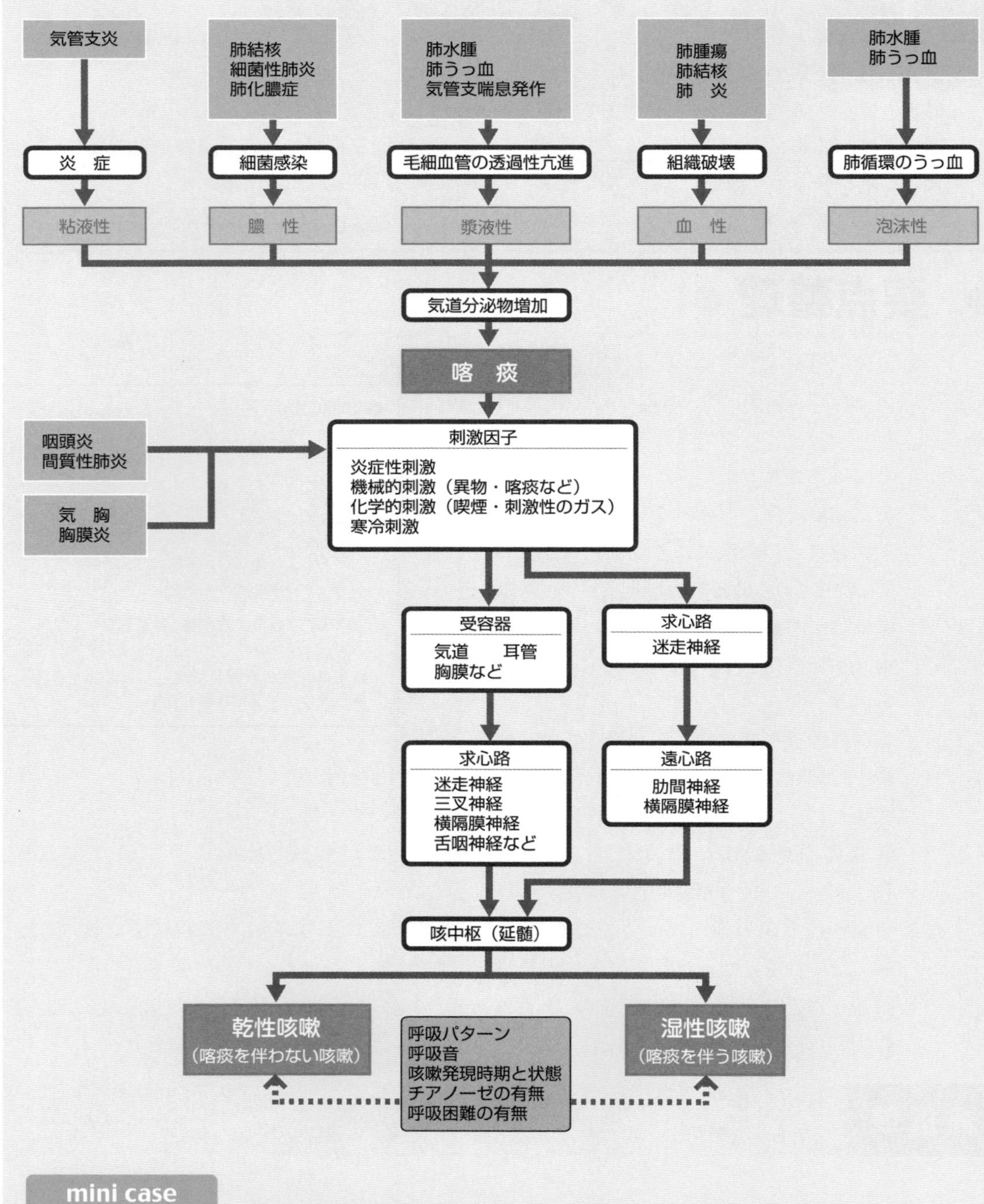

mini case

肺結核の患者が咳込み，その後，血性痰を喀出しました.

- 血性痰を喀出するまでの流れを，症候マップ上をペンでなぞって確認しよう.

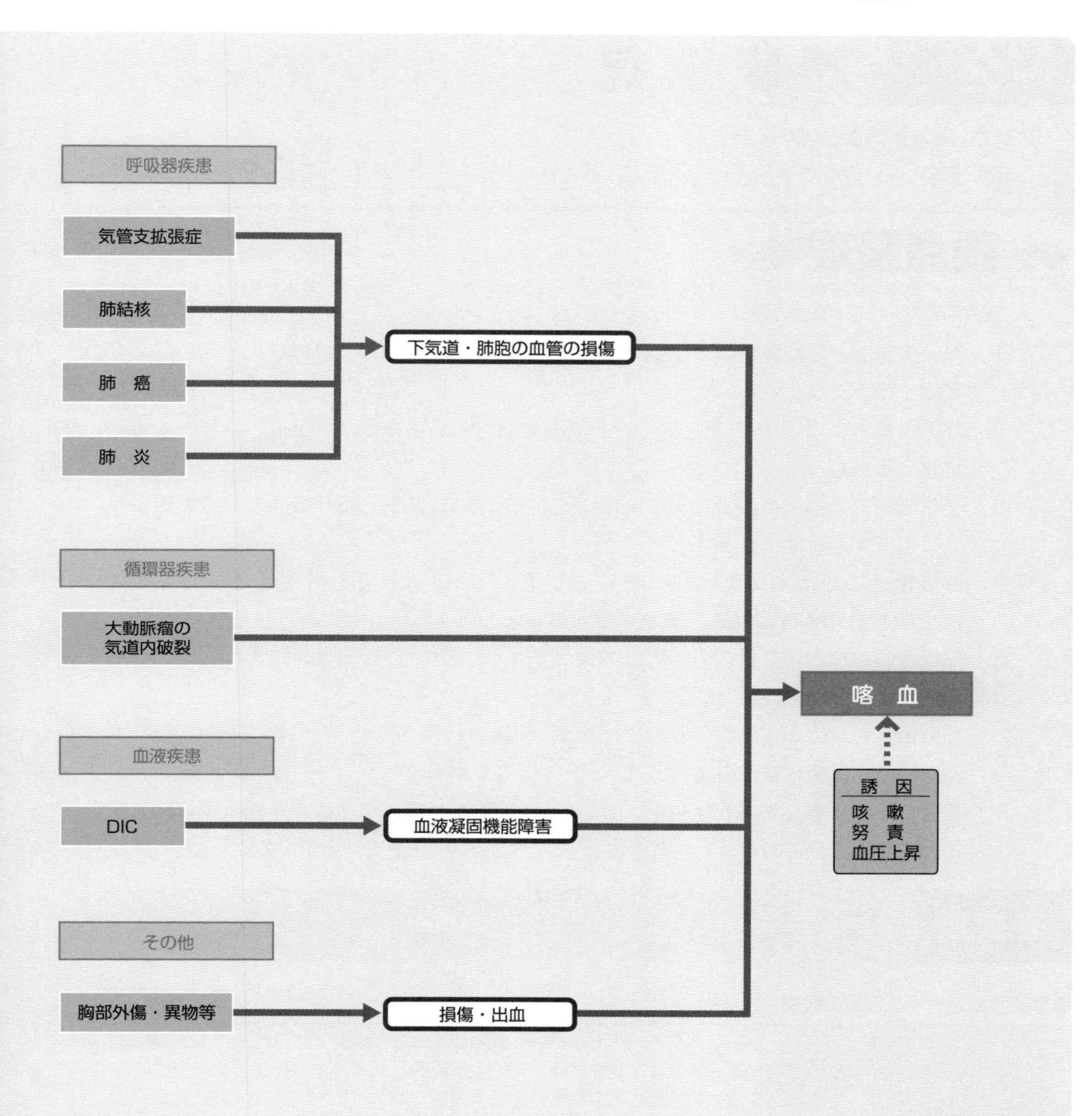
呼吸器疾患
気管支拡張症
肺結核
肺　癌
肺　炎
下気道・肺胞の血管の損傷
循環器疾患
大動脈瘤の
気道内破裂
喀　血
血液疾患
DIC
血液凝固機能障害
誘　因
咳　嗽
努　責
血圧上昇
その他
胸部外傷・異物等
損傷・出血

2 呼吸困難

ワンポイントチェック！

呼吸困難とは，息切れや息苦しさを感じ，意識的に努力して呼吸を行っている状態を指す．

要点整理

〔　　〕に適する語を下の選択肢から選び，文を完成させよう．

□□ 1. 呼吸機能が十分に働かなくなり，苦痛を伴って〔　　　　　〕的に努力性の呼吸を行う状態を呼吸困難という．

□□ 2. 呼吸困難では，〔　　　　　〕や空気不足感，窒息感など，息が苦しいという切迫した自覚症状がある．

□□ 3. 空気吸入時の動脈血酸素分圧（PaO_2）が60Torr以下に低下した呼吸器系の機能障害や，それに相当する異常状態を，〔　　　　　〕という．

□□ 4. 呼吸困難の原因が肺性のものとしては，〔　　　　　〕を引き起こす気管支喘息・COPD（慢性閉塞性肺疾患）・気胸などがある．

□□ 5. 呼吸困難の原因が心性のものとしては，〔　　　　　〕を引き起こすうっ血性心不全や心筋梗塞などがある．

□□ 6. 呼吸困難の原因が代謝性のものとしては，組織の〔　　　　　〕増大を引き起こす，甲状腺機能亢進症や糖尿病性ケトアシドーシスなどがある．

□□ 7. 心因性呼吸困難である〔a　　　　　〕は，不安や緊張などにより呼吸中枢が興奮することで起こる．このとき，血液中の〔b　　　　　〕濃度は低下する．

選択肢
意識　無意識　チアノーゼ　呼吸不全　息切れ　肺うっ血　換気障害
過換気症候群　酸素消費量　二酸化炭素消費量　酸素　二酸化炭素

●呼吸困難を生じる疾患の鑑別

急性呼吸困難を呈する疾患・病態（早急に対処が必要）	気道・肺病変	気管支喘息（発作性），異物吸入，急性肺炎，非心原性肺水腫（刺激ガス吸入，高地肺水腫，神経性肺水腫），ARDS（急性呼吸窮迫症候群），肺血栓塞栓症，自然気胸
	心・肺血管病変	心原性肺水腫，心タンポナーデ，肺塞栓，肺梗塞，肺出血，急性心筋梗塞，急性心筋炎
	胸郭・胸膜病変	緊張性気胸，胸水貯留
	その他	過換気症候群
慢性呼吸困難を呈する疾患・病態	気道・肺病変	①COPD：慢性気管支炎，肺気腫，びまん性汎細気管支炎，慢性喘息 ②拘束性肺疾患：間質性肺炎，胸郭・胸膜病変，肺胞充満性疾患（肺胞タンパク症など） ③神経筋疾患：重症筋無力症，ALS（筋萎縮性側索硬化症）
	心・肺血管病変	うっ血性心不全
	その他	貧血，甲状腺機能亢進症，上気道炎，肥満，筋力低下

トレーニング

正しいものには ○ を，誤っているものには × を記入しよう．

□□ 1. 〔　　〕呼吸困難は呼吸器疾患に必発する症状である．

□□ 2. 〔　　〕呼吸困難の程度と呼吸不全の程度は一致する．

□□ 3. 〔　　〕呼吸困難とは安静時に起こるものをいう．

□□ 4. 〔　　〕呼吸困難の発症は急性であり，慢性的なものはない．

□□ 5. 〔　　〕致死的な呼吸困難の場合は，救命処置と並行して治療を行う．

□□ 6. 〔　　〕呼吸困難の重症度を判定するスケールにHugh-Jones（ヒュー・ジョーンズ）の分類があある．

実力アップ

以下の問いに答えよ．

□□ **1.** 左心系の機能低下により呼吸困難がある患者の安楽な体位はどれか．〔　　〕

1. 起坐位
2. 仰臥位
3. シムス位
4. 骨盤高位

□□ **2.** 呼吸困難を訴える患者で呼吸音に左右差を認める場合，可能性が高いのはどれか．〔　　〕

1. 肺気腫
2. 自然気胸
3. 間質性肺炎
4. 気管支喘息

症候マップ　呼吸困難

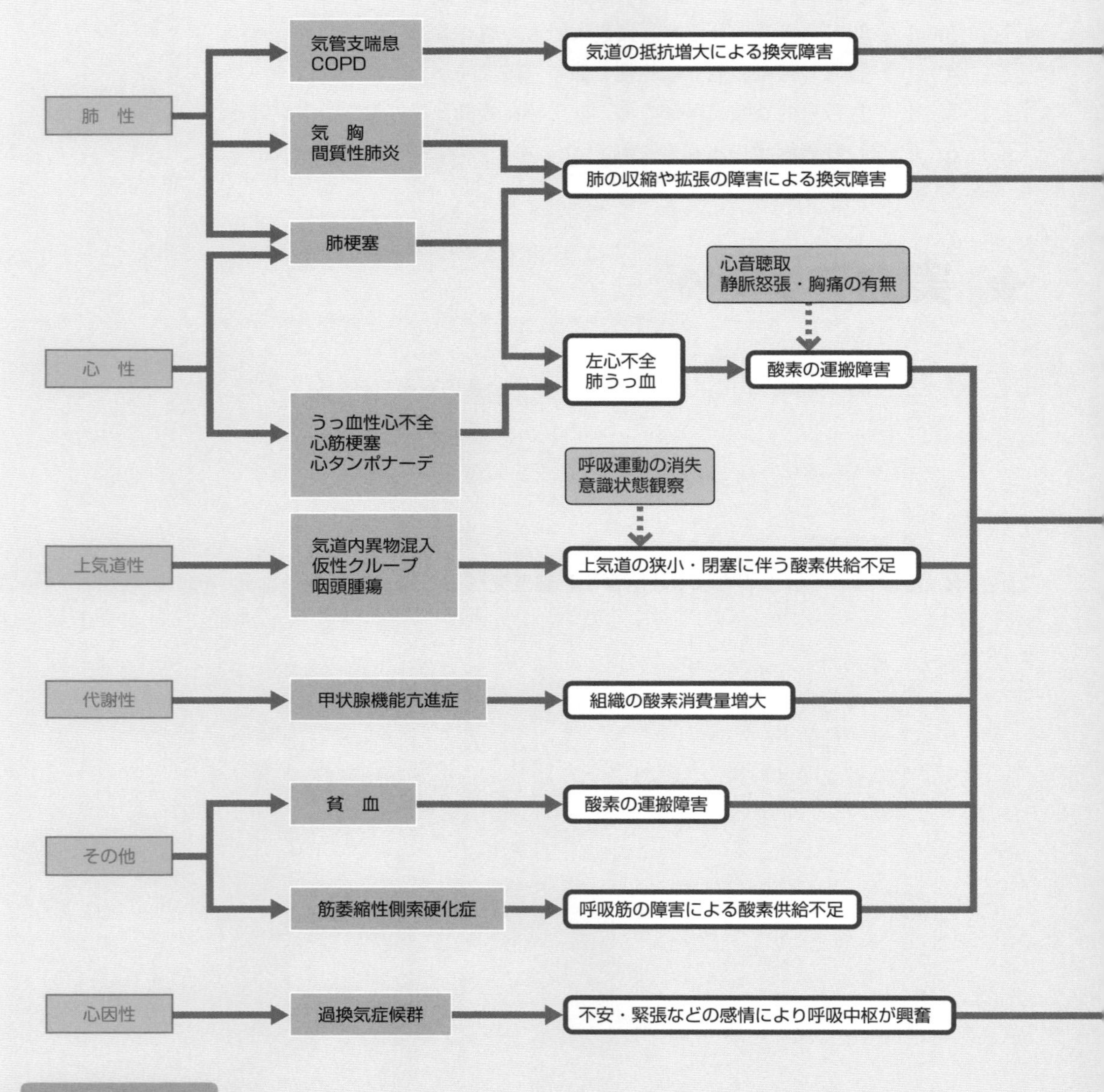

mini case

うっ血症心不全の患者が息苦しさを訴え，夜寝るときも仰臥位にはなれず，起座位をとっています．

• この患者の息苦しさが起こるメカニズムを，ペンでなぞって確認しよう．

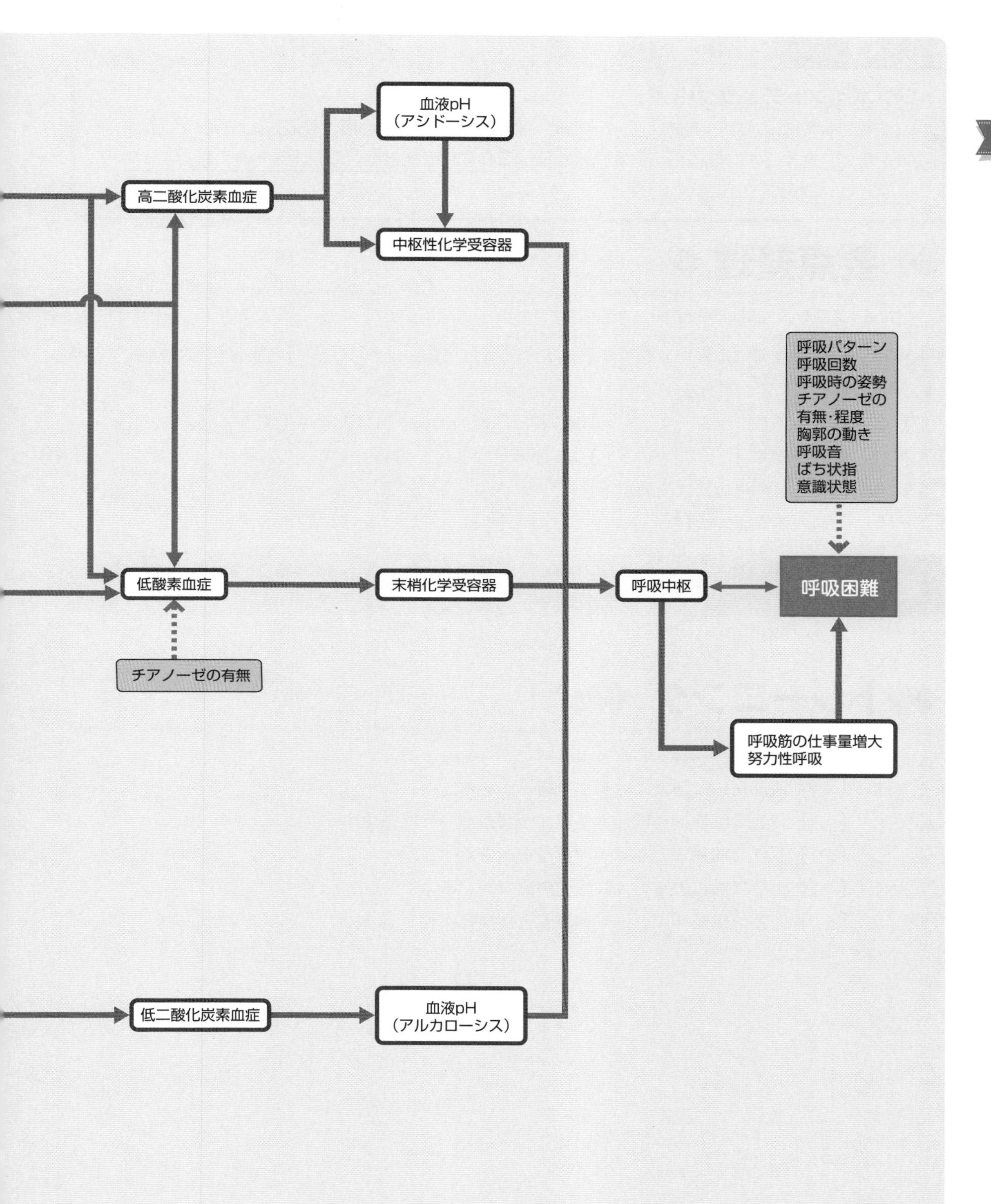
血液pH
（アシドーシス）
高二酸化炭素血症
中枢性化学受容器
呼吸パターン
呼吸回数
呼吸時の姿勢
チアノーゼの
有無・程度
胸郭の動き
呼吸音
ばち状指
意識状態
低酸素血症
末梢化学受容器
呼吸中枢
呼吸困難
チアノーゼの有無
呼吸筋の仕事量増大
努力性呼吸
低二酸化炭素血症
血液pH
（アルカローシス）

3 胸痛

ワンポイントチェック！

胸痛には胸部の皮膚，筋肉，肋骨，胸骨，食道，気管，肺，心臓，胸膜，大動脈，大静脈，乳房など，さまざまな部位の痛みが含まれる．それぞれの痛みとその原因を的確に把握し，対処することが重要である．

要点整理

〔　〕に適する語を下の選択肢から選び，文を完成させよう．

□□ 1. 胸痛を原因によって分類すると，大きく分けて〔　　　　　　〕と神経障害性疼痛，心因性疼痛の3つがある．

□□ 2. 胸痛のうち，〔　　　　　　〕は，神経組織の損傷などにより発生する．

□□ 3. 胸痛のうち，〔　　　　　　〕は，心理的な要因から発生する．

□□ 4. 侵害受容性疼痛には内臓痛と〔　　　　　　〕がある．

□□ 5. 胸痛の体性痛には〔a　　　　　　〕と〔b　　　　　　〕がある．

選択肢　筋肉痛　体性痛　急性痛　表面痛　突出痛　深部痛　神経障害性疼痛　心因性疼痛　侵害受容性疼痛

トレーニング

正しいものには ○ を，誤っているものには × を記入しよう．

□□ 1. 〔　〕深部痛には筋炎に由来する痛みがある．

□□ 2. 〔　〕侵害受容性疼痛は侵害受容体が刺激を受けて発生する．

□□ 3. 〔　〕急性心筋梗塞で心臓の内臓痛が起きる．

□□ 4. 〔　〕自然気胸によって大動脈の内臓痛が起きる．

□□ 5. 〔　〕過換気症候群によって神経障害性疼痛が起きる．

●痛みの分類と胸痛の原因

痛みの種類		痛みかたの特徴	痛みの原因(例)
侵害受容性疼痛 末梢神経により感じる疼痛．組織が損傷すると，それを侵害受容器(自由神経終末)が「痛い」と感じとる	**体性痛(表面痛，深部痛)** 皮膚や骨，関節，筋肉，結合組織といった体性組織への，「切る」「刺す」などの機械的刺激が原因で発生する痛み	・痛みが損傷部位に限局する． ・圧痛である． ・一定の強さの痛みに加えて，ときに拍動性の痛みがある． ・疼くような痛み． ・関連痛がみられることがある．	・術後創部痛 ・肋骨骨折 ・腫瘍の骨転移　など
	内臓痛 臓器の炎症や閉塞，虚血などが原因で発生する痛み	・「深く絞られるような」「押されるような」などと表現される． ・局在が不明瞭(どこが痛いのかわかりづらい)． ・嘔気・嘔吐，発汗などの随伴症状を認める場合がある． ・関連痛がみられることがある．	・急性心筋梗塞 ・急性大動脈解離 ・肺血栓塞栓症 ・気胸　など
神経障害性疼痛 末梢神経や中枢神経の損傷や障害によってもたらされる疼痛症候群		・感覚鈍麻やしびれ感などの感覚異常がみられるにもかかわらず，その部位が痛んだりする． ・通常では痛みを感じない程度の刺激に対しても感じる痛み(痛覚過敏など)． ・灼熱感(「やけるような」などと表現される) ・電撃痛(「槍で突きぬかれるような」「ビーンと走るような」などと表現される) ・痛みが神経の支配領域に一致して表在性に放散する．	・帯状疱疹後神経痛 ・肋間神経痛 ・悪性腫瘍の神経浸潤など
心因性疼痛 心理的因子が疼痛の形成に関わるもの		—	・不安や緊張などの情動ストレス ・強い心理社会的ストレス　など

実力アップ

以下の問いに答えよ．

□□ **1．急性大動脈解離の胸痛について正しいのはどれか．** 〔　　　〕

1．座位で軽減する．
2．嚥下により増強する．
3．突然，激しい胸背部痛が発生する．
4．痛みの部位は限局している．

□□ **2．発作性の胸内苦悶を伴う胸痛で，最も疑うべきものはどれか．** 〔　　　〕

1．乳腺炎
2．狭心症
3．肋間神経痛
4．逆流性食道炎

症候マップ　胸痛

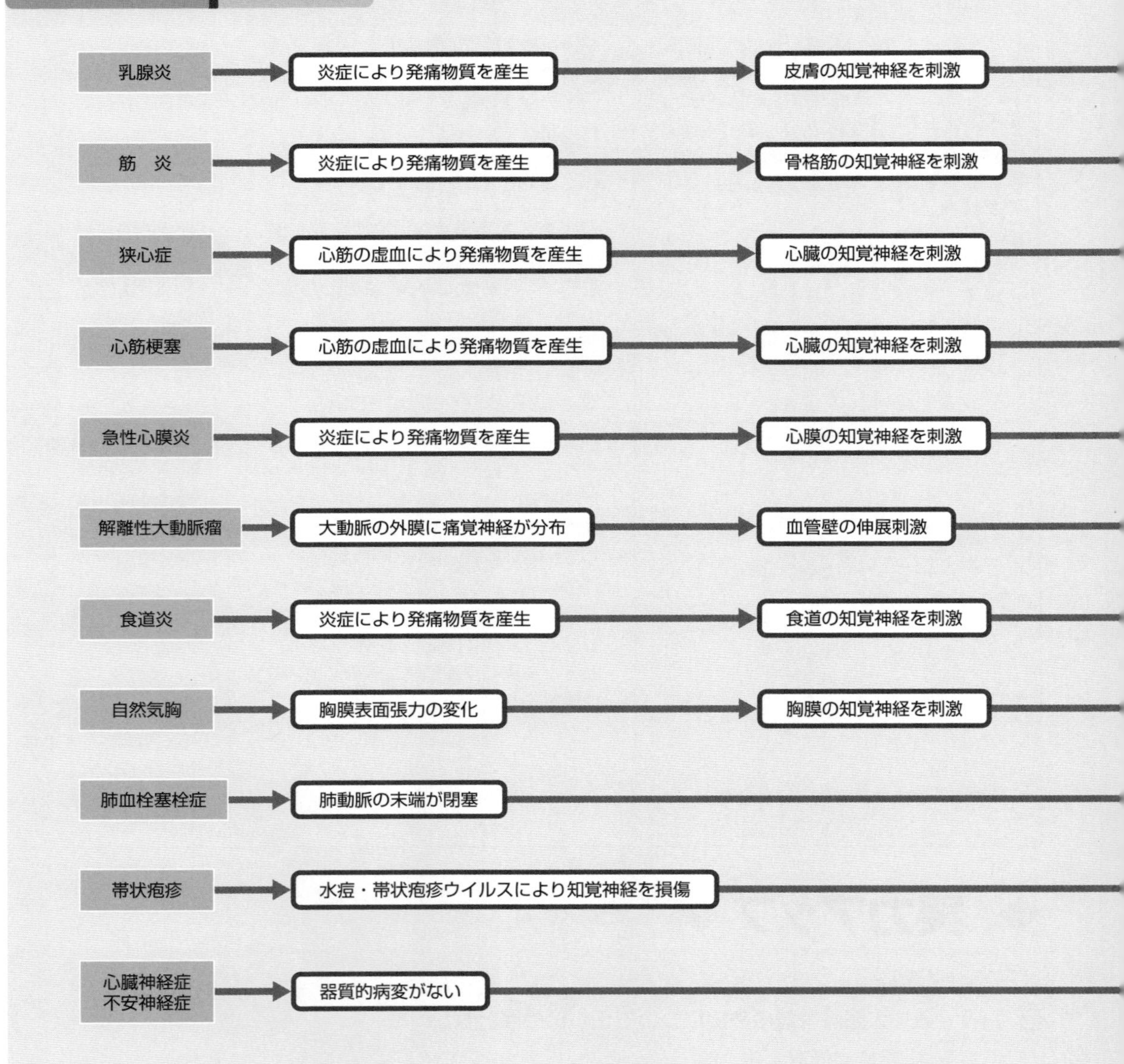

mini case

夕食後，突然，胸部と左肩が激しく痛み，冷汗が出てきました．我慢しようとしましたが，30分以上治まらず，意識がもうろうとしてきました．

- 症候マップの原因と観察項目をたどって，メカニズムと分類を確認しよう．

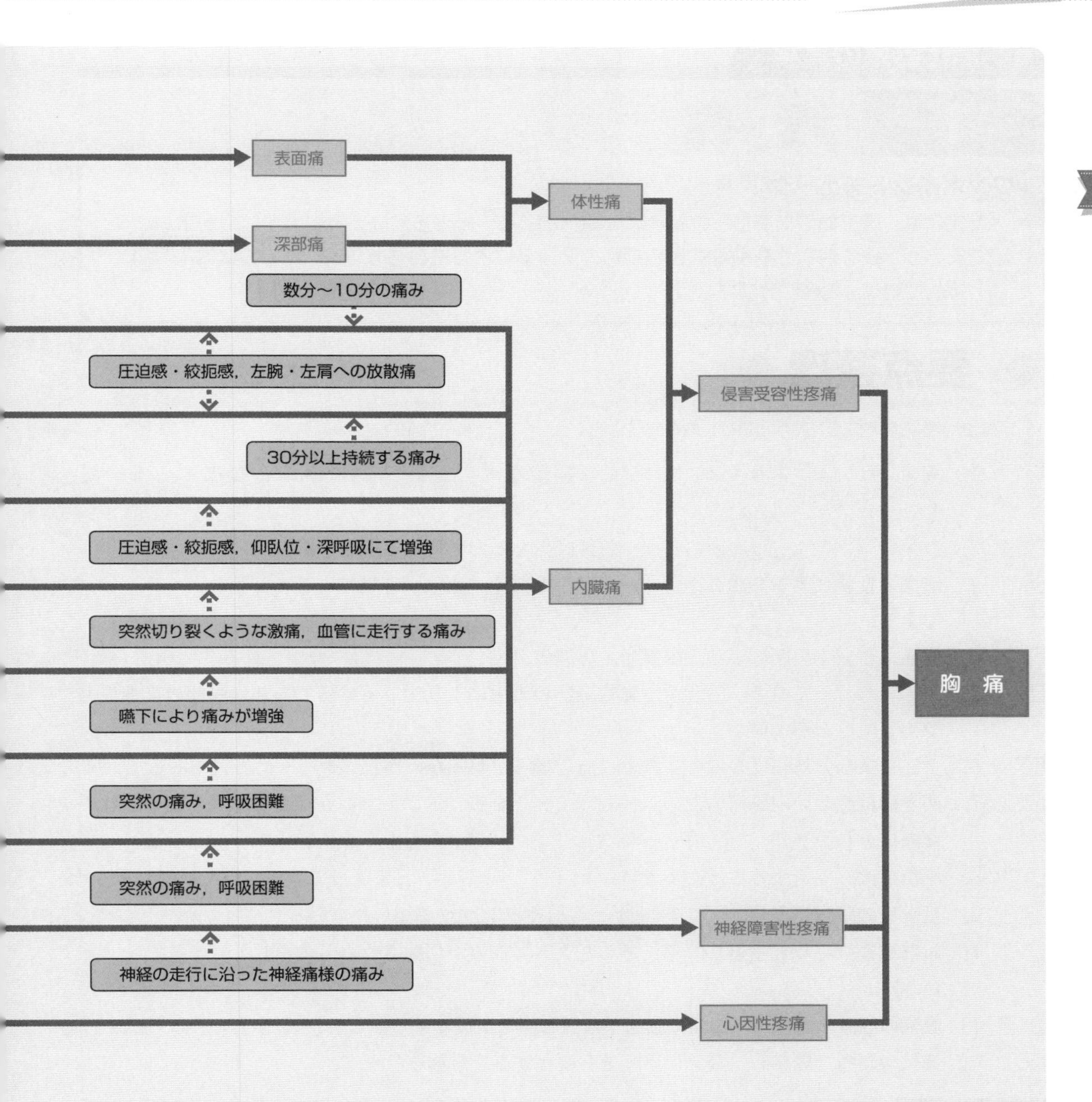
表面痛
深部痛
体性痛
数分～10分の痛み
圧迫感・絞扼感，左腕・左肩への放散痛
30分以上持続する痛み
圧迫感・絞扼感，仰臥位・深呼吸にて増強
内臓痛
侵害受容性疼痛
突然切り裂くような激痛，血管に走行する痛み
嚥下により痛みが増強
突然の痛み，呼吸困難
突然の痛み，呼吸困難
神経障害性疼痛
神経の走行に沿った神経痛様の痛み
心因性疼痛
胸 痛

1 腹 痛

ワンポイントチェック！

腹痛とは，腹部領域に感じられる疼痛の総称である．その多くは，腹部臓器への刺激が原因であるが，狭心症や心筋梗塞など心疾患の関連痛によることもある．疼痛の性状により疝痛（せんつう），持続性鋭痛，鈍痛に分類される．

要点整理

〔　　〕に適する語を下の選択肢から選び，文を完成させよう．

□□ 1. 周期的に繰り返す疼痛で，腸管や胆管などの管腔臓器の攣縮に起因するものを〔　　　　　〕という．

□□ 2. 〔　　　　　〕は腹膜の炎症や急性膵炎などで出現する疼痛である．

□□ 3. 疼痛の性状による分類の中で，最も頻度が高く，原因が多様であるのが〔　　　　　〕である．

□□ 4. 腹痛は，発生機序により，内臓痛，体性痛，〔　　　　　〕に分類される．

□□ 5. 〔　　　　　〕は，消化管や実質臓器の刺激により生じる疼痛であり，腹部の正中線上で感じることが多い．

□□ 6. 突然発生し，持続性の鋭い疼痛で，痛む場所が明確なのが〔　　　　　〕である．

□□ 7. 関連痛は激しい内臓痛のため，体表面で痛みを感じることをいう．腹部以外で感じられる関連痛を〔　　　　　〕という．

□□ 8. 圧痛とは，圧迫することによる痛みで，〔　　　　　〕によって障害部位を推測できる．

□□ 9. 虫垂炎の圧痛点として，〔　　　　　〕やランツ点が知られている．

□□ 10. 腹部をゆっくりと圧迫し，急に離したときに痛みが増強されるものを〔　　　　　〕という．

□□ 11. 腹部の触診の際に，反射的に腹筋が緊張し腹壁が硬くなることを〔　　　　　〕という．

□□ 12. 突然の腹痛で発症し，緊急に手術を必要とする疾患群を〔　　　　　〕という．

選択肢

持続性鋭痛　自発痛　疝痛　関連痛　体性痛　鈍痛　内臓痛
放散痛　反跳痛　圧痛点　マックバーニー点　筋性防御
ロンベルク徴候　急性腹症　腸閉塞

●発生機序による腹痛の分類とメカニズム

分 類	メカニズム	痛みの種類と特徴（観察）	主な疾患（原因）
内臓痛	平滑筋の伸縮や被膜の伸展による，消化管や実質臓器への刺激	鈍痛，疝痛	十二指腸潰瘍，胆石
体性痛	壁側腹膜に対する刺激	持続性の激痛，痛む場所が明確	急性腹膜炎，急性虫垂炎，がん性疼痛
関連痛	求心性内臓神経からの痛覚刺激を，体性領域からの刺激として認識	関連痛（放散痛）	胆石，虫垂炎，膵炎

症候マップ 腹 痛

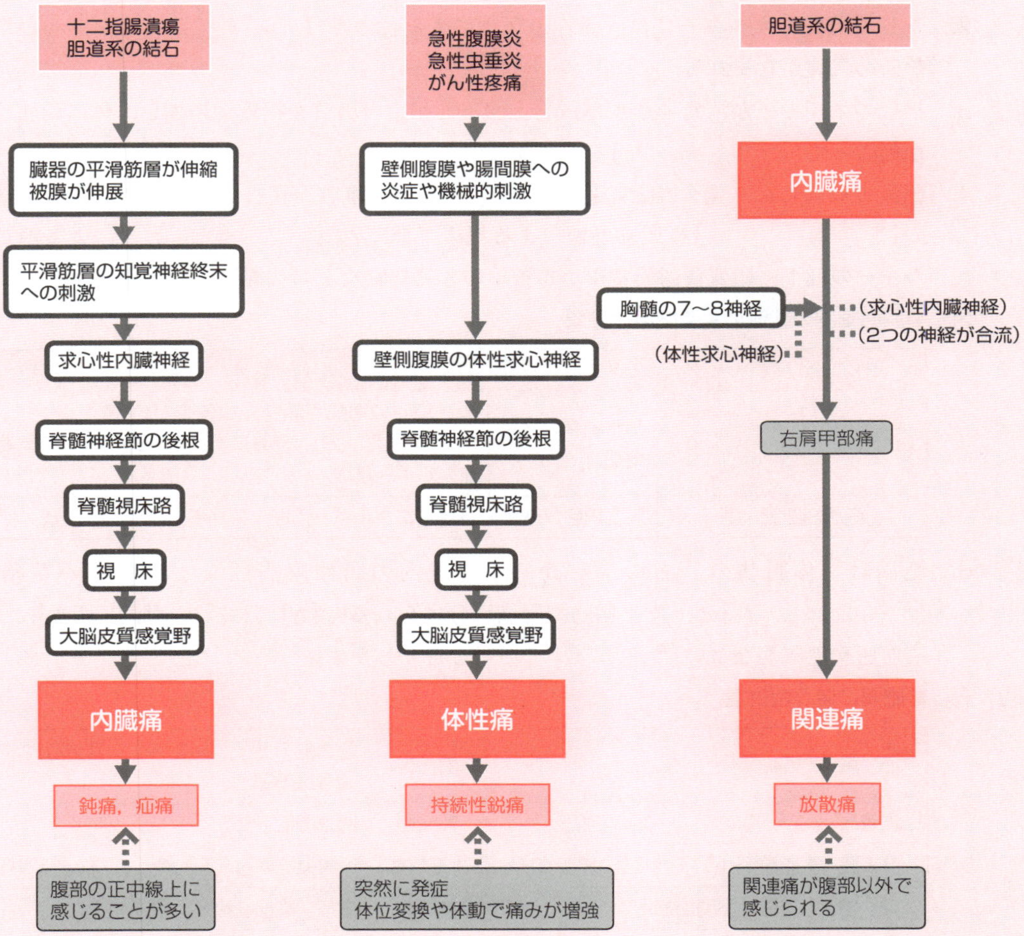

mini case

右の肩甲部がとても痛みます．どこが悪いのでしょう．

• この痛みの原因と考えられるものに○印をつけよう．

2 肥満

ワンポイントチェック！

肥満とは，身体に脂肪が過剰に蓄積している状態をいう．日本では，BMIが25以上の場合に肥満とされる．

要点整理

〔　〕に適する語を下の選択肢から選び，文や図表を完成させよう．

□□ 1. 食欲は，〔　　　　〕にある摂食中枢と満腹中枢がつかさどっている．

□□ 2. 一日の消費エネルギーには，労作・運動による代謝と，〔　　　　〕を中心とする安静時の代謝が含まれる．

□□ 3. 摂取エネルギーが消費エネルギーを上回ると血中の脂質や糖質が増加し，体に脂肪の蓄積が起こって〔　　　　〕を引き起こす．

□□ 4. 肥満の原因には，過食などの〔a　　　　〕の乱れ，精神的ストレス，視床下部付近の〔b　　　　〕や頭部外傷による視床下部障害，〔c　　　　〕による消費エネルギーの低下，脂質代謝異常やホルモンの分泌異常などの代謝障害などがある．

□□ 5. ●脂肪細胞の状態による肥満の分類

分　類	メカニズム	原　因	特　徴
〔a　　　　〕	脂肪細胞の数が増加	脂肪細胞の増加が活発になる時期(生後1年未満と〔b　　　　〕)における，過剰なエネルギー摂取．	若年で発症
脂肪細胞肥大型	脂肪細胞が肥大	過剰なエネルギー摂取，運動不足	成人に発症

□□ 6. 肥満は，体脂肪の分布の違いから，腹腔内の腸間膜周囲などに脂肪が蓄積する〔a　　　　〕と，皮下脂肪型肥満に分けられる．〔a〕では，皮下脂肪型肥満と比べ，高血圧や糖尿病などの〔b　　　　〕を併発しやすい．

□□ 7. ●肥満に伴う合併症

心　臓	心肥大	糖代謝	耐糖能の低下，インスリン非依存性糖尿病(2型糖尿病)
血管系	〔a　　　　〕，高血圧	呼吸器	肺機能低下，〔c　　　　〕
肝　臓	脂肪肝，〔b　　　　〕，胆嚢炎	生殖機能	卵巣機能障害，〔d　　　　〕，性欲減退
骨　格	変形性膝関節症	皮　膚	湿疹，陰部瘙痒症，多汗症

選択肢

肥満　腫瘍　視床下部　基礎代謝　思春期　更年期　内臓脂肪型肥満
脂肪細胞増多型　食習慣　運動不足　生活習慣病　睡眠時無呼吸症候群
胆石　不妊症　動脈硬化

症候マップ 肥 満

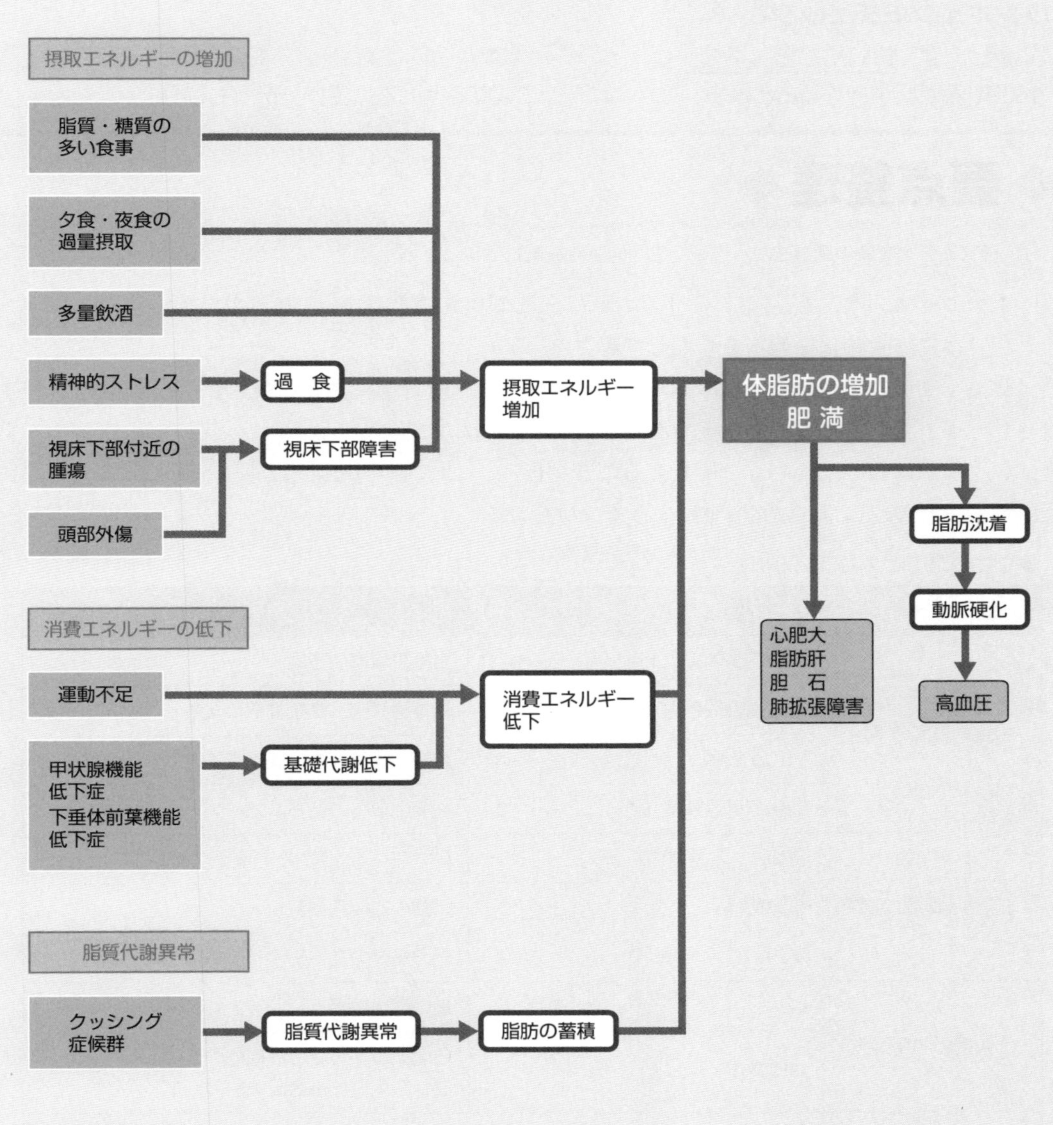

mini case

身長160cm，体重70kg，65歳の女性．食事については十分気をつけているつもりですが，2カ月で体重が5kg増加しています．夕食は午後7時，就寝は午後11時，一日の総摂取エネルギーは2,500kcalでした．できるだけ野菜を多くとるようにしています．

- 体重増加の原因として，どんなことが考えられるだろう？

3 やせ

ワンポイントチェック！

やせとは，体脂肪が著しく減少し，そのため体重が著明に減少している状態をいう．BMI 18.5未満で判定されることが多い．疾患に伴って起こるやせを，るいそうともいう．

要点整理

〔　〕に適する語を次頁の選択肢から選び，文や図表を完成させよう．

□□ 1. やせは，〔a　　　　　　〕エネルギー量よりも〔b　　　　　　〕エネルギー量が多いために，栄養状態低下をきたして起こる．

□□ 2. やせの判定基準は，標準体重の〔　　　　　　〕以下に体重が減少したとき，またはBMIが18.5以下となったときである．

□□ 3. 疾患に伴って著しくやせ衰えることを〔　　　　　　〕という．

□□ 4. やせの原因は，次の5つに大きく分けられる．

●やせの原因とメカニズム

原因		メカニズム
①食物摂取の不足	飢餓，ダイエット	食事摂取量の不足
	神経性食欲不振症，うつ	精神的原因，交感神経の緊張
	消化器疾患	疼痛，嘔気，強い腹部膨満感に伴う食欲不振
	消化管通過障害，〔a　　　　〕	食事摂取量の低下
②消化・吸収の異常	胃切除，胆管閉塞，膵疾患	〔b　　　　〕の分泌障害
	小腸切除	栄養の吸収面積減少
	下痢	腸の蠕動の亢進による消化時間の短縮
③栄養の利用障害	〔c　　　　〕	糖の利用障害
	肝障害	血清アルブミン合成機能の低下， コレステロール合成機能の低下
④代謝亢進状態	〔d　　　　　　〕，発熱	基礎代謝の亢進による蓄積エネルギーの消費
	〔e　　　　〕	腫瘍による多量のエネルギー消費
	過度の運動	消費エネルギーの増大
⑤栄養分の喪失	手術，熱傷	アルブミンなどを含む体液の喪失
	糖尿病，腎疾患	
	嘔吐，下痢	

□□ 5. エネルギー不足に陥ると，段階的にエネルギー源が移り変わる．

●エネルギー源の移り変わり

第1段階	〔a 〕や筋肉に貯蔵されていた〔b 〕がエネルギー源として利用される．〔b〕は数時間で消失する．
第2段階	筋肉の分解が始まり，糖原性アミノ酸から産生された〔c 〕がエネルギー源となる．
第3段階	筋肉の代わりに〔d 〕が分解されるようになる．〔d〕が分解されて脂肪酸とグリセロールが生じ，脂肪酸は肝臓で糖新生に使われエネルギー源になる．この代謝の過程で大量のケトン体が生成され，脳や心筋のエネルギー源となる．

□□ 6. 正しく〔 〕が行われずに体脂肪が減少し続けると，やせ衰えて，生命の危機に至る場合がある．

るいそう時の症状

□□ 7. エネルギー不足や筋力低下による〔 〕や活動の低下などがみられる．

□□ 8. 皮下脂肪の消失により，臥床時の骨による皮膚の圧迫が強くなって，〔a 〕がみられることがある．〔a〕は，肩甲骨部，仙骨部，踵部などにできやすく，特に〔b 〕部に多い．

□□ 9. 〔 〕が低下するため，感染症にかかりやすくなる．

選択肢

消費　摂取　－10％　－20％　悪性腫瘍　1型糖尿病　嚥下障害
甲状腺機能亢進症　体脂肪　グルコース　グリコーゲン　消化液　栄養補給
肝臓　心臓　免疫力　無気力　肩甲骨　仙骨　るいそう　褥瘡

◆トレーニング◆

正しいものには ○ を，誤っているものには × を記入しよう．

□□ 1. 〔 〕甲状腺で産生・分泌される甲状腺ホルモンは，基礎代謝を低下させる．

□□ 2. 〔 〕悪性腫瘍は，エネルギーを大量に消費してるいそうを引き起こす．

□□ 3. 〔 〕栄養状態が低下してエネルギー不足に至ると，まずは体脂肪の分解が起こり，引き続いてグリコーゲンの異化が起こる．

□□ 4. 〔 〕るいそう時には，血中や尿中にケトン体が出現することがある．

□□ 5. 〔 〕るいそう時の褥瘡は，治癒が早い．

□□ 6. 〔 〕摂取エネルギーを増やすため，るいそう時には運動量を増やすことが効果的である．

□□ 7. 〔 〕高度のるいそうでは，臓器機能が低下し，死に至る可能性がある．

症候マップ　やせ

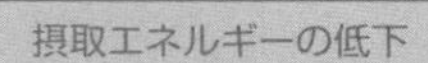

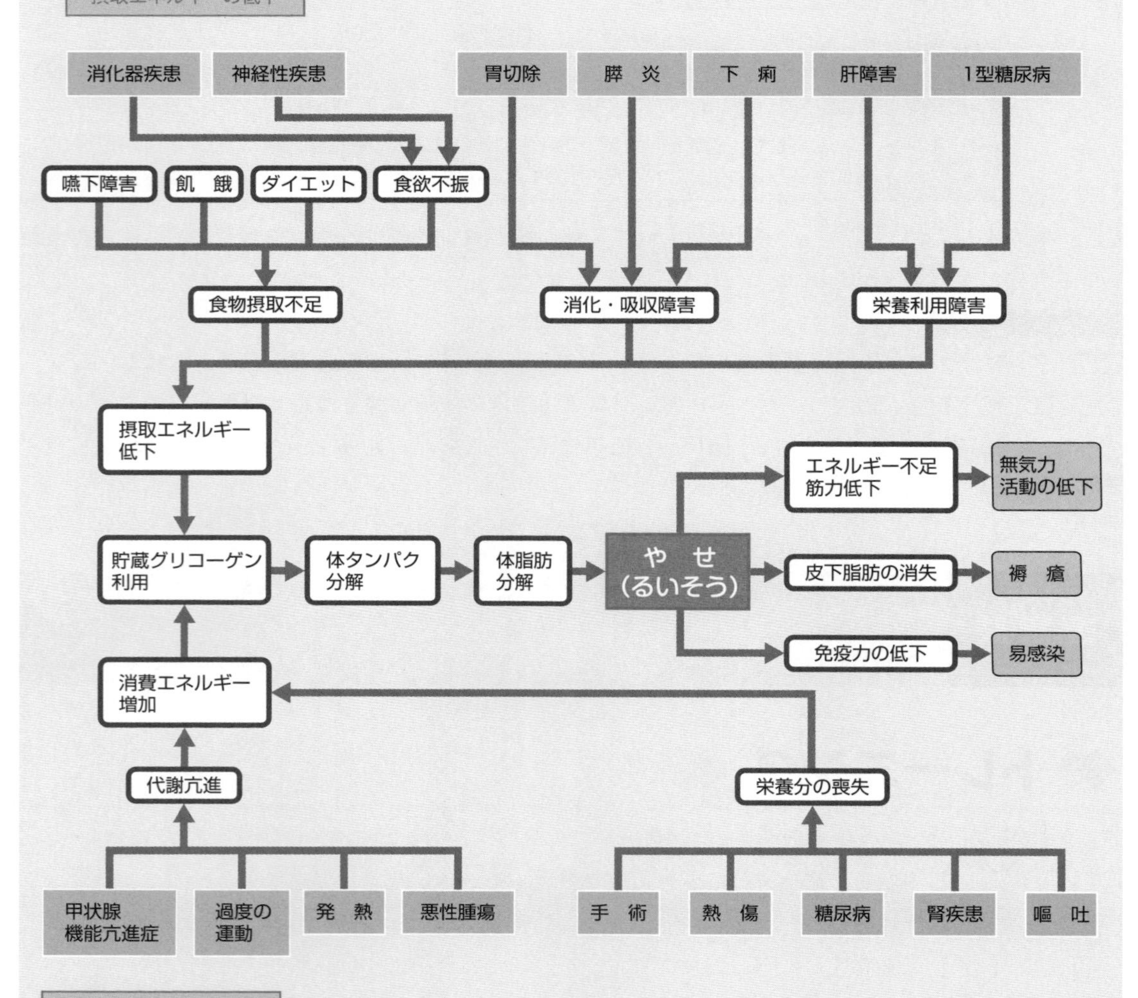

mini case

50歳の女性，身長155cm，体重は45kgです．食欲もあり，食事は十分とっているのに，この3カ月で体重が5kg減りました．最近，脈拍数が多く，家の中でも一人だけ汗をかき，首が少し腫れていると家族に言われました．

1. この体重減少の原因と考えられるものに○印をつけよう．
2. 訴えのある症状はどこで観察できるか，症候マップに書き込んでみよう．

4 食欲不振

ワンポイントチェック！

食欲不振とは，食べたいという欲求が低下または消失した状態をいう．いろいろな原因疾患の自覚症状として現れ，精神的な因子によっても生じる．

要点整理

〔　〕に適する語を下の選択肢から選び，文や図表を完成させよう．

□□ 1. 食欲は，間脳の視床下部にある食欲を亢進させる〔a　　　　　〕と，食欲を抑制する〔b　　　　　〕によって調節されている．

□□ 2. 〔a　　　　　〕は食欲を調節する因子の1つである．食後に〔a〕が上昇すると，満腹中枢が刺激され，食べたいという欲求がなくなる．また，活動によって〔a〕が低下してくると，〔b　　　　　〕が血液中に増加し，摂食中枢が刺激されて食欲が生じてくる．

□□ 3. 食欲不振は原因によって，次の4つに大きく分けられる．

●食欲不振の分類

分類	原因		メカニズム
〔a　　　〕	アレルギー		腸管痙攣，充血，浮腫などで求心性に摂食中枢を抑制
	〔d　　　〕		糞便の蓄積により，直腸からの内臓反射が起こり，食欲を抑制
	胃疾患		胃壁の緊張低下，胃酸度の低下，うっ血など
〔b　　　〕	神経・精神疾患		〔e　　　〕，「食べるな」という幻聴，被毒妄想
	急激な情動の変化		交感神経の緊張が視床下部を刺激
	暑熱		高温環境時の代謝抑制により，摂食中枢を抑制
	脳内圧の上昇		脳内圧の上昇が，摂食中枢を直接抑制
	口腔内の疾患		〔f　　　〕の障害や口腔内の不快感が摂食中枢を抑制
〔c　　　〕	薬物	交感神経刺激薬	〔g　　　〕神経の抑制による消化液分泌低下
		鎮痛薬，抗菌薬，抗がん薬，ジギタリス	胃粘膜の炎症
	急性熱性疾患		発熱や病原細菌の毒素による，摂食中枢・自律神経の変調
欠乏性食欲不振	ビタミン欠乏症		消化機能の低下による，便秘，舌炎・口内炎，貧血，代謝障害など
	〔h　　　〕		内分泌腺の機能不全により，ホルモンが直接・間接的に摂食中枢を抑制

□□ 4. 食欲不振の随伴症状として，体重の減少や体力の低下，〔　　　　　〕が現れる．

選択肢

遊離脂肪酸　血糖値　摂食中枢　満腹中枢　味覚　中毒性食欲不振　便秘　抑うつ
内臓性食欲不振　中枢性食欲不振　内分泌障害　白血病　交感　副交感　倦怠感

症候マップ　食欲不振

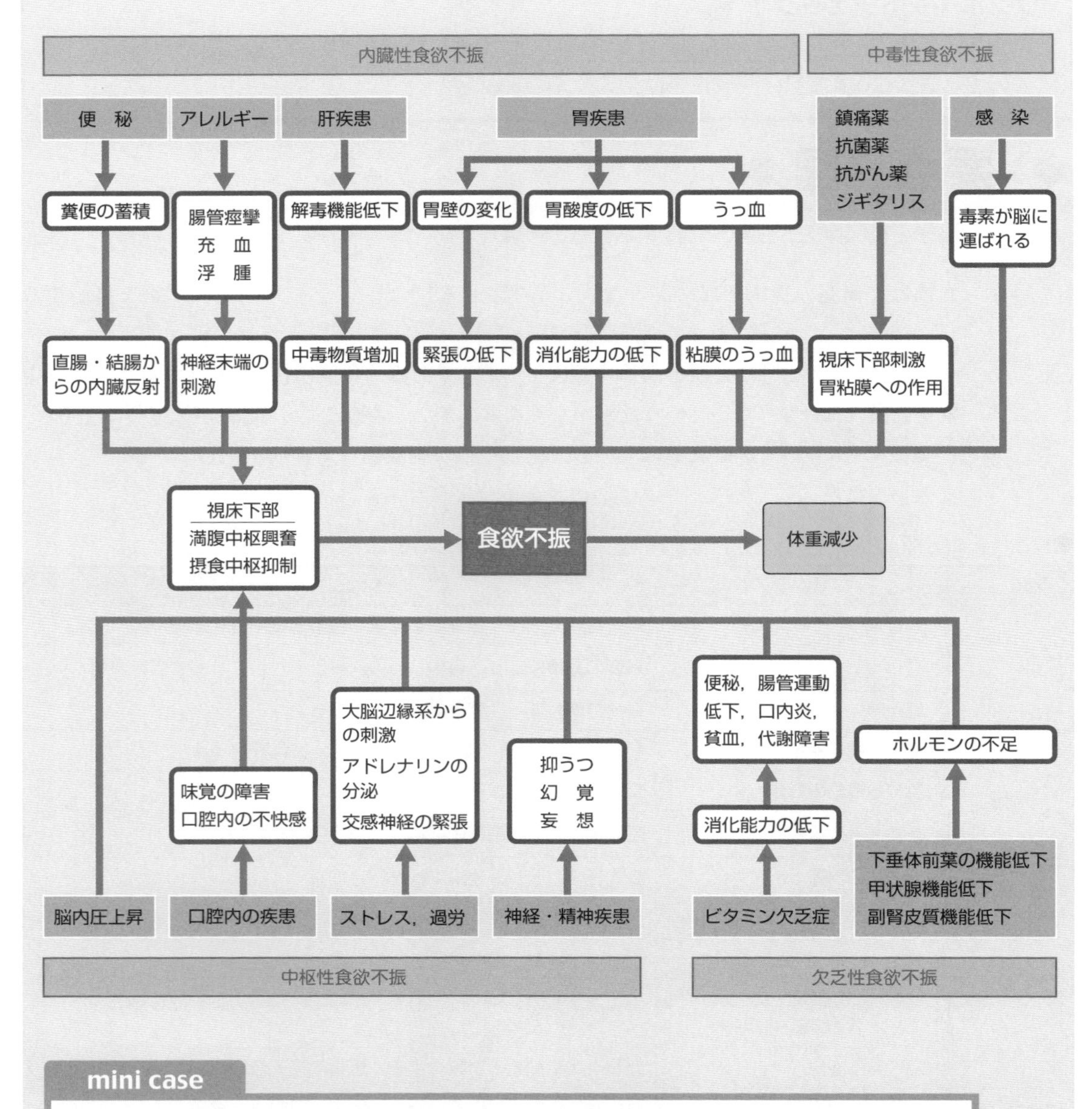

mini case

職場の人間関係で悩んでいます．好きなものを食べてもおいしく感じられません．体重も徐々に減少しています．

- 食欲不振のどの分類に当たる状態か，マップから探してみよう．

5　嚥下障害

ワンポイントチェック！

食べる行為は，食物を認知し，口腔へ取り込み咀嚼(そしゃく)して，飲み込む(嚥下)という一連の動作からなる．嚥下の過程では，食塊や流動物が口腔→咽頭→食道を経由して胃まで運ばれる．この嚥下がうまくいかないことを嚥下障害という．

要点整理

〔　〕に適する語を下の選択肢から選び，文や図表を完成させよう．

食物の取り込み

□□ 1. ものを食べる行為は，次の5つの段階に大きく分けられる．

①先行期：食物を認知する．

②準備期：食物を口腔内に取り込み，〔a　　　　〕運動によって食塊を形成する．

③口腔期：口腔内の食塊を舌によって奥へ送り，〔b　　　　〕へ移動させる．

④〔c　　　　〕：食塊が咽頭粘膜に触れ，その刺激が舌咽神経によって延髄の嚥下中枢に伝えられると，〔d　　　　〕が挙上し咽頭後壁と密着して鼻腔と咽頭の交通が遮断される．同時に，喉頭挙上により〔e　　　　〕が下がり，〔f　　　　〕の入口が閉鎖されて咽頭と〔f〕の交通が遮断される．咽頭の収縮などにより，食塊が食道の入口へ到達する．

⑤食道期：食道の〔g　　　　〕運動により，食塊が胃まで運ばれる．

●嚥下時の咽頭

舌
〔d　　　　〕
咽頭
〔e　　　　〕
気管
食道

□□ 2. 嚥下時に，唾液や食塊が気管に入ってしまうことを〔　　　　〕という．

嚥下障害

□□ 3. 嚥下障害は，準備期の咀嚼運動，および，口腔期～食道期までの嚥下運動のいずれかの障害によって起こる．

●主な嚥下障害

時期	障害
準備期	食塊の形成不全
口腔期	食塊の保持・送り込みの障害，〔a　　　　〕
咽頭期	嚥下圧形成不全，〔b　　　　〕の低下，嚥下中誤嚥
食道期	食べ物の通過障害（炎症性・腫瘍性），食道の蠕動運動の減弱，〔c　　　　〕，嚥下後誤嚥

選択肢

喉頭蓋　軟口蓋　咽頭　気管　咽頭期　咽頭クリアランス
蠕動　咀嚼　誤嚥　胃食道逆流　嚥下前誤嚥

症候マップ　嚥下障害

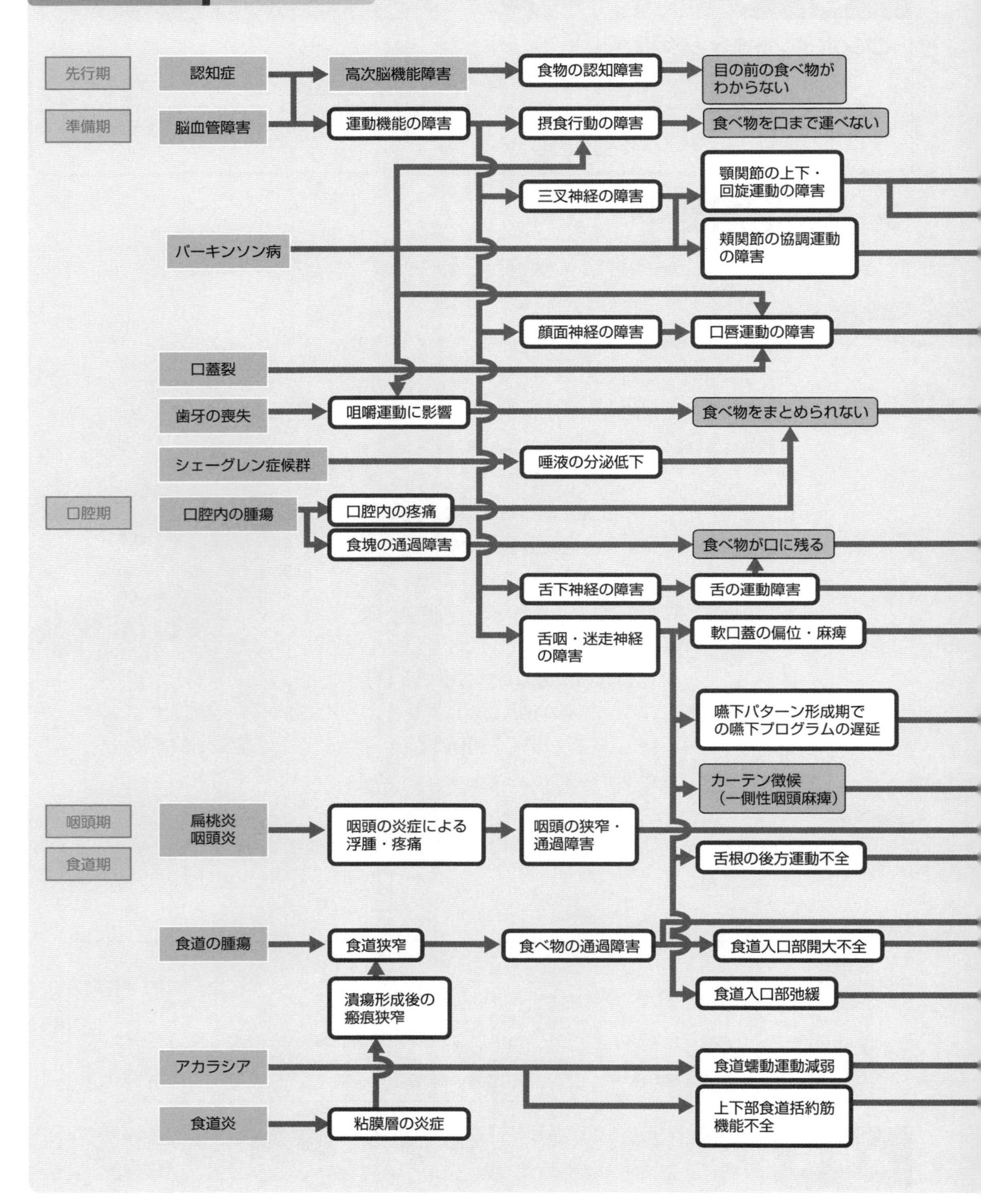

先行期
準備期
口腔期
咽頭期
食道期
認知症
脳血管障害
高次脳機能障害
運動機能の障害
食物の認知障害
目の前の食べ物がわからない
摂食行動の障害
食べ物を口まで運べない
三叉神経の障害
顎関節の上下・回旋運動の障害
パーキンソン病
頬関節の協調運動の障害
顔面神経の障害
口唇運動の障害
口蓋裂
歯牙の喪失
咀嚼運動に影響
食べ物をまとめられない
シェーグレン症候群
唾液の分泌低下
口腔内の腫瘍
口腔内の疼痛
食塊の通過障害
食べ物が口に残る
舌下神経の障害
舌の運動障害
舌咽・迷走神経の障害
軟口蓋の偏位・麻痺
嚥下パターン形成期での嚥下プログラムの遅延
カーテン徴候（一側性咽頭麻痺）
扁桃炎
咽頭炎
咽頭の炎症による浮腫・疼痛
咽頭の狭窄・通過障害
舌根の後方運動不全
食道の腫瘍
食道狭窄
食べ物の通過障害
食道入口部開大不全
食道入口部弛緩
潰瘍形成後の瘢痕狭窄
アカラシア
食道蠕動運動減弱
上下部食道括約筋機能不全
食道炎
粘膜層の炎症

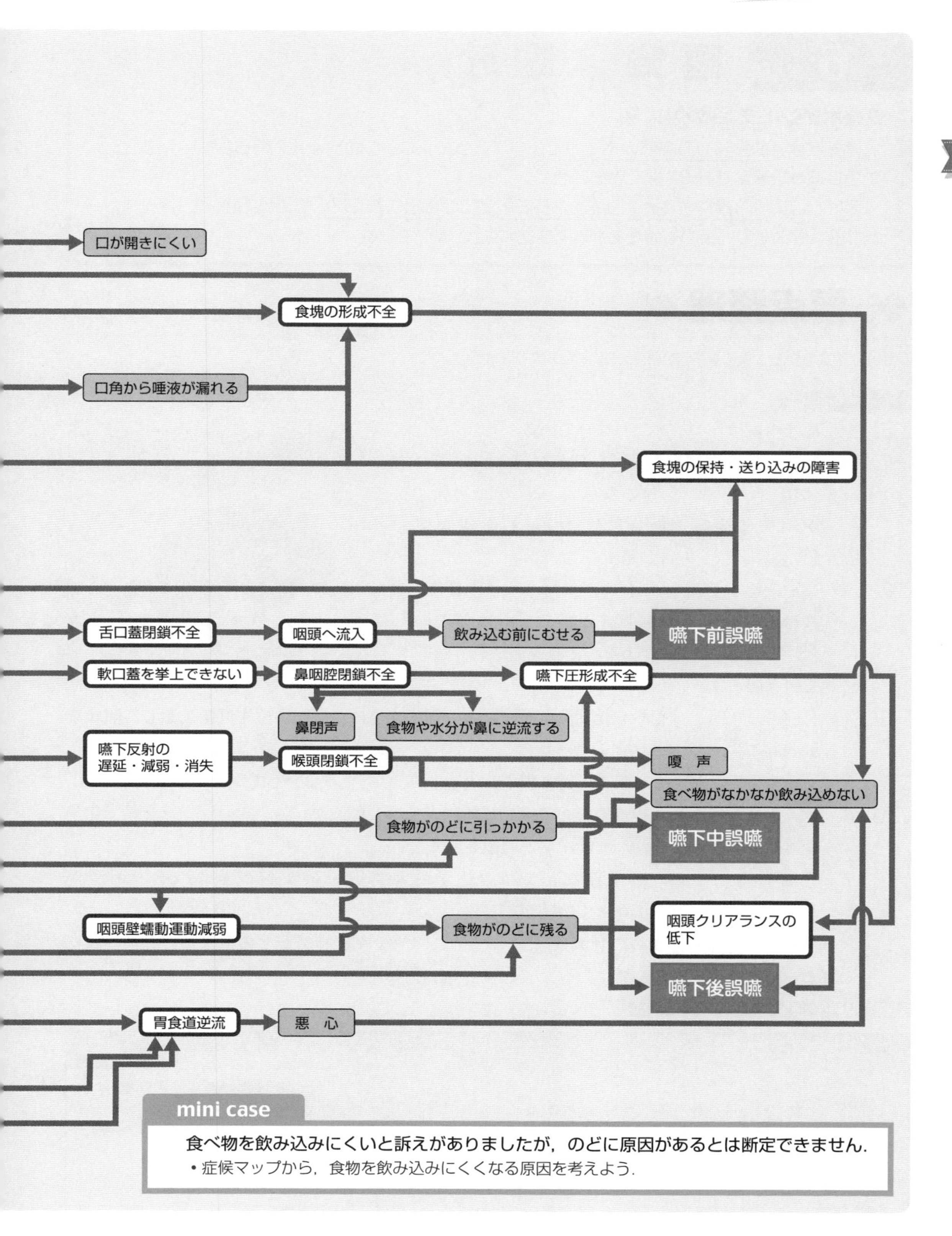

mini case

食べ物を飲み込みにくいと訴えがありましたが，のどに原因があるとは断定できません．

- 症候マップから，食物を飲み込みにくくなる原因を考えよう．

6 嘔気・嘔吐

ワンポイントチェック！

嘔気とは，前胸部や心窩部の不快感で,「吐きそうだ」「むかむかする」「気持ちが悪い」といった差し迫った感覚である．悪心ともいう．

嘔吐とは，胃内容物が食道，口腔を介して急激に吐き出される現象であり,「吐いた」「もどした」「酸っぱいもの／苦いものがあがってきた」などと表現される．

要点整理

〔　〕に適する語を次頁の選択肢から選び，文や図表を完成させよう．

嘔吐のメカニズム

□□ 1. 嘔吐中枢は〔　　〕にある．

□□ 2. 嘔吐中枢への刺激が弱く，閾値(いきち)に達しない場合は〔a　　〕のみが生じる．刺激の強さが閾値に達した場合には，〔a〕に引き続いて〔b　　〕が起こる．

□□ 3. 第4脳室の底部にある〔a　　〕(CTZ)には，嘔吐中枢の細胞体がある．〔a〕は体内の〔b　　〕によって直接刺激され，嘔吐を引き起こす．

●嘔吐中枢への刺激に関わる脳部位

□□ 4. 〔　　〕やくも膜下出血などによる脳圧亢進は，嘔吐中枢を直接刺激し，嘔吐を引き起こす．

□□ 5. 不安や痛みなどの情動刺激・感覚刺激は,〔　　〕を介して嘔吐中枢を刺激する．

□□ 6. メニエール病や乗り物酔いなどの前庭機能障害では，刺激が〔　　〕を経て化学受容器引金帯に伝わり，嘔吐中枢が刺激される．

□□ 7. 代謝異常や中毒，感染症などでは，化学受容器引金帯が刺激され，その刺激が〔　　〕へ伝わって嘔吐が起こる．

□□ 8. 消化管や身体各部からの刺激は,〔　　〕や交感神経などの自律神経の求心路によって嘔吐中枢へ伝わる．

□□ 9. ●吐物の性状・量と病態

吐物の性状・量	疑われる疾患・状態	吐物の性状・量	疑われる疾患・状態
大量の胃液	〔a　　〕，ゾリンジャー・エリソン症候群	大量の胆汁	大十二指腸乳頭部以下の閉塞（イレウス，腸重積など）
少量の粘液と胃液	慢性胃炎，鼻咽頭炎，妊娠悪阻	糞便臭	イレウス,〔c　　〕
大量の粘液と胃液	胃内容のうっ滞，胃炎,〔b　　〕		

嘔気・嘔吐に伴う現象

□□ 10. 嘔気・嘔吐による全身への影響には，〔a 〕，〔b 〕，代謝性アルカローシス，栄養状態低下などがある．

□□ 11. 嘔気・嘔吐の随伴症状には，〔a 〕分泌，顔面蒼白，徐脈・頻脈，〔b 〕促拍などがある．

選択肢
小脳　視床下部　延髄　大脳皮質　嘔気　嘔吐　貧血　有害物質
迷走神経　前庭神経求心路　嘔吐中枢　脱水　低クロール血症
脳腫瘍　胃癌　十二指腸潰瘍　腹膜炎　唾液　呼吸　化学受容器引金帯

トレーニング

正しいものには ○ を，誤っているものには × を記入しよう．

□□ 1. 〔 〕嘔吐中枢は第4脳室にある．

□□ 2. 〔 〕虫垂炎などの腹膜刺激は，大脳皮質を介して嘔吐中枢へ伝わる．

□□ 3. 〔 〕嘔吐中枢への刺激は，呼吸中枢・循環中枢に影響しない．

□□ 4. 〔 〕顔面蒼白，血圧変動，徐脈，呼吸促迫などの自律神経症状は，嘔吐中枢への刺激に伴って引き起こされる．

□□ 5. 〔 〕嘔吐を繰り返すと，大量の胃液が喪失され，食道炎を引き起こす．

□□ 6. 〔 〕頻繁に嘔吐すると，胃液中の塩酸(HCl)の喪失により低クロール血症が起こる．

□□ 7. 〔 〕低クロール血症では，代償作用で重炭酸塩(HCO_3^-)が減少し，代謝性アシドーシスを引き起こす．

□□ 8. 〔 〕吐物の誤嚥により，窒息や嚥下性肺炎を起こす．

□□ 9. 〔 〕吐物が大量の胃液の場合，慢性胃炎や妊娠が疑われる．

□□ 10. 〔 〕食事の直後の嘔吐は，妊娠，尿毒症が疑われる．

□□ 11. 〔 〕嘔吐の原因として急性腹症や脳圧亢進が疑われる場合には，緊急処置が必要である．

□□ 12. 〔 〕突然起こる中枢性疾患による嘔吐では，嘔気を伴わないことがある．

実力アップ

以下の問いに答えよ．

□□ **1.** 嘔吐について，正しい組み合わせはどれか　〔 〕

1. 脳梗塞 ―― CTZ ―― 嘔吐中枢
2. 腹膜炎 ―― 大脳皮質 ―― 嘔吐中枢
3. 脳腫瘍 ―― 脳圧亢進 ―― 嘔吐中枢
4. 食中毒 ―― 交感神経 ―― 嘔吐中枢

症候マップ　嘔気・嘔吐

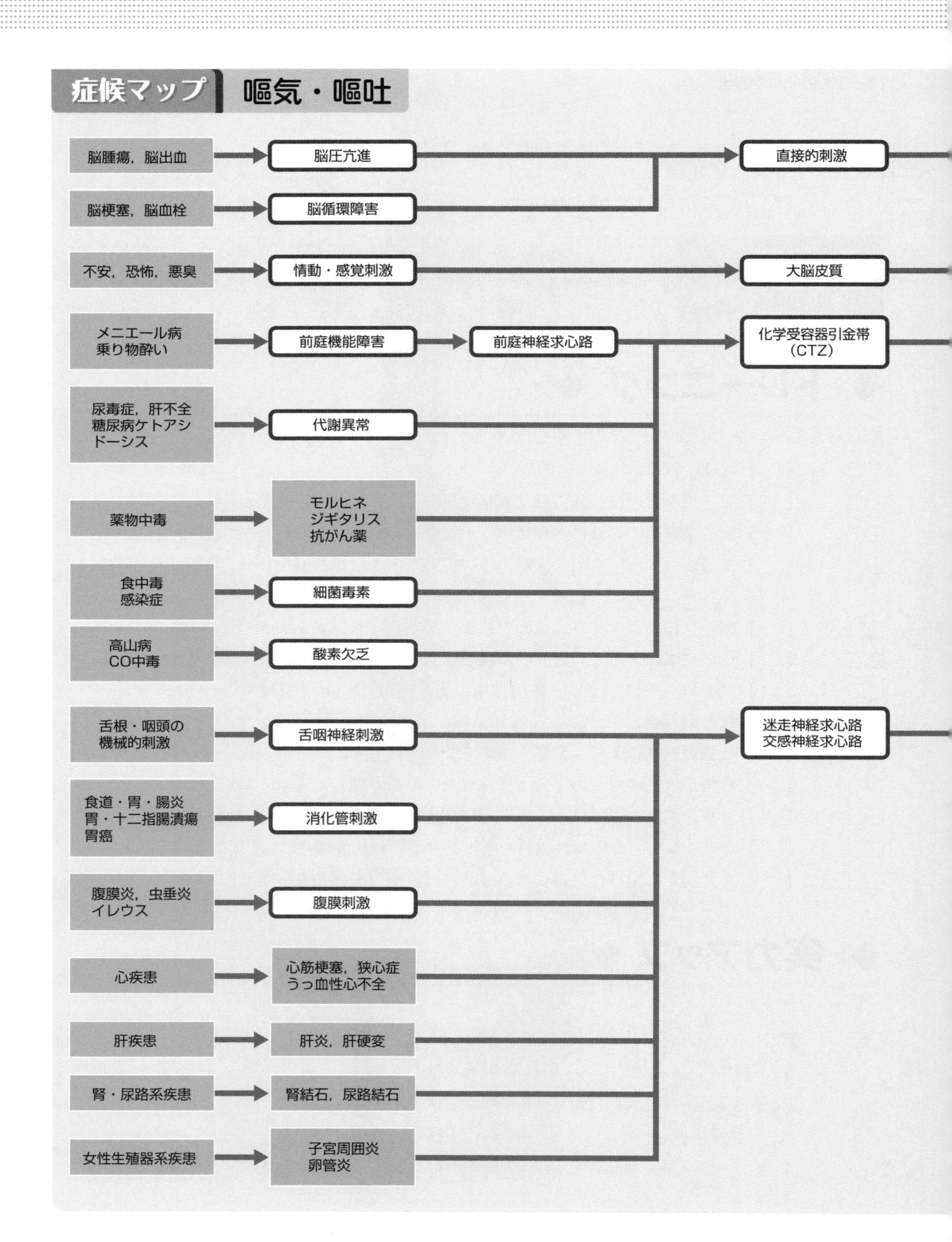

脳腫瘍，脳出血
脳圧亢進
脳梗塞，脳血栓
脳循環障害
直接的刺激
不安，恐怖，悪臭
情動・感覚刺激
大脳皮質
メニエール病
乗り物酔い
前庭機能障害
前庭神経求心路
化学受容器引金帯
(CTZ)
尿毒症，肝不全
糖尿病ケトアシドーシス
代謝異常
薬物中毒
モルヒネ
ジギタリス
抗がん薬
食中毒
感染症
細菌毒素
高山病
CO中毒
酸素欠乏
舌根・咽頭の
機械的刺激
舌咽神経刺激
迷走神経求心路
交感神経求心路
食道・胃・腸炎
胃・十二指腸潰瘍
胃癌
消化管刺激
腹膜炎，虫垂炎
イレウス
腹膜刺激
心疾患
心筋梗塞，狭心症
うっ血性心不全
肝疾患
肝炎，肝硬変
腎・尿路系疾患
腎結石，尿路結石
女性生殖器系疾患
子宮周囲炎
卵管炎

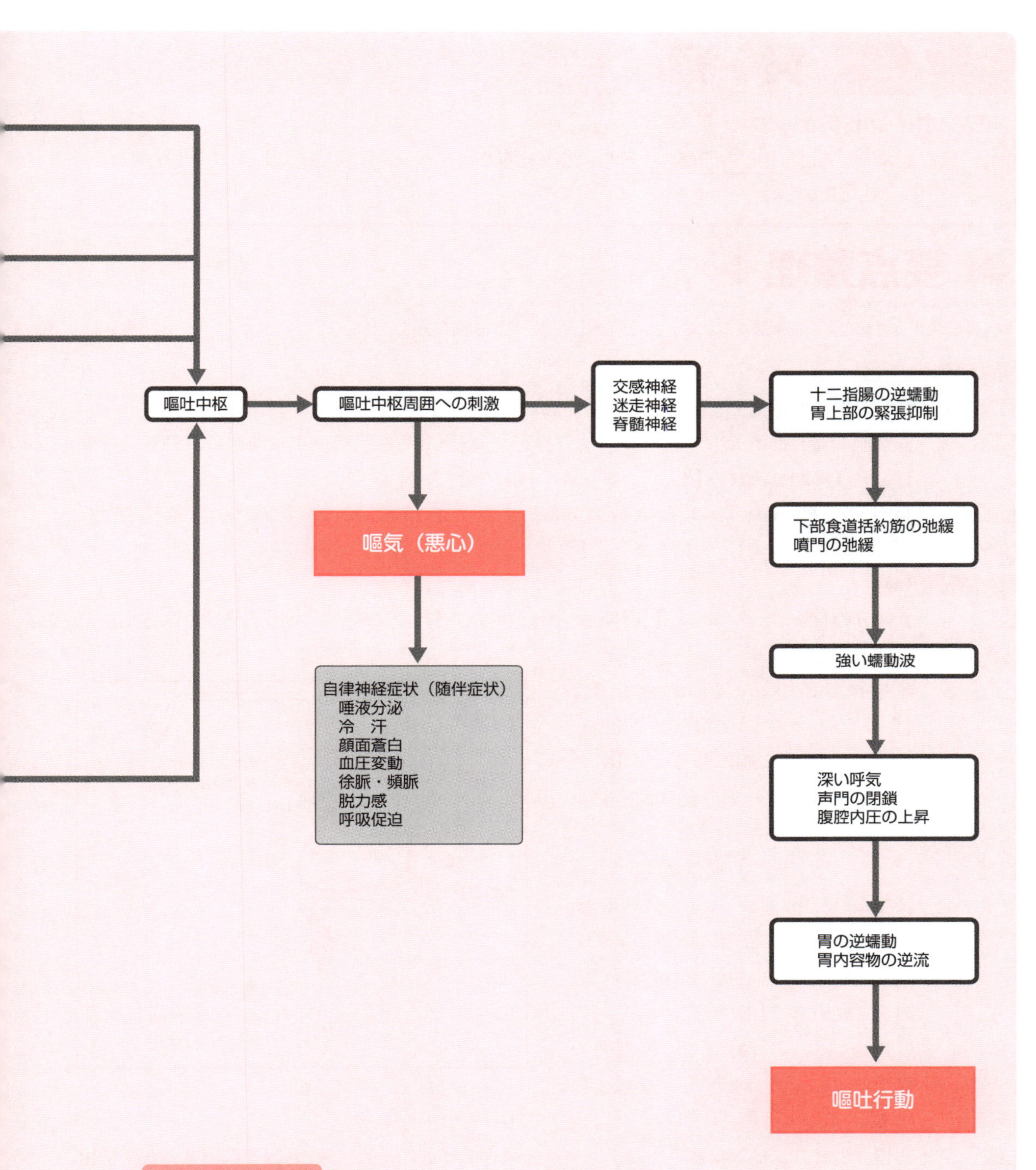

mini case

昨日食べた魚があたったのかもしれません．嘔気（吐き気）がして体調が悪いです．

1．嘔気（悪心）が起こったと考えられる経過を，ペンでなぞってみよう．

2．この嘔吐はどの分類に当たるか考えよう．

7 黄疸

ワンポイントチェック！

黄疸とは，血清ビリルビン濃度の上昇により，ビリルビンが結合組織に沈着し，皮膚や粘膜が黄染した状態をいう．

要点整理

〔　〕に適する語を次頁の選択肢，または〔　〕内から選び，文や図表を完成させよう．

肝臓の構造と働き

□□ 1. 肝臓の機能的単位を〔　　　　〕という．

□□ 2. 肝細胞で産生された〔a　　　　〕は，肝細胞→毛細胆管→小葉間胆管→肝管→総肝管という経路を流れ，〔b　　　　〕に貯留される．

□□ 3. 胆汁の1日当たりの分泌量は600～1,200mLである．主な成分は胆汁酸塩，〔a　　　　〕，脂質であり，〔b　　　　〕性を示す．

ビリルビン代謝

□□ 4. 大部分の〔a　　　　〕(間接ビリルビン)は，〔b　　　　〕の分解によって生じる．

□□ 5. 非抱合型ビリルビンは，血中では〔a　　　　〕と結合して運搬される．肝臓内に運ばれると，〔a〕と分離して肝細胞に取り込まれ，グルクロン酸抱合を受けて〔b　　　　〕(直接ビリルビン)になる．

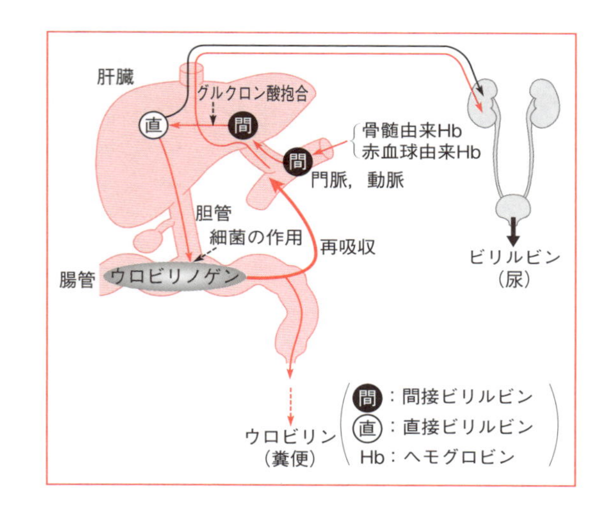

□□ 6. グルクロン酸と結合したビリルビンは，毛細胆管内の胆汁中へと移行し，胆嚢を経由して〔a　　　　〕内に排出される．〔a〕内では，細菌の作用によってウロビリノゲンに変化する．

□□ 7. 非抱合型ビリルビンは血中ではタンパクと結合しているため，尿中に〔a 排出される・排出されない〕．一方，抱合型ビリルビンは水溶性であり，尿中に〔b 排出される・排出されない〕．そのため，〔c　　　　〕ビリルビン値が上昇すると，尿は濃染する．

黄 疸

□□ 8. 黄疸の原因には，①〔a　　　　〕の過剰産生，②肝細胞におけるビリルビンの抱合・排泄の障害，③〔b　　　　〕障害がある．

□□ 9. ●黄疸の分類と血中・尿中のビリルビン

分 類		原 因		主な血中ビリルビン	尿中ビリルビン
〔a 〕		ビリルビンの過剰産生	〔d 〕悪性貧血	非抱合型（間接）	(−)
〔b 〕	非抱合型高ビリルビン血症	ビリルビン抱合の先天的障害	ジルベール症候群	非抱合型（間接）	(−)
	抱合型高ビリルビン血症	ビリルビン排泄の先天的障害	デュビン・ジョンソン症候群	抱合型（直接）	(+)
〔c 〕		肝細胞レベルでの障害，胆汁流出障害	急性肝炎，慢性肝炎，肝硬変	肝細胞の変性・壊死の程度による	
胆汁うっ滞性黄疸（閉塞性黄疸）	肝内胆汁うっ滞	胆汁流出障害	〈急性〉薬剤性の肝炎 〈慢性〉〔e 〕	抱合型（直接）	(+)
	肝外胆汁うっ滞（肝外閉塞性黄疸）	胆汁流出障害	〔f 〕，胆管癌，膵頭部癌		(++)

□□ 10. 閉塞性黄疸では，黄疸に先行して〔 〕が出現する．

□□ 11. 血清総ビリルビン値が3mg/dL以上になると〔a 〕の黄染が現れ，5mg/dL以上になると〔b 〕の黄染がみられるようになる．

選択肢
体質性黄疸　肝細胞性黄疸　溶血性黄疸　アルブミン　ヘモグロビン
抱合型ビリルビン　非抱合型ビリルビン　胆汁流出　ビリルビン　抱合型
小腸　肝小葉　胆嚢　胆汁　胆汁色素　酸　アルカリ　皮膚瘙痒感
皮膚　眼球結膜　原発性胆汁性肝硬変　胆石症　溶血性貧血

トレーニング

正しいものには ○ を，誤っているものには × を記入しよう．

□□ 1. 〔 〕非抱合型ビリルビンの大部分は，赤血球の破壊によって生じたヘモグロビンの分解によって生成される．

□□ 2. 〔 〕非抱合型ビリルビンは水溶性で，尿中に排出される．

□□ 3. 〔 〕グルクロン酸と結合したビリルビンを抱合型ビリルビンという．

□□ 4. 〔 〕溶血性黄疸は，先天性のビリルビン代謝障害によって起こる．

□□ 5. 〔 〕体質性黄疸は予後良好であり，治療の必要はない．

□□ 6. 〔 〕肝硬変により肝細胞実質が障害されると，黄疸が現れる．

□□ 7. 〔 〕軽度黄疸時には皮膚の色調は淡い黄色だが，中等度になると緑色調，さらに高度になるとオレンジ色を帯びてくる．

□□ 8. 〔 〕溶血性黄疸では，血清中の非抱合型ビリルビンの値が上昇する．

症候マップ 黄疸

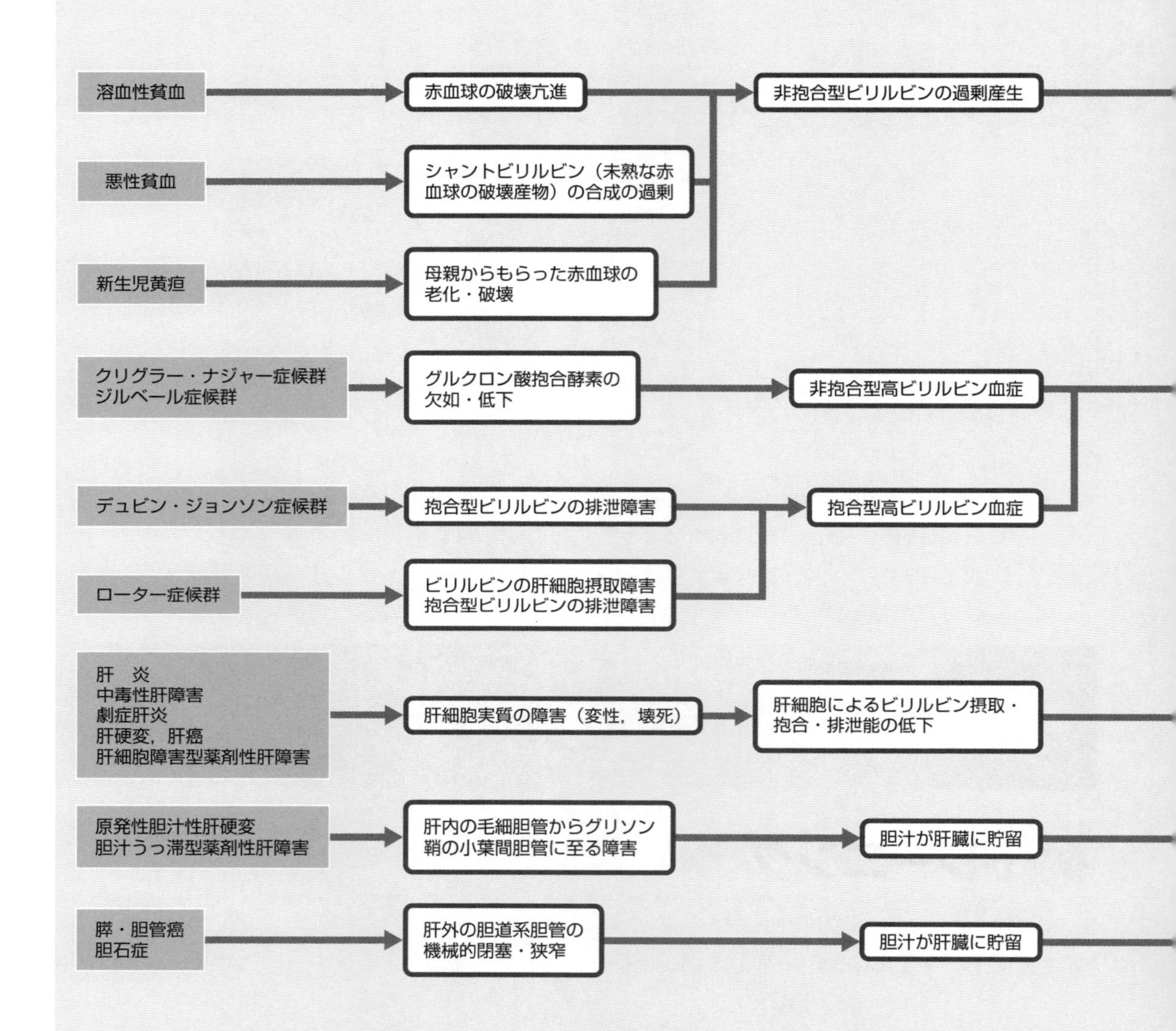

mini case

胆汁うっ滞性黄疸では，便の色調が灰白色になります．

1．なぜ，便の色調が灰白色になるのか考えよう．
2．便の色調が灰白色になるメカニズムを，解剖生理の知識をもとに自分で書いてみよう．

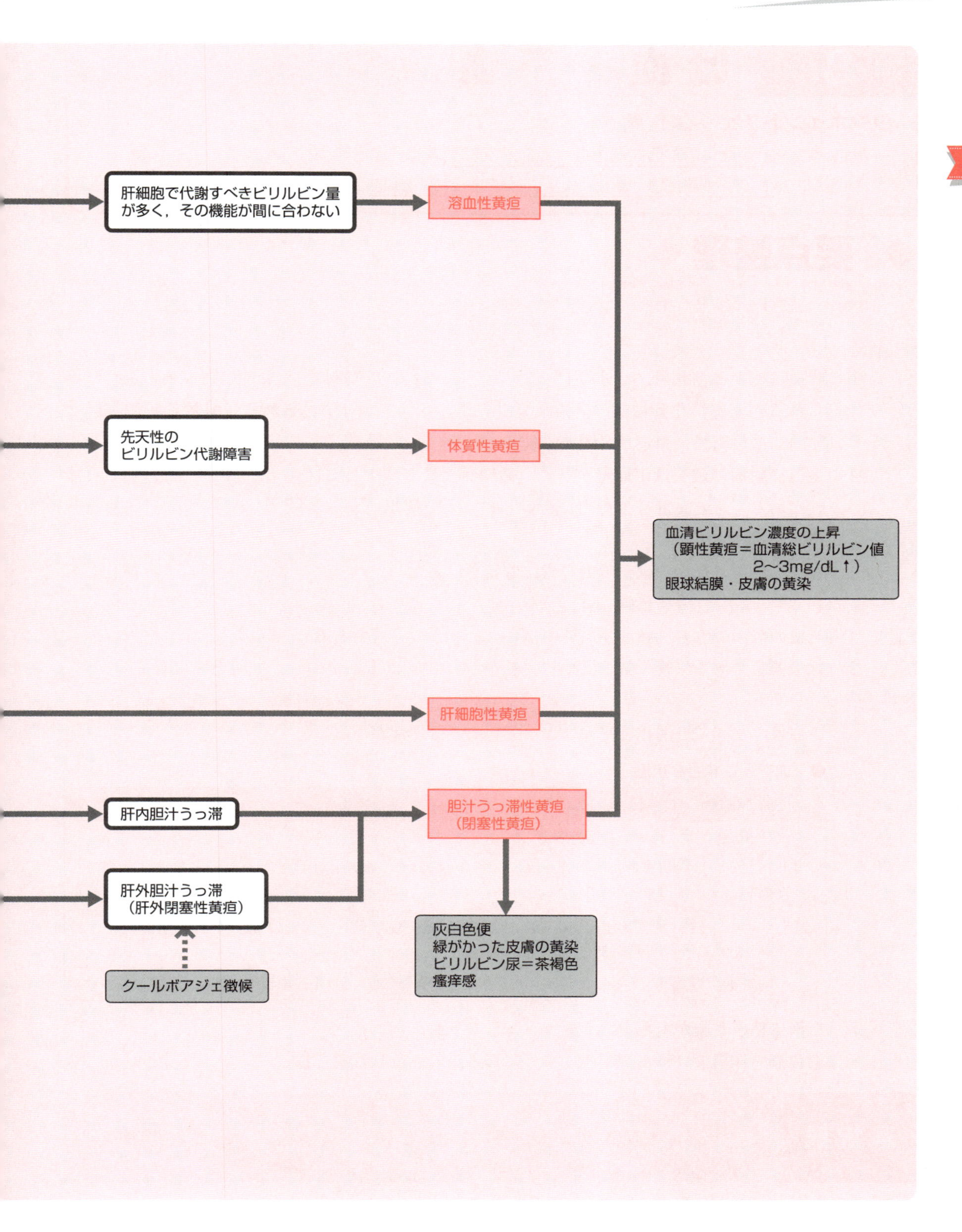
肝細胞で代謝すべきビリルビン量
が多く，その機能が間に合わない
溶血性黄疸
先天性の
ビリルビン代謝障害
体質性黄疸
血清ビリルビン濃度の上昇
（顕性黄疸＝血清総ビリルビン値
2～3mg/dL↑）
眼球結膜・皮膚の黄染
肝細胞性黄疸
肝内胆汁うっ滞
胆汁うっ滞性黄疸
（閉塞性黄疸）
肝外胆汁うっ滞
（肝外閉塞性黄疸）
クールボアジェ徴候
灰白色便
緑がかった皮膚の黄染
ビリルビン尿＝茶褐色
瘙痒感

8 吐血・下血

ワンポイントチェック！

吐血とは，上部消化管から大量出血した血液を嘔吐することをいう．
下血とは，上・下部消化管から出血した血液が肛門から排泄されることをいう．

要点整理

〔　〕に適する語を下の選択肢から選び，文や図表を完成させよう．

吐血

□□ 1. 吐血は，上部消化管，つまり〔a　　　　〕より口側（こうそく）の消化管で出血がある場合にみられる．上部消化管には，食道，胃，〔b　　　　〕が含まれる．〔a〕は横隔膜右脚と連結して後腹膜に固定し，〔b〕を支持する．

□□ 2. 食道静脈瘤の破裂は出血量が多く，循環血液量が減少して〔a　　　　〕に陥る可能性がある．また，肝硬変患者に合併しやすく一度出血すると〔b　　　　〕に移行しやすい．

□□ 3. 胃から出血した血液は一時的に胃に貯留されるため，ヘモグロビンが胃酸により酸化して〔　　　　〕の色調（黒褐色）を示す．

□□ 4. 吐血の病因のうち，頻度が高いのは〔　　　　〕である．

□□ 5. 呼吸器官である気管・気管支や肺実質からの出血は，〔　　　　〕とよばれる．

下血

□□ 6. 下血は，すべての消化管出血によって起こる可能性がある．

●下血を起こす主な疾患

下血の性状	主な疾患
タール便	胃・十二指腸潰瘍，〔c　　　　〕
〔a　　　　〕の下血	〔d　　　　〕，横行・下行結腸癌，大腸ポリープ，虚血性大腸炎，直腸炎，〔e　　　　〕
〔b　　　　〕の下血	大量の上部消化管出血（食道静脈瘤破裂，胃・十二指腸潰瘍）や下部消化管出血（上腸間膜動脈虚血，上行結腸癌）
粘血便	〔f　　　　〕，感染性腸炎（赤痢菌，サルモネラ菌など）

□□ 7. 血液に粘液と膿が混ざったケチャップ様の下血を〔　　　　〕という．

□□ 8. 消化液の作用でコールタールのように真っ黒に変色した便を〔　　　　〕という．

選択肢

盲腸　トライツ靱帯　直腸　十二指腸　肝性昏睡　ショック
タール便　粘血便　コーヒー残渣様　暗赤色　鮮紅色　胃・十二指腸潰瘍
潰瘍性大腸炎　直腸癌　急性胃粘膜病変　痔核　喀血

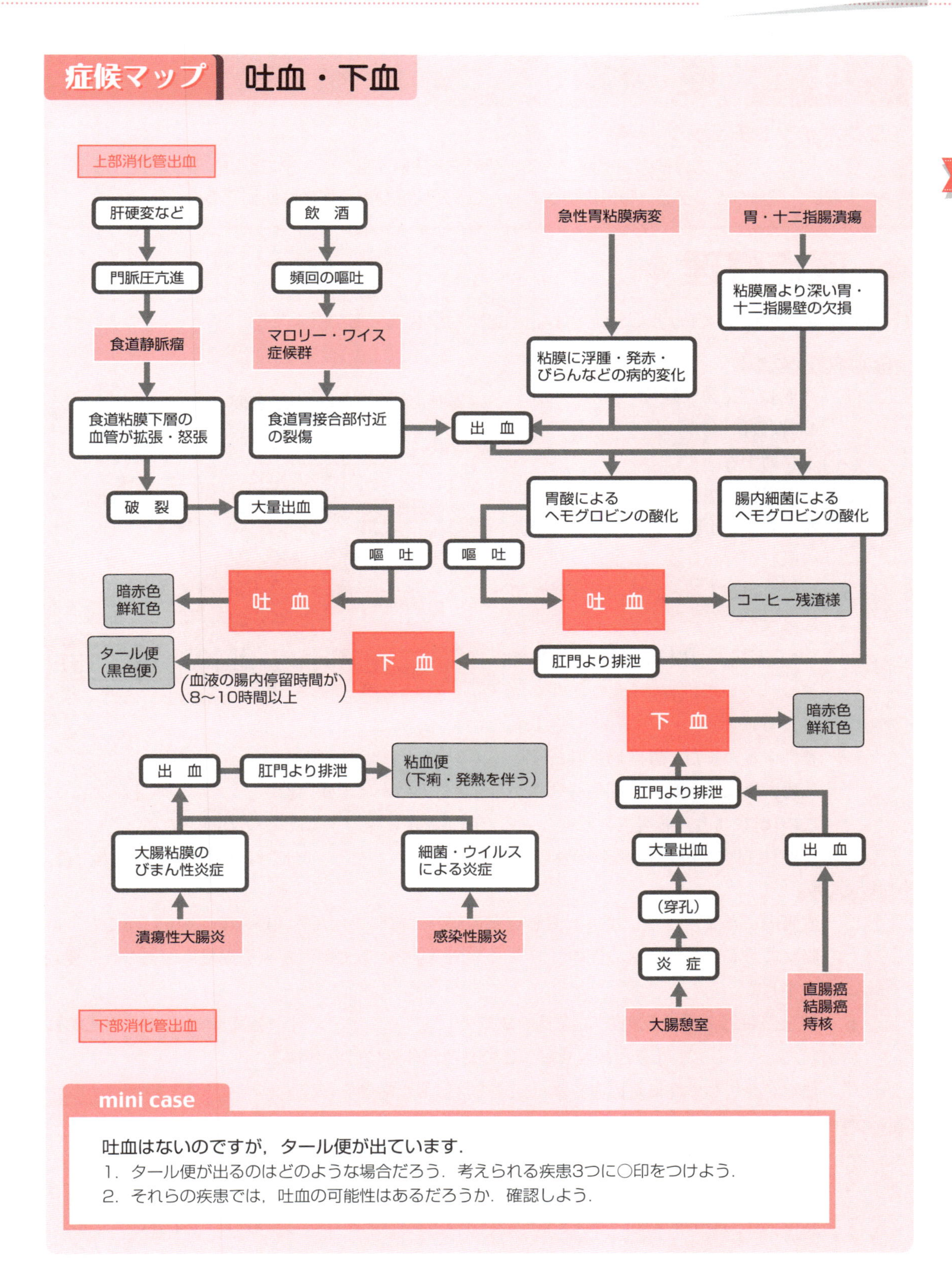

mini case

吐血はないのですが，タール便が出ています．

1．タール便が出るのはどのような場合だろう．考えられる疾患3つに○印をつけよう．

2．それらの疾患では，吐血の可能性はあるだろうか．確認しよう．

9 便　秘

ワンポイントチェック！

便秘とは，大腸内の糞便の通過が遅れる状態である．訴えは，便が出にくい，便が硬い，量が少ない，腹痛などである．毎日排便があっても，残便感がある場合は便秘である．

要点整理

〔　〕に適する語を次頁の選択肢，または〔　〕内から選び，文や図表を完成させよう．

消化管内の食物の通過

□□ 1. 摂取した食物（固形物）は，平均3～4時間後に，胃から〔　　　　〕へ移動する．

□□ 2. 十二指腸，空腸，〔　　　　〕を合わせて小腸といい，ここで栄養の吸収が行われる．

□□ 3. 胃に食物が入ると，胃回盲反射が起こって〔a　　　　〕（バウヒン弁）が緩んで開き，回腸末端まで運ばれていた内容物（前の食事で食べたもの）が〔b　　　　〕へ移動する．また，胃回盲反射と同時に胃大腸反射が起こり，横行結腸からS状結腸にかけて強い〔c　　　　〕が生じる．この〔c〕により，結腸内に貯留していた内容物が〔d　　　　〕へ送られる．

●便の性状と食物の滞在時間

飲食物の胃への流入
胃回盲反射
胃大腸反射
胃（3～4時間）
横行結腸 粥状の便
大腸（10～20時間）
上行結腸 液状の便
小腸（2～3時間）
下行結腸 固形化した便
回盲弁（バウヒン弁）
直腸
S状結腸

□□ 4. 胃から肛門にかけての食物の移動は，腸管の〔　　　　〕や蠕動運動によって起こる．

排便のしくみ

□□ 5. 直腸内にたまった便によって直腸壁が伸展し，直腸の内圧が40～50mmHgになると，直腸壁に分布している求心性の〔　　　　〕を介して刺激が大脳皮質に伝えられ，便意が生じる．

□□ 6. 便意が生じると，反射的に直腸の蠕動と〔a　　　　〕の弛緩が起こり，随意的に〔b　　　　〕を弛緩させることで糞便が体外に排泄される．

□□ 7. 便意が発生して糞便が排泄される一連の反射的な活動を〔　　　　〕という．

便秘の原因と分類

□□ 8. 便秘とは，〔　　　　〕内の糞便の通過が通常よりも遅れる状態をさす．

□□ 9. 便秘は，腸内容物の通過障害が原因の〔a　　　　〕と，〔b　　　　〕に大別される．〔b〕はさらに，〔c　　　　〕と〔d　　　　〕（慢性便秘）に分けられる．

□□ 10. 器質的便秘の原因には，大腸癌などによる腸管自体の〔a 〕や，潰瘍性大腸炎，〔b 〕などによる炎症とその瘢痕(はんこん)形成による腸管伸展性の減少などがある．腸管が完全に閉塞した場合には，〔c 〕(おなら)は認められなくなる．

□□ 11. 先天性S状結腸過長症や〔 〕などによる大腸の形態異常も，器質的便秘の原因となる．

□□ 12. 常習便秘とは，長期にわたる慢性的な便秘を指す．臨床的には次の3つが含まれる．

●常習便秘の分類

分　類	メカニズム	原　因	特　徴
〔a 〕	大腸の蠕動運動の〔c 低下・亢進〕のため，腸内容物が大腸内に停留する時間が〔d 長く・短く〕なり，水分が過剰に吸収されて硬い便になる．	高齢，胃下垂，甲状腺機能低下症，排便の意識的抑制，繊維性食品の摂取不足，運動不足など	ガス(おなら)の発生が多い．腹部膨満感，食欲不振，胸やけ，胃もたれ感，倦怠感を伴う．
〔b 〕	蠕動運動をつかさどる〔e 〕神経の過剰な緊張により，蠕動運動が〔f 低下・亢進〕して痙攣性となり，腸内容物が肛門側へ送られにくくなる．	自律神経失調症，極度の〔h 〕，腸壁の炎症・潰瘍，胆嚢疾患など	便秘と下痢が交代性に出現．便は軟らかい(兎糞(とふん)状の場合もある)．残便感，腹部症状，頭痛・めまい・疲労感を伴う．
直腸性便秘	排便反射の〔g 低下・亢進〕のため，直腸内に糞便が貯留しても排便が起こらない．	痔などのために排便をこらえる，腹圧をかけられない(高齢者や〔i 〕)など	貯留している便は硬い．腹壁から触診できる．

選択肢

蠕動運動　反射　回盲弁　直腸　回腸　十二指腸　結腸　大腸　狭窄
副交感　骨盤神経　外肛門括約筋　内肛門括約筋　排便反射　排ガス
一過性単純性便秘　器質的便秘　常習便秘　機能的便秘　痙攣性便秘
弛緩性便秘　感染性腸炎　ストレス　長期臥床患者　ヒルシュスプルング病

トレーニング

正しいものには ○ を，誤っているものには × を記入しよう．

□□ 1. 〔 〕大腸は常に蠕動運動をしており，食事中と食後は特に活発となる．

□□ 2. 〔 〕悪性腫瘍の腹腔内転移や腹膜炎などによる腹膜癒着，肝腫瘍，脾腫，妊娠子宮などにより腸管が圧迫され，腸管内容物の通過が障害される場合がある．

□□ 3. 〔 〕弛緩性便秘では，しばしば便秘と下痢が交代性に出現し，便は軟らかい．

□□ 4. 〔 〕一過性単純性便秘は，原因となった状況が改善されると自然に解消する．

□□ 5. 〔 〕直腸性便秘では，ガス(おなら)の発生は多いが腹痛はあまりない．

□□ 6. 〔 〕痙攣性便秘の訴えには，残便感や腹部症状以外に，頭痛・めまい・疲労感などの全身的な自律神経症状がある．

症候マップ　便　秘

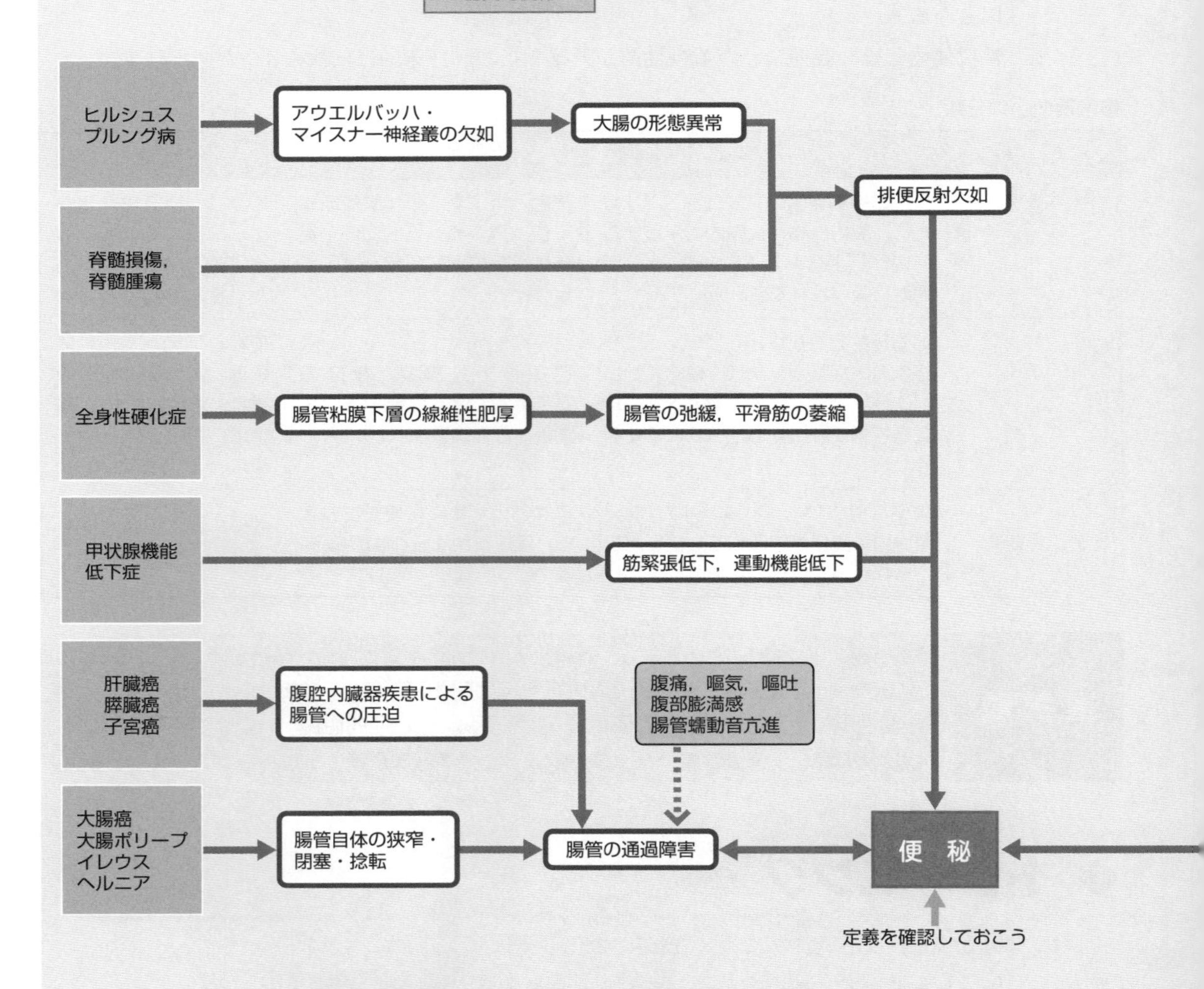

mini case

タクシーの運転手をしています．日頃から自由にトイレに行けずにがまんすることが多く，便秘が習慣化しています．最近，運転中にガスばかり出て困ります．

1. 訴えのある症状はどの観察項目に含まれているか探し，○印をつけよう．
2. 便秘の原因となっている生活習慣に○印をつけよう．
3. この人の便秘の分類はどれか考えよう．

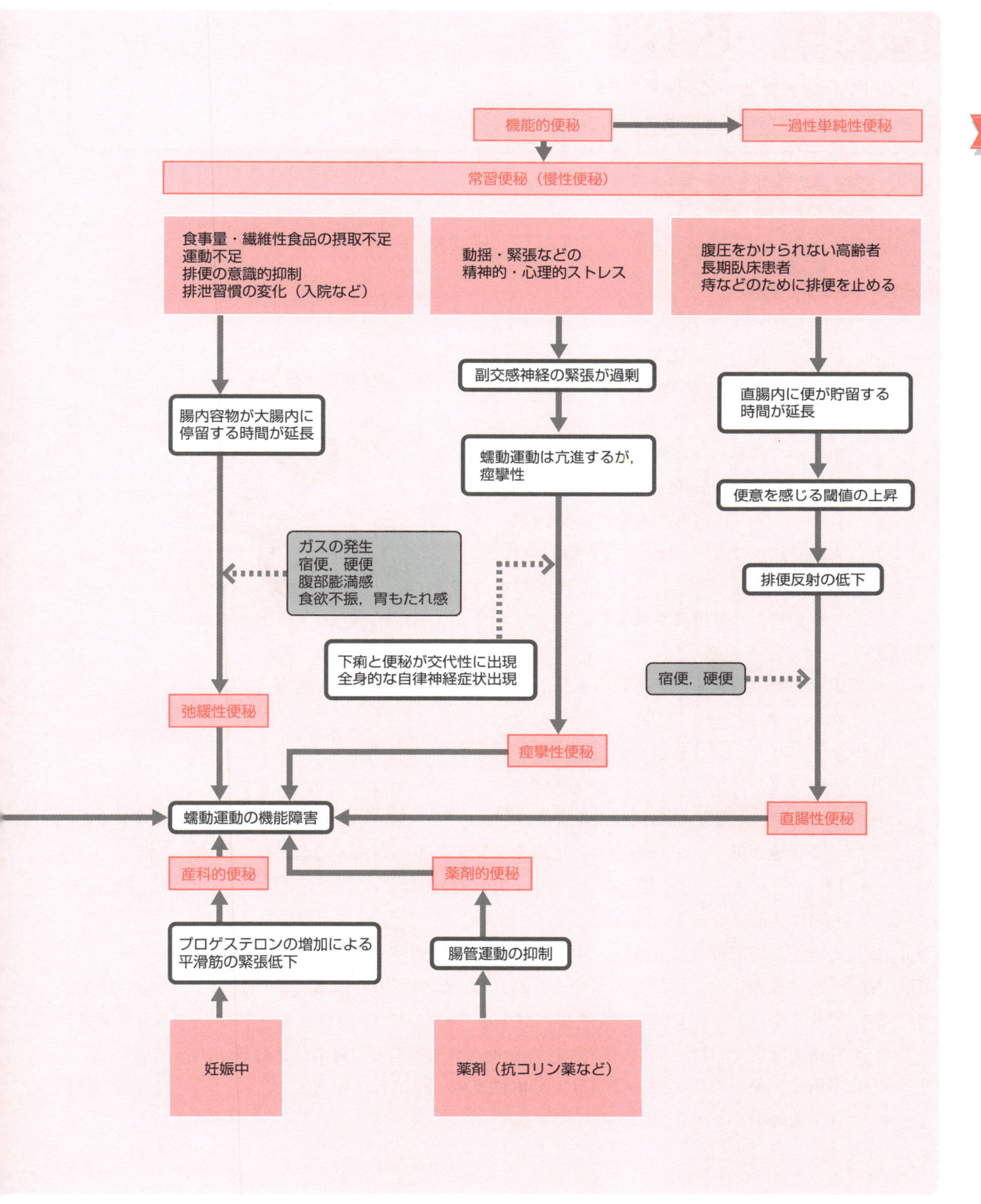

機能的便秘
一過性単純性便秘
常習便秘（慢性便秘）
食事量・繊維性食品の摂取不足
運動不足
排便の意識的抑制
排泄習慣の変化（入院など）
動揺・緊張などの
精神的・心理的ストレス
腹圧をかけられない高齢者
長期臥床患者
痔などのために排便を止める
副交感神経の緊張が過剰
腸内容物が大腸内に
停留する時間が延長
蠕動運動は亢進するが，
痙攣性
直腸内に便が貯留する
時間が延長
便意を感じる閾値の上昇
ガスの発生
宿便，硬便
腹部膨満感
食欲不振，胃もたれ感
排便反射の低下
下痢と便秘が交代性に出現
全身的な自律神経症状出現
宿便，硬便
弛緩性便秘
痙攣性便秘
蠕動運動の機能障害
直腸性便秘
産科的便秘
薬剤的便秘
プロゲステロンの増加による
平滑筋の緊張低下
腸管運動の抑制
妊娠中
薬剤（抗コリン薬など）

10 下　痢

ワンポイントチェック！

下痢とは，水分量の多い泥状，または水様状の糞便の排泄をいう．

要点整理

〔　〕に適する語を次頁の選択肢から選び，文や図表を完成させよう．

消化管における水分の出納

□□ 1. 1日に小腸へ流入する水分は約〔a　　　〕Lである．このうち，約2Lは飲食物の水分，残りは〔b　　　〕である．

□□ 2. 空腸から回腸に運ばれるにつれて内容物の栄養素は消化・吸収され，約〔　　　〕%の水分が吸収される．

□□ 3. 大腸で残りの水分のほとんどが吸収され，最終的に〔　　　〕mL程度の水分が糞便として排泄される．

●消化管における水分の出納

下　痢

□□ 4. 大腸の吸収容量を超える量の水分が回腸から大腸へ排出されると，〔　　　〕を起こす．

□□ 5. 下痢は，〔　　　〕の亢進や低下によっても起こる．

□□ 6. 下痢の場合，通常，1日に起こる排便の〔a　　　〕と〔b　　　〕が多くなる．

□□ 7. 全身状態が低下している場合の下痢や，頻繁に下痢が続く場合には，脱水や電解質（主に〔a　　　〕や〔b　　　〕）の喪失などによって，〔c　　　〕などの危険な状態に陥ることがある．

□□ 8. 下痢が長期間続くと，〔　　　〕による脱力感や倦怠感がみられることがある．

□□ 9. 下痢の原因には，腸管での水分の分泌亢進，腸内容物の停滞，〔a　　　〕の摂取，〔b　　　〕の異常繁殖などがある．〔a〕には，下剤などのマグネシウム含有薬品，乳糖不耐症での〔c　　　〕，ソルビトールなどの難消化性糖類がある．

□□ 10. 下痢は，発生機序の違いにより，分泌性下痢，滲出性下痢，〔　　　〕，腸管運動性下痢の4つに分類される．

□□ 11. ●下痢の分類

分　類	メカニズム	原　因	
〔a　　　　　〕	腸管内に分泌される水分や電解質の量が増加	細菌の産生する毒素，消化液の分泌を促進するホルモンの過剰生産	毒素産生性大腸菌・黄色ブドウ球菌，WDHA症候群，瀉下薬（ヒマシ油など）など
〔b　　　　　〕	腸管粘膜の障害による，水分吸収能力の低下や滲出液の排出	炎症性腸疾患，感染性腸炎	潰瘍性大腸炎・クローン病・放射線照射，感染性腸炎（赤痢菌・サルモネラ菌）など
浸透圧性下痢	浸透圧を下げるため，腸管壁から多量の水分が腸管内に分泌	腸管内に吸収されにくい物質（高浸透圧物質）が存在	塩類下剤，慢性膵炎，小腸大量切除，乳糖不耐症など
〔c　　　　　〕	腸管の蠕動運動が亢進 →内容物の通過時間が速まり，水分が十分に吸収されない	過敏性腸症候群，甲状腺機能亢進症など	
	腸管の蠕動運動が低下 →内容物が腸管に停滞．腸内細菌が異常増殖する．	腸狭窄，大腸憩室，糖尿病下痢症など	

□□ 12. 潰瘍性大腸炎で特徴的にみられる，血液と粘液が混入した下痢を〔　　　　　　　〕という．

選択肢
5～7　8～10　50　80　100　500　血液　消化液
腸管運動　下痢　嘔吐　ショック　低ナトリウム血症　高浸透圧物質
ナトリウムイオン　塩化物イオン　乳糖　腸内細菌　粘血便
滲出性下痢　分泌性下痢　腸管運動性下痢　浸透圧性下痢　回数　量

トレーニング

正しいものには ○ を，誤っているものには × を記入しよう．

□□ 1. 〔　〕 消化管内の水分は，その約80％が飲食物に含まれる水分である．

□□ 2. 〔　〕 慢性膵炎により消化酵素の分泌が減少すると，脂肪の消化不良が起こって腸内容の浸透圧が高くなるため，下痢になることがある．

□□ 3. 〔　〕 腸管運動性下痢では，腹部全体の不快感や痛みがある．

□□ 4. 〔　〕 滲出性下痢は，腸管内の物質が排出されると軽快する．

症候マップ 下　痢

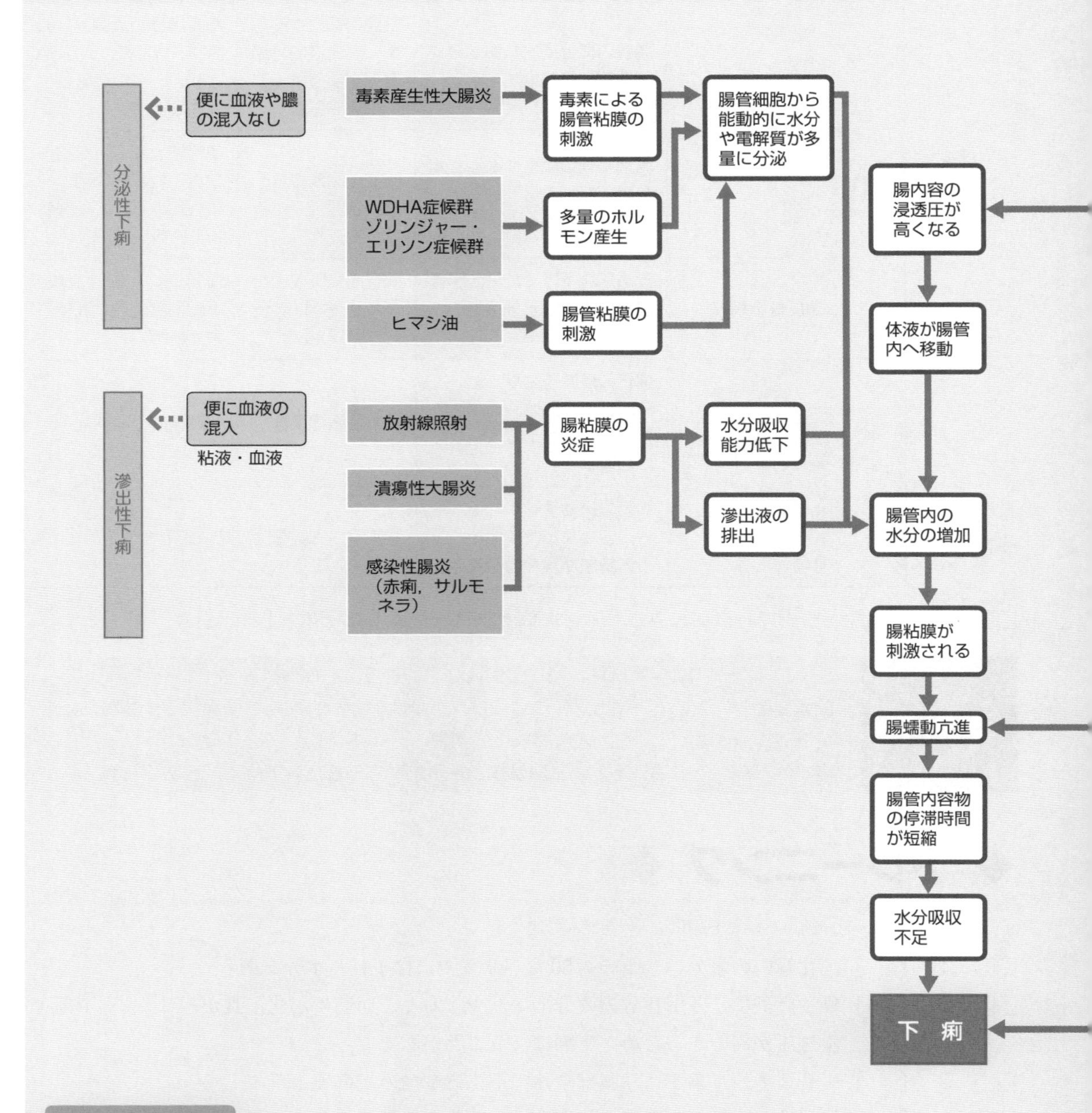

mini case

牛乳を摂取すると下痢を起こすことがあります．

1．下痢を起こす原因と考えられるものに○印をつけよう．
2．下痢に至るメカニズムをペンでなぞって確認しよう．

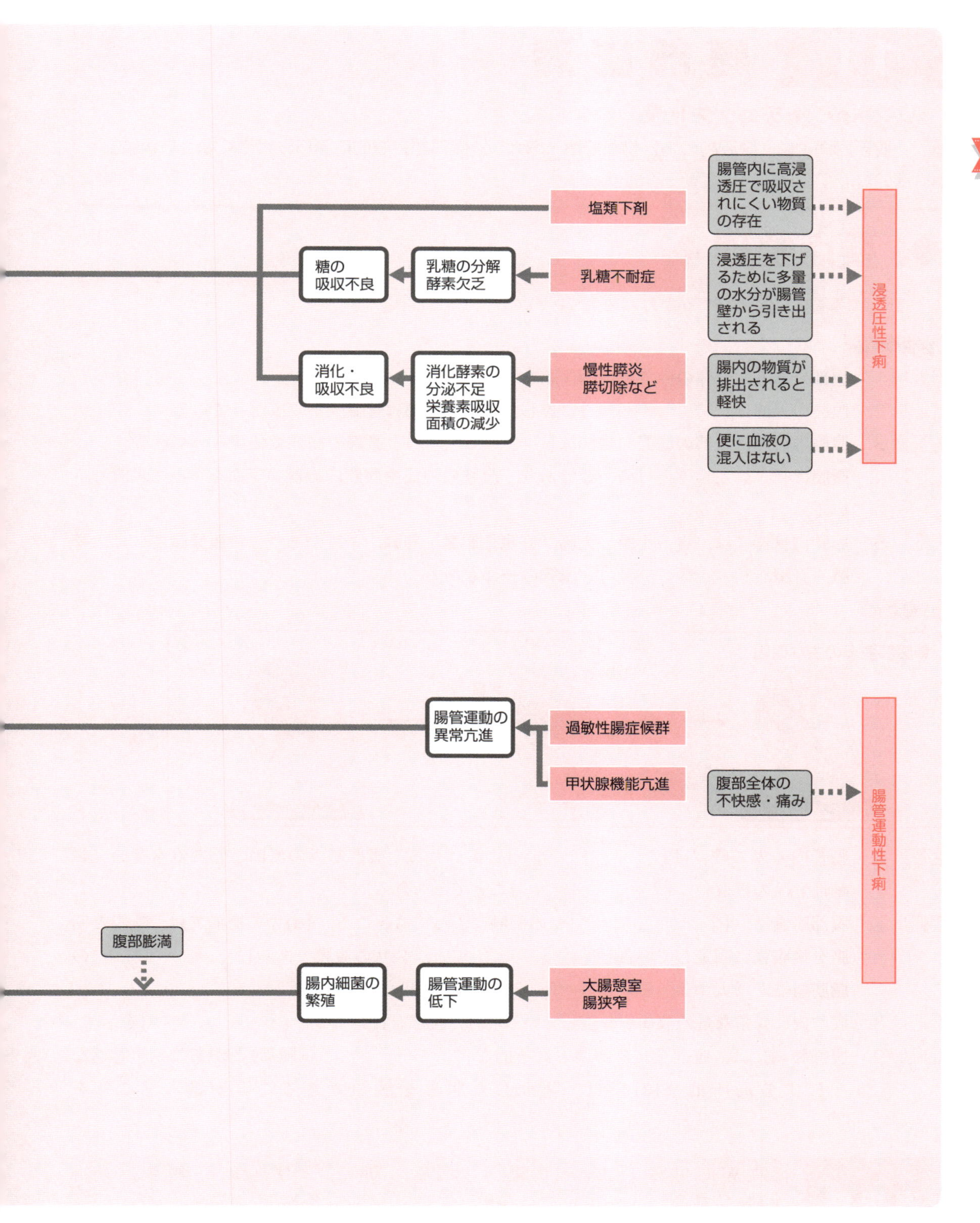
塩類下剤
腸管内に高浸透圧で吸収されにくい物質の存在
糖の吸収不良
乳糖の分解酵素欠乏
乳糖不耐症
浸透圧を下げるために多量の水分が腸管壁から引き出される
消化・吸収不良
消化酵素の分泌不足
栄養素吸収面積の減少
慢性膵炎
膵切除など
腸内の物質が排出されると軽快
便に血液の混入はない
浸透圧性下痢
腸管運動の異常亢進
過敏性腸症候群
甲状腺機能亢進
腹部全体の不快感・痛み
腸管運動性下痢
腹部膨満
腸内細菌の繁殖
腸管運動の低下
大腸憩室
腸狭窄

11 腹部膨満

ワンポイントチェック！

腹部膨満とは，腹腔内の内容物が貯留・増大し，腹部が外観的に膨らみ大きくなった状態をいう.

要点整理

〔　〕に適する語を下の選択肢から選び，文を完成させよう.

腹腔の構造

□□ 1. 腹部にある，身体の中で最大の体腔を〔　　　　　〕という.

□□ 2. 腹腔の上部は〔　　　　　〕に達しており，下部は骨盤腔まで広がっている.

□□ 3. 腹腔の前部は腹部の筋群，後部は〔　　　　　〕と腰部の筋群で仕切られている.

□□ 4. 腹膜は〔　　　　　〕の一種であり，腹腔の内面や腹腔内臓器の表面を覆って保護している.

□□ 5. 腹腔内臓器には，胃，小腸，大腸，肝臓，胆嚢，脾臓，子宮があり，後腹膜臓器には，膵臓，腎臓，〔　　　　　〕，尿管の一部がある.

腹部膨満

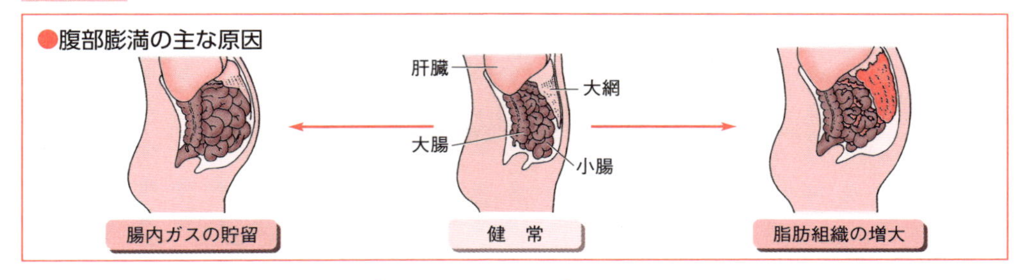

□□ 6. 腸管内のガス貯留は〔a　　　　　〕とよばれる. 腹部膨満の原因として最も多い. 繊維性食品の摂取や，〔b　　　　　〕などでみられる.

□□ 7. 腹部膨満は，〔a　　　　　〕型の肥満によっても起こる. 〔a〕型の肥満では，空腸と回腸を後腹膜に固定している〔b　　　　　〕と，袋状の腹膜である〔c　　　　　〕の脂肪組織が増大する.

□□ 8. 腹腔内に異常な量の液体が貯留している場合，腹部を打診すると〔　　　　　〕を示す.

□□ 9. 腹部膨満には，腹部全体の膨満と局所的な〔a　　　　　〕(腫瘤)とがある. 胆管癌などによる局所的な〔a〕では，腫大した胆嚢を触知できることがあり，これを〔b　　　　　〕という.

選択肢

腸間膜　小網　大網　腹壁　横隔膜　副腎　脊柱　肺　腹腔
膨隆　鼓腸　クールボアジェ徴候　鼓音　濁音　漿膜　粘膜
空気嚥下症　皮下脂肪　内臓脂肪

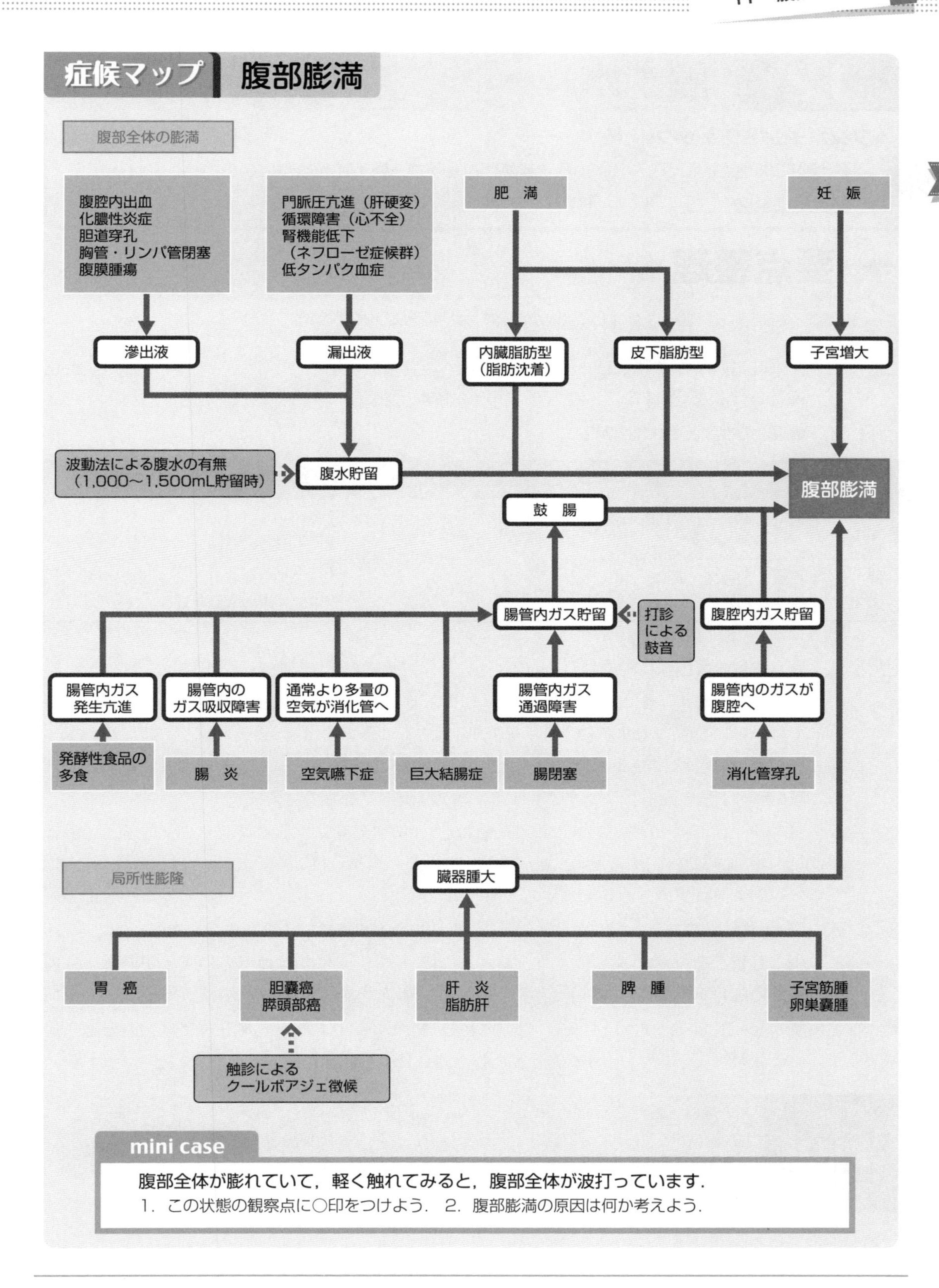

mini case

腹部全体が膨れていて，軽く触れてみると，腹部全体が波打っています．

1．この状態の観察点に○印をつけよう．　2．腹部膨満の原因は何か考えよう．

12 腹 水

ワンポイントチェック！

腹腔内には生理的に30～40mLの体液が存在するが，何らかの異常により，それより多くの体液が貯留した状態を腹水という.

要点整理

〔　〕に適する語を下の選択肢，または〔　〕内から選び，文や図表を完成させよう.

□□ 1. 腹水時に貯留する体液は，その性状から，淡黄色で透明の〔a　　　　　〕と，淡黄色から時に混濁した〔b　　　　　〕に分類される.

□□ 2. ●腹水の性状と主な原因疾患

分　類	外　観	比　重	タンパク濃度	細胞成分	主な原因疾患
〔a　　　〕液 (非炎症性)	〔c　　　〕性 無色～淡黄色，透明	1.015以下	2.5g/dL以下	〔d 少ない・多い〕 (中皮細胞，組織球)	〔f　　　〕， ネフローゼ症候群
〔b　　　〕液 (炎症性)	淡黄色，混濁， ときに血性	1.018以上	4.0g/dL以上	〔e 少ない・多い〕 (好中球，リンパ球)	がん性腹膜炎， 〔g　　　〕

□□ 3. 腹水貯留の成因には，①〔a　　　　　〕，②低アルブミン血症，③〔b　　　　　〕，④リンパ液漏出，⑤腹膜の炎症などがある．①～④により濾出液が貯留し，⑤腹膜の炎症では，主に血管透過性が〔c 低下・亢進〕することで滲出液が貯留する.

□□ 4. 肝硬変では肝臓における〔a　　　　　〕機能の低下によって，ネフローゼ症候群では尿中への〔b　　　　　〕によって，低アルブミン血症をきたす.

□□ 5. 腹水貯留により体全体の体液量は〔a 増加・減少〕するが，循環血液量は〔b 増加・減少〕するため，血圧が下がる．その結果，〔c　　　　　〕が活性化して，アルドステロンの分泌が増加する.

□□ 6. 腹水が増加して〔a　　　　　〕mL以上になると，打診により腹水の存在を確認できる．腹水貯留部を打診すると〔b　　　　　〕を示す．立位では前下方に腹水が貯留し，仰臥位では〔c　　　　　〕に移動するなど，体位によって〔b〕界の位置が変化する.

□□ 7. 腹水発症時には，水と〔a　　　　　〕を制限する．また，アルドステロンの分泌亢進により〔b　　　　　〕の排泄が進むため，〔b〕を補給する.

選択肢

タンパク漏出　タンパク合成　100　500　1,000　高アルドステロン血症
レニン－アンジオテンシン－アルドステロン系　腹部膨満　門脈圧亢進
濾出　滲出　腹水　漿液　濾出液　滲出液　細菌性腹膜炎　肝硬変
一側方　両側方　背側　カリウム　食塩　鼓音　濁音

症候マップ 腹 水

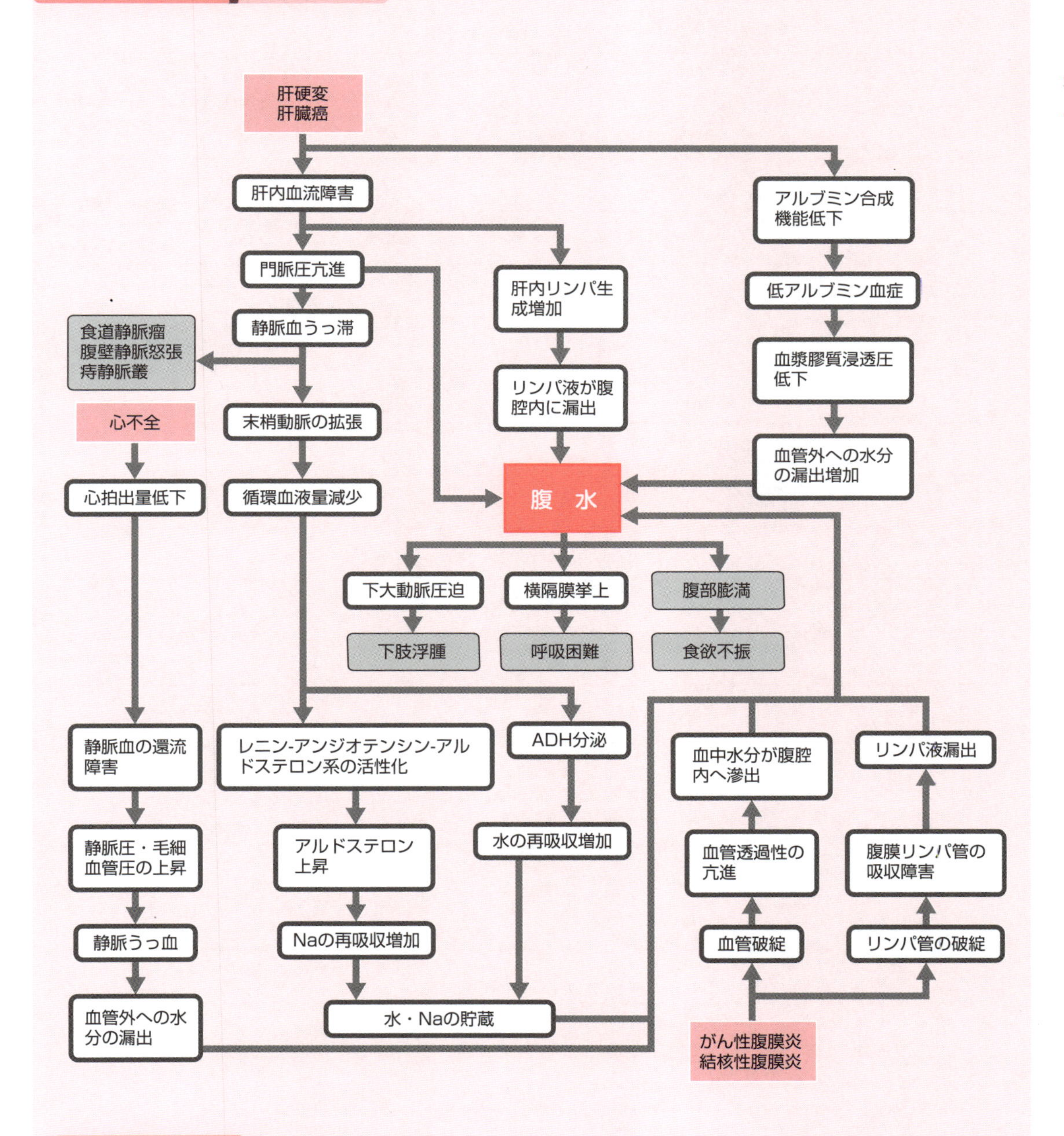

mini case

肝硬変による腹水があり，食道静脈瘤も指摘されました．

1. 症候マップを参考に腹水が現れるメカニズムを考えよう．
2. 静脈怒張が出現しやすい部位はどこか調べよう．

memo

1　排尿異常

ワンポイントチェック！

排尿異常とは，生理的な排尿過程のいずれかに異常を生じた状態をいう.

要点整理

〔　〕に適する語を次頁の選択肢から選び，文や図表を完成させよう.

排尿の調節

□□ 1. 排尿を調節する神経には，骨盤神経，〔a　　　　〕神経，〔b　　　　〕神経の3つがある.

□□ 2. 膀胱内に尿が貯留すると，膀胱壁にある受容器への刺激が〔a　　　　〕神経から大脳に伝達され〔b　　　　〕が生じる.

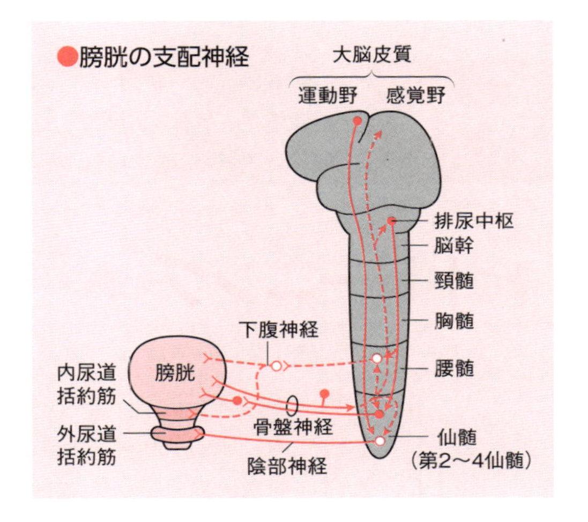

排尿異常

□□ 3. 生理的な排尿過程のいずれかに異常が生じた状態を〔　　　　〕という.

□□ 4. 通常，1日当たりの成人の排尿回数は5～7回だが，普段より回数が多くて困る場合を〔a　　　　〕という.

●頻尿の病態と随伴症状

病　態	原因疾患	随伴症状
炎症による膀胱粘膜の刺激	膀胱炎	血尿，排尿痛，尿混濁，〔b　　　　〕
膀胱容量の機能的減少	前立腺肥大症	残尿，排尿困難
膀胱の支配神経異常	神経因性膀胱	排尿困難，尿失禁

□□ 5. 尿を出す時に伴う痛みを〔a　　　　〕という.

●排尿痛の分類

分　類	症　状	原因疾患
初期排尿痛	尿の出始めに尿道や下腹部が痛む	尿道炎，〔b　　　　〕
終末時排尿痛	排尿の終わりごろに尿道や下腹部が痛む	〔c　　　　〕，前立腺炎
全排尿痛	排尿の最初から最後まで痛みがある	高度な膀胱炎

□□ 6. 尿意があるにもかかわらず，排尿開始までに時間がかかったり，努責（どせき）を要する状態を〔　　　　〕（排尿困難）という.

□□ 7. 膀胱内に尿が充満しているにもかかわらず，排泄できない状態を〔　　　　　〕という．

□□ 8. 不随意的に尿が漏出する状態を〔a　　　　　〕という．

●尿失禁の分類

分　類	特　徴	原　因
腹圧性尿失禁	咳やくしゃみ，運動などで腹圧が上昇した際に生じる．中年以降の女性に多い	加齢・出産による〔b　　　　〕の収縮力の低下
切迫性尿失禁	強い尿意を覚え，我慢できずに排尿する	神経因性膀胱，過活動膀胱
溢流（いつりゅう）性尿失禁	尿が充満した膀胱から少量ずつ漏れ出す	前立腺腫瘍，神経因性膀胱
機能性尿失禁	トイレへの移動に時間がかかり間に合わない	〔c　　　〕の低下
真性尿失禁	尿道括約筋の損傷により失禁する	外傷
尿道外尿失禁	疾患によって尿が尿道以外から排出される	尿管異所開口，尿管膣瘻（ちつろう），膀胱膣瘻

選択肢

尿路感染症　排尿痛　下腹　陰部　骨盤　尿意　排尿異常　下腹神経
残尿感　乏尿　頻尿　無尿　多尿　膀胱　前立腺炎　陰部神経
ADL　膀胱炎　排出困難　骨盤底筋群　尿閉　尿失禁

トレーニング

正しいものには ○ を，誤っているものには × を記入しよう．

□□ 1. 〔　〕成人の膀胱容量は，300～500 L である．

□□ 2. 〔　〕膀胱内に尿が150～250mL貯留すると，尿意が生じる．

□□ 3. 〔　〕排尿回数の異常や尿失禁は，主に尿の排出機能の障害から生じる．

□□ 4. 〔　〕排尿痛や排出困難(排尿困難)は，主に尿を貯留する機能の障害から生じる．

□□ 5. 〔　〕排尿痛は，痛みの起こる時期によって，初期排尿痛・終末時排尿痛・全排尿痛に分類される．

□□ 6. 〔　〕排尿開始までに時間がかかる排出困難を，遷延（せんえん）性排尿という．

□□ 7. 〔　〕排尿終了までに時間がかかる排出困難を，排尿終末時滴下という．

□□ 8. 〔　〕適正な場所と適正な時間以外における排尿を遺尿という．

実力アップ

以下の問いに答えよ．

□□ **1. 排尿痛を伴わない疾患はどれか．** 〔　　　〕

1. 尿道炎
2. 前立腺炎
3. 膀胱炎
4. 急性糸球体腎炎

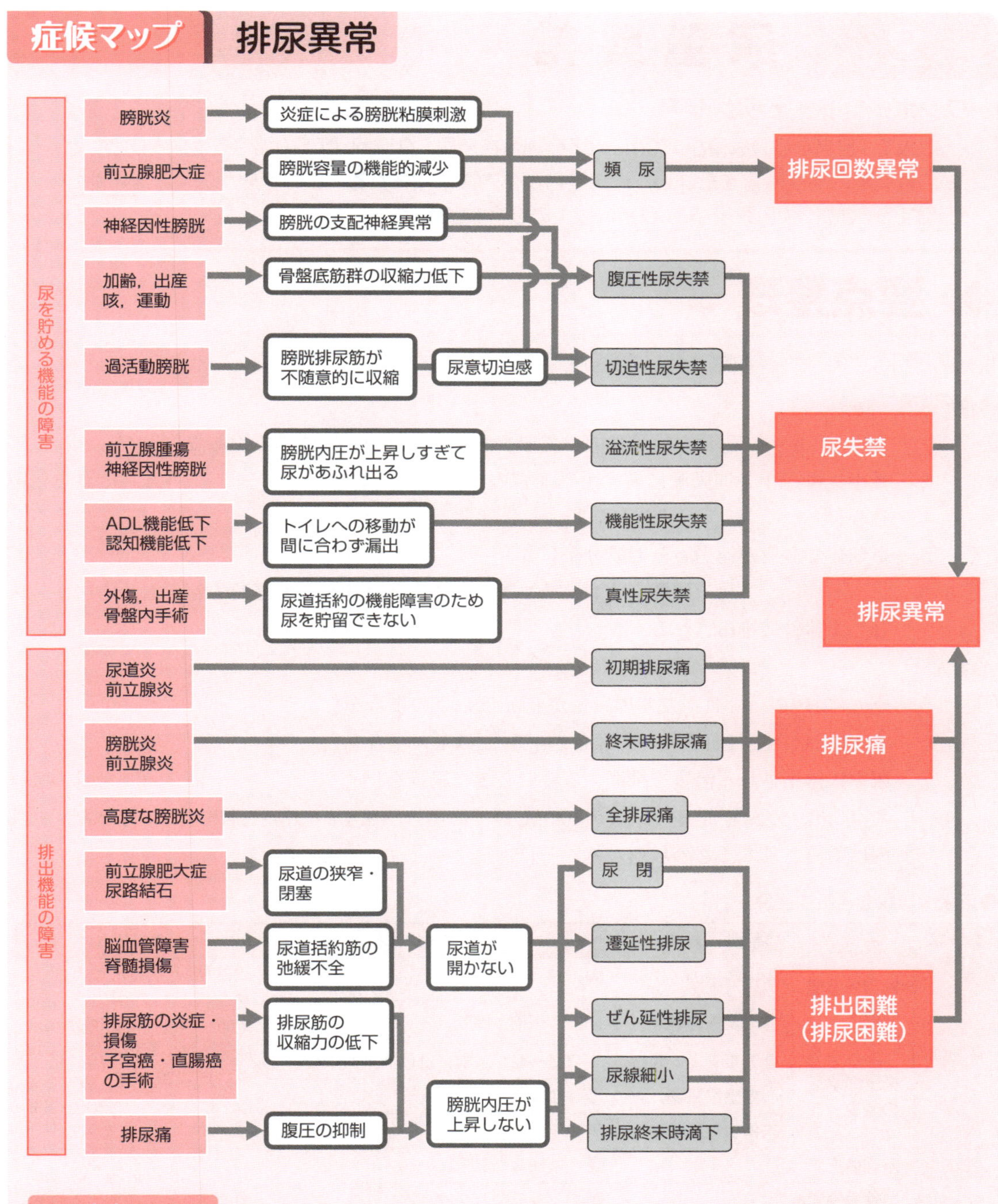

mini case

85歳，認知症のある女性．トイレに行こうと思って部屋を出ましたが，廊下の突き当たりで排尿してしまいました．ズボンの着脱は一人でできています．

1. この状態を引き起こしている原因に○印をつけよう．
2. この状態は排尿異常のどの分類に当たるのか○印をつけよう．

2 尿量異常

ワンポイントチェック！

成人で1日当たりの尿量が100mL以下の場合を無尿，400mL以下の場合を乏尿という．ともに腎機能の高度障害を意味し，代謝産物が体内に蓄積される．この状態が続くと尿毒症が出現する．また，1日尿量が3,000mL以上の場合を多尿という．

要点整理

〔　〕に適する語を次頁の選択肢から選び，文や図表を完成させよう．

腎臓の構造と機能

□□ 1. 〔　　　　　〕は，腎臓において尿を産生する最小の機能単位である．

□□ 2. 腎小体は，小葉間動脈に続く毛細血管の集合体である〔a　　　　　〕と，それを包み込む〔b　　　　　〕からなる．

□□ 3. 糸球体で血液が濾過された成分が〔　　　　　〕である．

□□ 4. 〔　　　　　〕，尿酸，クレアチニンなどの窒素代謝の最終産物を溶解したものが，尿として体外に排出される．

尿量異常

□□ 5. 成人において，1日当たりの尿量が100mL以下の場合を〔　　　　　〕という．

□□ 6. 成人において，1日当たりの尿量が400mL以下の場合を〔　　　　　〕という．

□□ 7. 尿中に排出される溶質を排泄するのに必要な尿量を〔a　　　　　〕という．〔a〕の量は約400mLのため，1日の尿量が400mL以下の場合，尿中への溶質排出が不十分となり，体内に蓄積される．この状態が続くと〔b　　　　　〕が出現する．

●乏尿・無尿をきたす疾患

分類	主な原因		主な疾患	メカニズム
腎前性	細胞外液量の減少	水摂取量の不足	脱水	尿は腎臓に流入する血液を原料として生成されるため，循環血液量の減少は尿量の減少を招く．ショックで収縮期血圧60mmHg以下になると，尿の生成は停止する．
		体液喪失の増大	出血，下痢，嘔吐	
	循環血漿量の減少	低アルブミン血症	ネフローゼ症候群，肝硬変，低栄養	
		心拍出量減少	うっ血性心不全，〔c　　　　　〕	
		末梢血管拡張	アナフィラキシー	
腎性	糸球体疾患		急性糸球体腎炎	腎臓の糸球体や尿細管の障害によるもので，内科的腎疾患が原因となる．
	急性尿細管壊死		薬物（シスプラチンなど）	
	腎血管性障害		播種性血管内凝固症候群（DIC）	
腎後性	腎盂・尿管の圧迫		両側尿管結石，尿管・膀胱の腫瘍，悪性腫瘍の後腹膜リンパ節転移（子宮癌，大腸癌など）	尿路（尿管，膀胱，尿道）の閉塞や尿流停滞による．
	膀胱・尿道の疾患		神経因性膀胱，〔d　　　　　〕	

□□ 8. 成人において，1日の尿量が3,000mLを超える場合を〔　　　　　　　　〕という．

選択肢

頻尿　随時尿　ネフロン　原尿　尿素　乏尿　無尿　多尿
心筋梗塞　糸球体　糸球体嚢（ボーマン嚢）　前立腺肥大症　導尿
不可避尿　下垂体　遺尿　尿毒症　副腎

トレーニング

正しいものには ○ を，誤っているものには × を記入しよう．

□□ 1. 〔　〕ネフロンは，血液を濾過（ろか）する1個の腎小体と，それにつながる1本の尿細管からなる．

□□ 2. 〔　〕ボーマン嚢（のう）は毛細血管の集合体で，糸球体に包まれている．

□□ 3. 〔　〕腎臓は，尿を生成して体液と血圧の恒常性を維持している．

□□ 4. 〔　〕経口摂取する水と体内で産生される代謝水の総和は，し尿と不感蒸泄，肺からの呼気，汗により喪失する量の総和とほぼ等しい．

□□ 5. 〔　〕尿は集合管に集められ，腎乳頭の開口部から腎杯，腎盂を経て尿管，膀胱へと流れ込む．

□□ 6. 〔　〕乏尿と無尿の原因は，主に腎前性と腎後性の2つに分類できる．

□□ 7. 〔　〕乏尿や無尿になると，血中尿素窒素（BUN）や血中クレアチニンの値が下降する．

□□ 8. 〔　〕急性乏尿の場合，必ず腎機能低下による症状が出現する．

□□ 9. 〔　〕尿道や前立腺，膀胱などの尿管より下の尿路に通過障害が生じ，腎杯や腎盂に尿が貯留し，拡張した状態を水腎症という．

□□ 10. 〔　〕多尿の原因には，水分摂取過剰，尿崩症，急性腎不全の利尿期，糖尿病などがある．

□□ 11. 〔　〕尿崩症においては，抗利尿ホルモン（ADH，バソプレシン）の分泌が減少している場合を腎性尿崩症，ADHの作用障害による場合を中枢性尿崩症という．

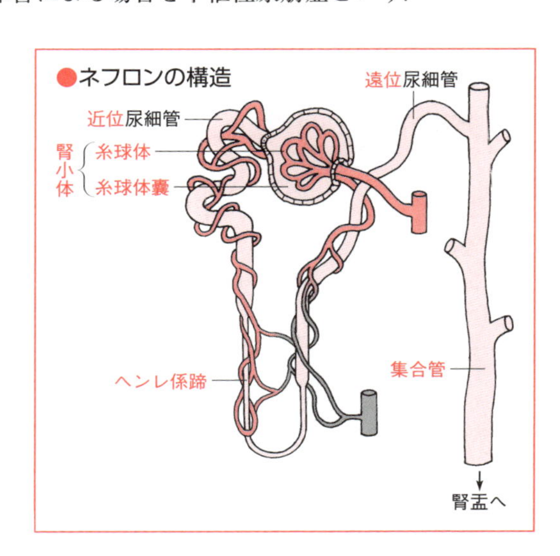

実力アップ

以下の問いに答えよ.

□□ **1.** 乏尿について正しいのはどれか. 〔　　　〕

1. 尿意が乏しい.
2. 1日の尿量が少ない.
3. 導尿すると尿が流出する.
4. 排尿痛がない.

□□ **2.** 無尿の定義となる1日の尿量はどれか. 〔　　　〕

1. 0mL
2. 100mL未満
3. 400mL未満
4. 700mL未満

□□ **3.** 乏尿・無尿の分類とその原因についての組み合わせで正しいのはどれか. 〔　　　〕

1. 腎前性 ―――― 腎血管性障害
2. 腎　性 ―――― 循環血漿量の減少
3. 腎　性 ―――― 腎盂・尿管の圧迫
4. 腎後性 ―――― 膀胱・尿道の疾患

COLUMN3

おじいちゃんがよく夜中に起きてトイレに行く理由

人間は体内の水分・電解質バランスを一定に保つために, 常に尿の量と電解質濃度を調節しています. 体内の水分が多ければ尿を希釈して排泄する水分を増加させ, 体内の水分が少なければ尿を濃縮して尿量を減らすのです.

健康な人間は, 夜間は尿濃縮力がフル稼働します. 夜間は日中と違って, そう何回もトイレに行けませんから, あまりたくさん尿を作らない方が良いのです. これは理にかなった体の働きです. ところが腎臓の機能が衰えてくると, この尿濃縮力がだんだん落ちてきます.

さて, おじいちゃんがよく夜中に起きておしっこに行く理由です. これは, 前立腺肥大や膀胱の機能低下, 抗利尿ホルモンの分泌低下やナトリウム利尿ペプチドの分泌など, さまざまな原因がありますが, 実はこの尿濃縮力の低下が大きく関わっています.

夜間に尿を濃縮して尿量を少なくする機能が加齢によって低下するため, 夜間の尿量そのものが増えてしまうのです.

症候マップ 尿量異常

腎前性
水摂取量の不足
脱 水
体液喪失の増大
出血，下痢，嘔吐
低アルブミン血症
ネフローゼ症候群
肝硬変，低栄養
心拍出量減少
うっ血性心不全
心筋梗塞
末梢血管拡張

細胞外液量の減少
循環血液量の減少
腎血流量の減少
高張尿
尿中Na濃度が低い
糸球体濾過量の減少
尿が出ない
膀胱に尿がない
膀胱に尿がある
乏尿・無尿
尿 閉
BUN上昇
血中クレアチニン上昇

腎性
急性糸球体腎炎
急性尿細管壊死
ネフロンの減少
尿細管の障害
糸球体濾過液の逆拡散
有機酸，塩基，カリウム，アンモニアの排泄障害
アシドーシス
尿比重1.010前後
K^+上昇

腎後性
尿路の閉塞
尿管結石の嵌頓
尿管や膀胱の腫瘍
尿の流通が妨げられる
尿閉の持続
腎機能障害（水腎症）

水分摂取過剰
心因性の多飲
尿崩症
中枢性尿崩症
腎性尿崩症
脳神経外科手術後
抗利尿ホルモンの分泌低下
腎集合管で水の再吸収抑制
尿量増加（多尿）
口 渇
多 飲
低張尿

mini case

8時間以上排尿がありません．導尿しても尿の流出はありませんでした．

1．この状態は症候マップのどの分類に当たるのか○印をつけよう．
2．この状態の原因について○印をつけよう．

3 尿所見異常

ワンポイントチェック！

尿所見異常には，尿の色調異常，尿pH異常，尿比重異常，尿タンパク，尿糖，赤血球(血尿，潜血反応)，白血球(膿(のう)尿)，細菌尿などが含まれる．

要点整理

〔　〕に適する語を次頁の選択肢から選び，文や図表を完成させよう．

尿の性状

□□ 1. 正常な尿の色調は，ウロクロムという物質による〔a　　　　　〕色，または〔b　　　　　〕である．

□□ 2. 尿の混濁は，主に細胞成分や〔　　　　　〕の混入によって起こる．

□□ 3. 尿のpHは4.5～8.0と変動範囲が広い．通常はpH6.0前後の〔　　　　　〕である．

□□ 4. 〔　　　　　〕とは尿の濃さを示すもので，通常，1.003～1.030の範囲で変動する．ただし，24時間尿では1.015～1.025で変動する．

□□ 5. 正常な随時尿からは，〔　　　　　〕は検出されない．ただし，24時間尿の場合は健常者であっても微量(40～150mg/dL)が認められる．

尿所見異常

□□ 6. 尿中の物質は室温で酸化や失活などさまざまに変化するため，観察には〔a　　　　　〕を使用する．

●尿の色調と病態

色　調	病　態
橙(だいだい)　色	肝炎，肝硬変などによる〔b　　　　　〕や，抱合ビリルビンの排泄障害がある場合に生じる．通常，黄疸を伴う．
赤色～褐色	種々の原因による血尿，発作性血色素尿症などによるヘモグロビン尿，挫滅(ざめつ)症候群などによる〔c　　　　　〕の場合に生じる．
赤色～黄褐色	センナ（緩下剤）服用時．
黒　色	レボドパ（抗パーキンソン病薬）服用時（頻度は0.5％未満）．

□□ 7. 尿は室温では細菌が繁殖し〔a　　　　　〕を産生するため，〔b　　　　　〕性に傾く．

●尿のpH変動

分　類	原　因
酸性尿	糖尿病ケトアシドーシス，尿路結核，動物性食品の大量摂取など
アルカリ尿	〔c　　　　　〕，尿路感染症，植物性食品の摂取など

□□ 8. 〔a　　　　　〕や急性尿細管壊死では，尿比重が1.006以下の低張尿を，〔b　　　　　〕では1.010の等張尿(糸球体濾液と比重が等しい)が特徴である．

□□ 9. 尿比重が1.030以上の高値を示す場合は，脱水，糖尿病(または，ブドウ糖の混入)，〔　　　　　　〕(タンパク尿)，造影剤の混入(血管造影後)を疑う．

□□ 10. 尿タンパクは，原因によって腎前性，〔a　　　　　　〕，腎後性に分類される．

●タンパク尿の原因

分　類		尿タンパクの種類	原因疾患
腎前性		β_2-ミクログロブリン（β_2-MG）	多発性骨髄腫，白血病，各種のがん
腎　性	糸球体由来	アルブミン	糸球体障害，運動性，体位性
	尿細管由来	小分子血清タンパク（β_2-MGなど）	近位尿細管障害
腎後性	下部尿路由来		〔b　　　　　〕，結石，腫瘍

□□ 11. 血中ブドウ糖濃度が160～180mg/dLになると，ブドウ糖が尿中に出現する．これを〔　　　　　　〕という．

□□ 12. 尿が鮮紅色で血液の混入が認められる場合を〔a　　　　　　〕血尿といい，色調は正常だが沈渣で赤血球を認めるものを〔b　　　　　　〕血尿という．

□□ 13. 尿沈渣の顕微鏡検査で白血球が5個/hpf以上みられる場合を〔a　　　　　　〕といい，正常尿では認められない細菌が2～5個/hpfみられる場合を〔b　　　　　　〕という．

□□ 14. 1回の排尿のうち，最初に排出されるものを〔a　　　　　　〕，真ん中あたりで排出されるものを〔b　　　　　　〕という．

選択肢

ミオグロビン尿　中間尿　淡黄　顕微鏡的　尿崩症　ネフローゼ症候群
塩類　弱酸性　初尿　新鮮尿　アルカローシス　アシドーシス　透明
肝細胞傷害　肉眼的　アンモニア　酸　アルカリ　膿尿　末期腎不全
腎性　尿糖　細菌尿　尿比重　タンパク　炎症

COLUMN 4

尿閉・無尿でパンを思い出す!?

尿閉と無尿の違い，わかりますか？ 端的に言えば，膀胱まで尿が下りてきているけれど，その先の出口が詰まって尿が出ないのが尿閉，そもそも腎臓で尿がうまくつくられず，膀胱に下りてくる尿が無い（とても少ない）のが無尿です．

パン工場に例えるなら，工場は正常に稼働してパンが完成したのに，トラックの会社がストライキを起こしてみんなの食卓にパンが届かなくなった状態，これが尿閉．そもそもパン工場の機械がどこかで壊れてしまって，完成品としてのパンが生産されなくなった状態，これが無尿です．

では，無尿の原因として３つ挙げられる，腎前性・腎性・腎後性の違いはどうですか？ 腎前性は，腎臓にいたるまでの血流が不足して，十分な量の血液を糸球体で濾過できなくなるもので，病態としては脱水などが挙げられます．腎性は，糸球体そのものの障害により濾過される量が少なくなるもので，糸球体腎炎などが挙げられます．腎後性は，糸球体で濾過した後で尿路に詰まりが発生し，逆行性に負担がかかって糸球体の機能が障害される状態です．例えば，尿管結石による尿路閉塞が挙げられます．

パン工場に例えるなら，工場の機械は無事なのに小麦粉などの材料が届かなくなって，パンが作れなくなった状態が腎前性．材料や完成後の流通は問題ないのに，工場の機械が壊れてしまってパンが作れなくなった状態が腎性．パンが完成したのに最後に製品として出てくるベルトコンベアーが故障してパンが出なくなり，揚げ句にその機械の前で生産が止まってしまった状態が腎後性です．

今度から尿路系の問題をみたら，パンを思い出しましょう．

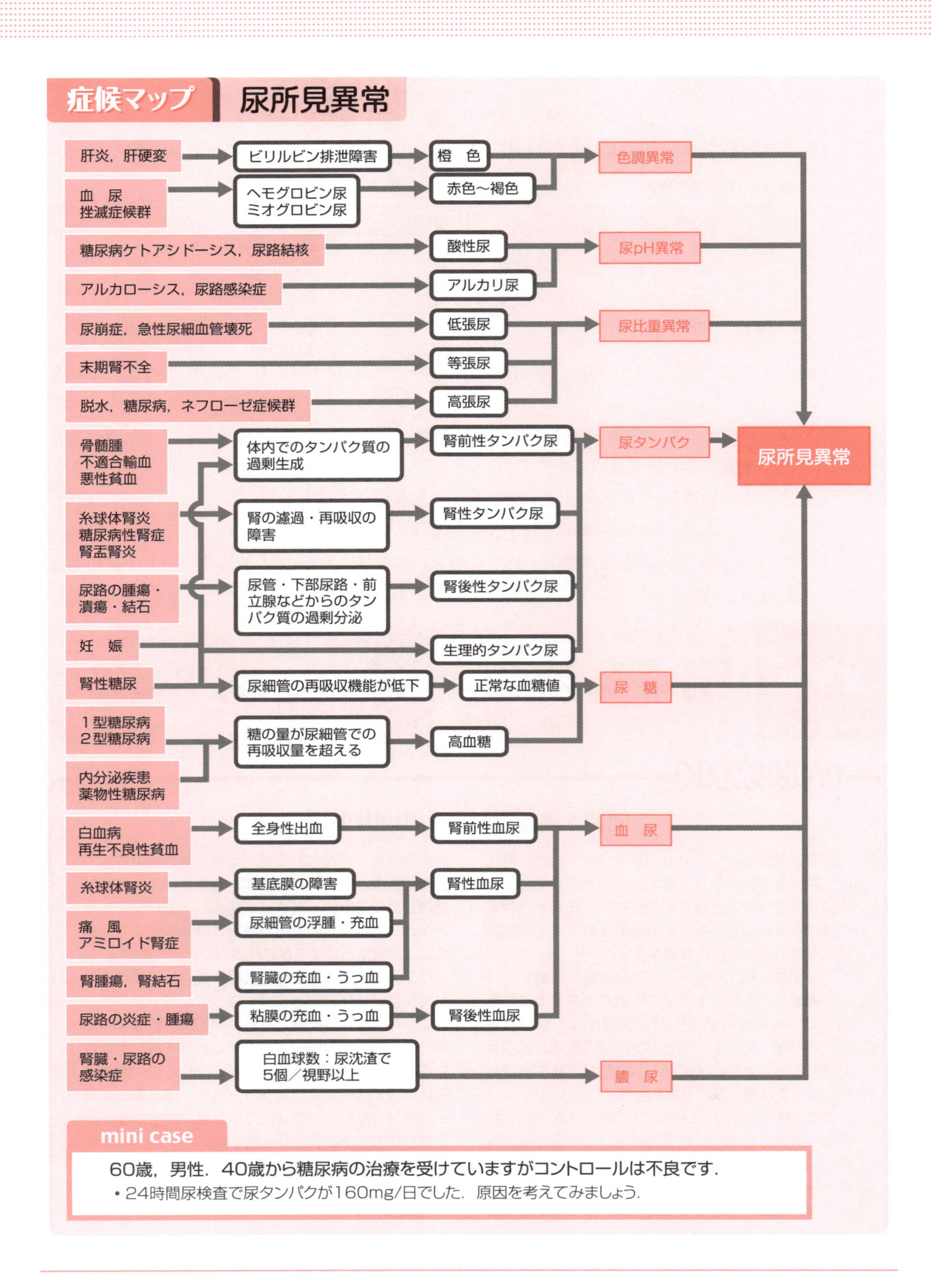
症候マップ
尿所見異常
肝炎，肝硬変
ビリルビン排泄障害
橙　色
血　尿
挫滅症候群
ヘモグロビン尿
ミオグロビン尿
赤色～褐色
色調異常
糖尿病ケトアシドーシス，尿路結核
酸性尿
アルカローシス，尿路感染症
アルカリ尿
尿pH異常
尿崩症，急性尿細血管壊死
低張尿
末期腎不全
等張尿
脱水，糖尿病，ネフローゼ症候群
高張尿
尿比重異常
骨髄腫
不適合輸血
悪性貧血
体内でのタンパク質の過剰生成
腎前性タンパク尿
糸球体腎炎
糖尿病性腎症
腎盂腎炎
腎の濾過・再吸収の障害
腎性タンパク尿
尿路の腫瘍・潰瘍・結石
尿管・下部尿路・前立腺などからのタンパク質の過剰分泌
腎後性タンパク尿
妊　娠
生理的タンパク尿
尿タンパク
尿所見異常
腎性糖尿
尿細管の再吸収機能が低下
正常な血糖値
1型糖尿病
2型糖尿病
内分泌疾患
薬物性糖尿病
糖の量が尿細管での再吸収量を超える
高血糖
尿　糖
白血病
再生不良性貧血
全身性出血
腎前性血尿
糸球体腎炎
基底膜の障害
腎性血尿
痛　風
アミロイド腎症
尿細管の浮腫・充血
腎腫瘍，腎結石
腎臓の充血・うっ血
尿路の炎症・腫瘍
粘膜の充血・うっ血
腎後性血尿
血　尿
腎臓・尿路の感染症
白血球数：尿沈渣で5個／視野以上
膿　尿
mini case
60歳，男性．40歳から糖尿病の治療を受けていますがコントロールは不良です．
• 24時間尿検査で尿タンパクが160mg/日でした．原因を考えてみましょう．

8◉脳・神経の異常

1 意識障害

ワンポイントチェック！

意識障害とは，思考と理解の障害により，自分のことや周りで起こっている状況を正しく認知・判断できず適切な反応ができない状態，もしくは覚醒に異常がある状態をいう．

要点整理

〔　　〕に適する語をp.120の選択肢から選び，文や図表を完成させよう．

意　識

□□ 1. 意識があるということは，環境および〔　　　　　　〕を認知しているという主観的な状態をいう．

□□ 2. 意識には，認知機能に代表される〔a　　　　　　〕と，大脳皮質の活動状態を表す〔b　　　　　　〕（意識レベル）という2つの側面がある．

□□ 3. 意識の内容は〔　　　　　　〕の活動によって生じる．

□□ 4. 覚醒している状態は，脳幹網様体から大脳皮質に至る上行性網様体賦活系によって維持されている．脳幹網様体からは，視床や大脳皮質への神経線維が放射し，この伝導路によって〔　　　　　　〕が大脳皮質へ伝えられることで，大脳皮質の活動が継続する．

意識障害

□□ 5. 意識障害になると，〔　　　　　　〕と理解の障害により，自分のことや周囲で起こっている状況を正しく認知・判断できなくなる．

□□ 6. 意識障害は，頭蓋内の病変が原因で発生するものと，頭蓋外の病変によって発生するものがある．頭蓋内の病変による意識障害は，〔a　　　　　　〕と神経学的局所症状の有無により，2つに分けられる．〔a〕には，〔b　　　　　　〕やケルニッヒ徴候，ブルジンスキー徴候がある．

□□ 7. ●意識障害の原因（頭蓋内）とメカニズム

主原因の病変部位	主な出現症状	原　因	メカニズム
頭蓋内	神経学的局所症状がある（髄膜刺激症状はない）	脳出血，脳梗塞，脳腫瘍，硬膜下血腫，硬膜外血腫	血腫，腫瘍，脳浮腫により脳実質などの頭蓋内容積が増大し，脳が圧迫される（**頭蓋内圧亢進**）．
	髄膜刺激症状がある	〔　　　　　　〕	出血した血液により頭蓋内容積が増大し，脳が圧迫される（**頭蓋内圧亢進**）．
		髄膜炎，脳炎	脳浮腫により頭蓋内容積が増大し，脳が圧迫される．脳炎の場合，脳内局所の炎症により巣症状（神経学的局所症状）をきたすことがある．

症候マップ 意識障害

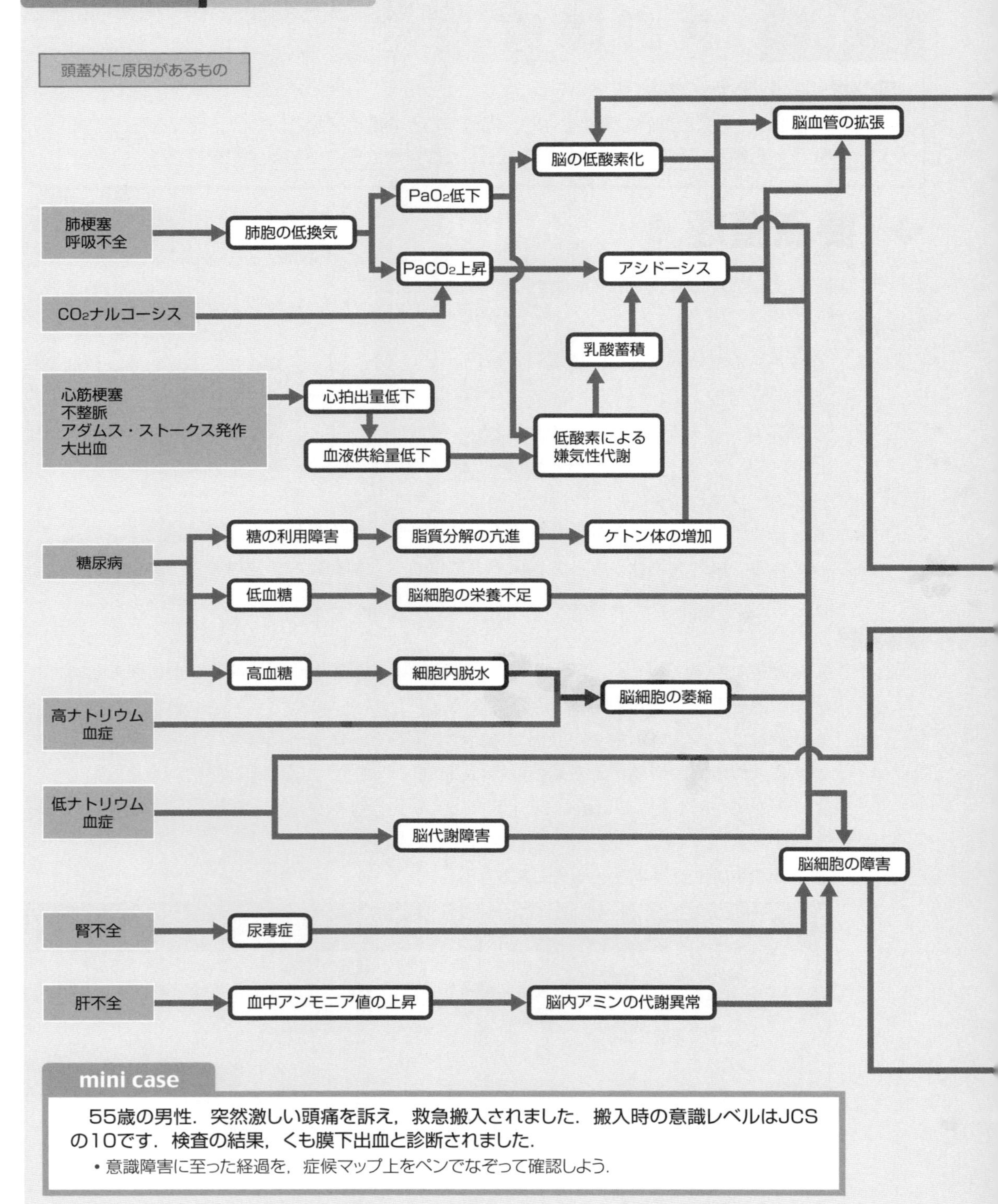

mini case

55歳の男性．突然激しい頭痛を訴え，救急搬入されました．搬入時の意識レベルはJCSの10です．検査の結果，くも膜下出血と診断されました．

- 意識障害に至った経過を，症候マップ上をペンでなぞって確認しよう．

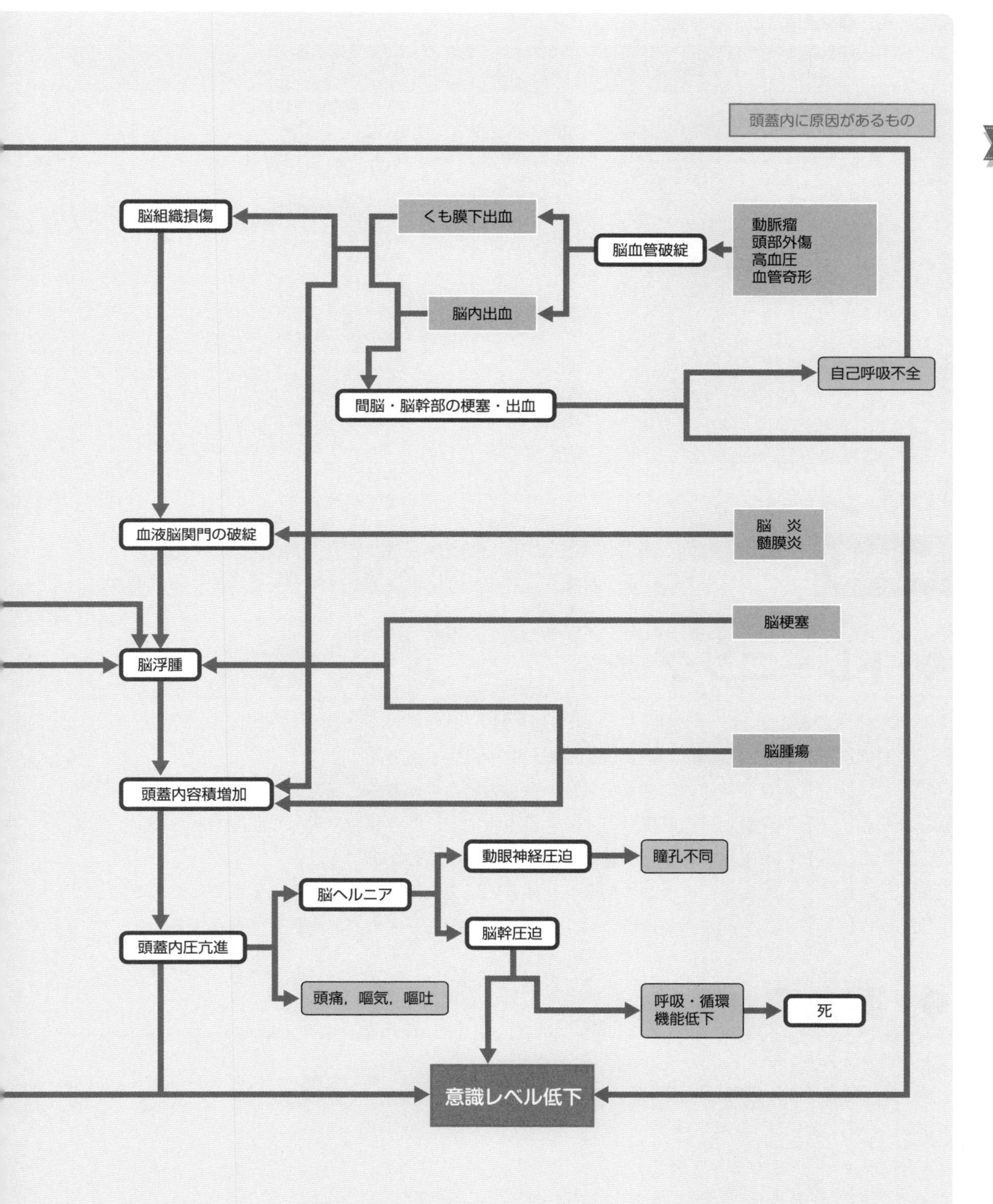
頭蓋内に原因があるもの
脳組織損傷
くも膜下出血
脳血管破綻
動脈瘤
頭部外傷
高血圧
血管奇形
脳内出血
間脳・脳幹部の梗塞・出血
自己呼吸不全
血液脳関門の破綻
脳 炎
髄膜炎
脳浮腫
脳梗塞
脳腫瘍
頭蓋内容積増加
動眼神経圧迫
瞳孔不同
脳ヘルニア
脳幹圧迫
頭蓋内圧亢進
頭痛，嘔気，嘔吐
呼吸・循環
機能低下
死
意識レベル低下

□□ 8. ●意識障害の原因（頭蓋外）とメカニズム

主原因の病変部位	主な出現症状	原　因	メカニズム
頭蓋外	（神経学的局所症状も髄膜刺激症状もない）	〔a 〕，肺梗塞，大出血	血糖・酸素の不足により，脳の栄養障害が生じる．
		肺性脳症（CO_2ナルコーシス）	アシドーシスになる．
		肝不全	アンモニア蓄積により脳内アミン（カテコールアミン，セロトニン，ドーパミンなど）の代謝異常が生じる．
		糖尿病	低血糖や〔b 〕の蓄積により，アシドーシスとなる．高血糖による高浸透圧のため，脳細胞の脱水が起こる．
		腎不全	尿毒症による．
		バセドウ病クリーゼ	脳が高度の興奮状態となる．
		アルコール中毒	脳の機能が抑制され，低体温になる．
		麻薬・睡眠薬	中毒により，脳の機能が抑制される．

□□ 9. 意識レベルは，JCSや〔 〕などを用いて評価する．

選択肢
髄膜刺激症状　くも膜下出血　心筋梗塞　MMT　項部硬直　自己
ケトン体　大脳皮質　視床下部　意識の内容　GCS　思考　覚醒度　感覚刺激

トレーニング

正しいものには ○ を，誤っているものには × を記入しよう．

□□ 1. 〔 〕大脳皮質部位の病変は，意識内容の障害を引き起こす．
□□ 2. 〔 〕意識レベルの急激な低下は，多くの場合，頭蓋外の病変によって起こる．
□□ 3. 〔 〕脳浮腫とは，脳実質の水分含量が増加し，脳容積が増大した状態である．
□□ 4. 〔 〕バセドウ病クリーゼになると，脳細胞の活動が抑制される．
□□ 5. 〔 〕意識障害時の看護の原則は，頭蓋内圧を亢進させないようにすることである．
□□ 6. 〔 〕意識レベルの評価時には，縮瞳などの瞳孔不同の有無を併せて観察する．

実力アップ

以下の問いに答えよ．

□□ 1. 意識レベルの評価に用いるのはどれか． 〔 〕

1. クレペリンテスト
2. フェイススケール
3. グラスゴー・コーマ・スケール
4. ロールシャッハテスト

2 頭 痛

ワンポイントチェック！

頭痛とは，顔面，上項部を含む頭部に感じる痛みで，創による表在性の痛みを除くものと定義される．

要点整理

〔　〕に適する語を下の選択肢から選び，文を完成させせよう．

□□ 1. 頭痛を生じる部位には，頭蓋外では表皮，〔　　　　〕，側頭筋などの筋肉，筋膜，骨膜，血管などがある．

□□ 2. 頭痛を生じる部位には，頭蓋内では硬膜，脳底部の〔a　　　　〕，硬膜動脈，一部の主要脳動脈があり，〔b　　　　〕に痛みの感受性はない．

□□ 3. 頭痛を生じる部位には，頭蓋内の静脈では，〔　　　　〕やこれに流入する架橋静脈などがある．

□□ 4. 神経終末にある痛みの受容器に刺激が加わり，三叉神経，〔　　　　〕，迷走神経，上位頸神経などを経由して中枢に伝達され，頭の痛みとして感じる．

□□ 5. 国際頭痛分類第3版では，頭痛の起こる原因を〔a　　　　〕頭痛，二次性頭痛，「有痛性脳神経ニューロパチー・その他の頭痛・〔b　　　　〕」の三つに大別している．

□□ 6. 一次性頭痛は，器質的異常を伴わない〔　　　　〕頭痛である．

□□ 7. 二次性頭痛は，主として器質的異常から起こる〔　　　　〕頭痛（続発性頭痛）である．

□□ 8. 〔　　　　〕は，痛みの程度が強く，日常生活に支障をきたす頻度が高い一次性頭痛の一つである．

選択肢

脊髄　運動神経　舌咽神経　セロトニン　帽状腱膜　くも膜　脳幹
静脈洞　頭皮動脈　脳実質　症候性　一次性　原発性　機能性
片頭痛　閃輝暗点　顔面痛

◆◆トレーニング◆◆

正しいものには ○ を，誤っているものには × を記入しよう．

□□ 1. 〔　　〕脳実質，頭蓋骨は痛覚神経が分布していないため，痛みを感じない．

□□ 2. 〔　　〕血管性頭痛は，何らかの原因で頭部の血管が縮小し，痛み受容器が刺激を受けて発生する．

□□ 3. 〔　　〕群発頭痛とは，一側性で，目の奥や周囲に痛みを感じることが多い．

□□ 4. 〔　　〕緊張型頭痛は，肩こり，精神的ストレス，悩みや不安を抱えていることが多い．

□□ 5. 〔　　〕牽引性頭痛は，脳腫瘍や脳出血，慢性硬膜下血腫が原因で起こる．

□□ 6. 〔　　〕炎症性頭痛は，高血圧によって起こる．

□□ 7. 〔　　〕高山病，ダイバーや睡眠時無呼吸患者の朝型の頭痛，高血圧患者などに生じるのは，ホメオスタシスの障害による頭痛である．

●国際頭痛分類第３版による14の細分類

一次性頭痛（機能性頭痛）
①片頭痛 ②緊張型頭痛 ③三叉神経・自律神経性頭痛 ④その他の一次性頭痛
二次性頭痛（症候性頭痛，続発性頭痛）
⑤頭頸部外傷による頭痛 ⑥頭頸部血管障害による頭痛 ⑦非血管性頭蓋内疾患による頭痛 ⑧物質またはその離脱による頭痛 ⑨感染症による頭痛 ⑩ホメオスタシスの障害による頭痛 ⑪頭蓋骨，頸，眼，耳，鼻，副鼻腔，歯，口あるいはその他の顔面・頸部の構成組織の障害に起因する頭痛あるいは顔面痛 ⑫精神疾患による頭痛
有痛性脳神経ニューロパチー・その他の頭痛・顔面痛
⑬有痛性脳神経ニューロパチー ⑭その他の頭痛

症候マップ 頭 痛

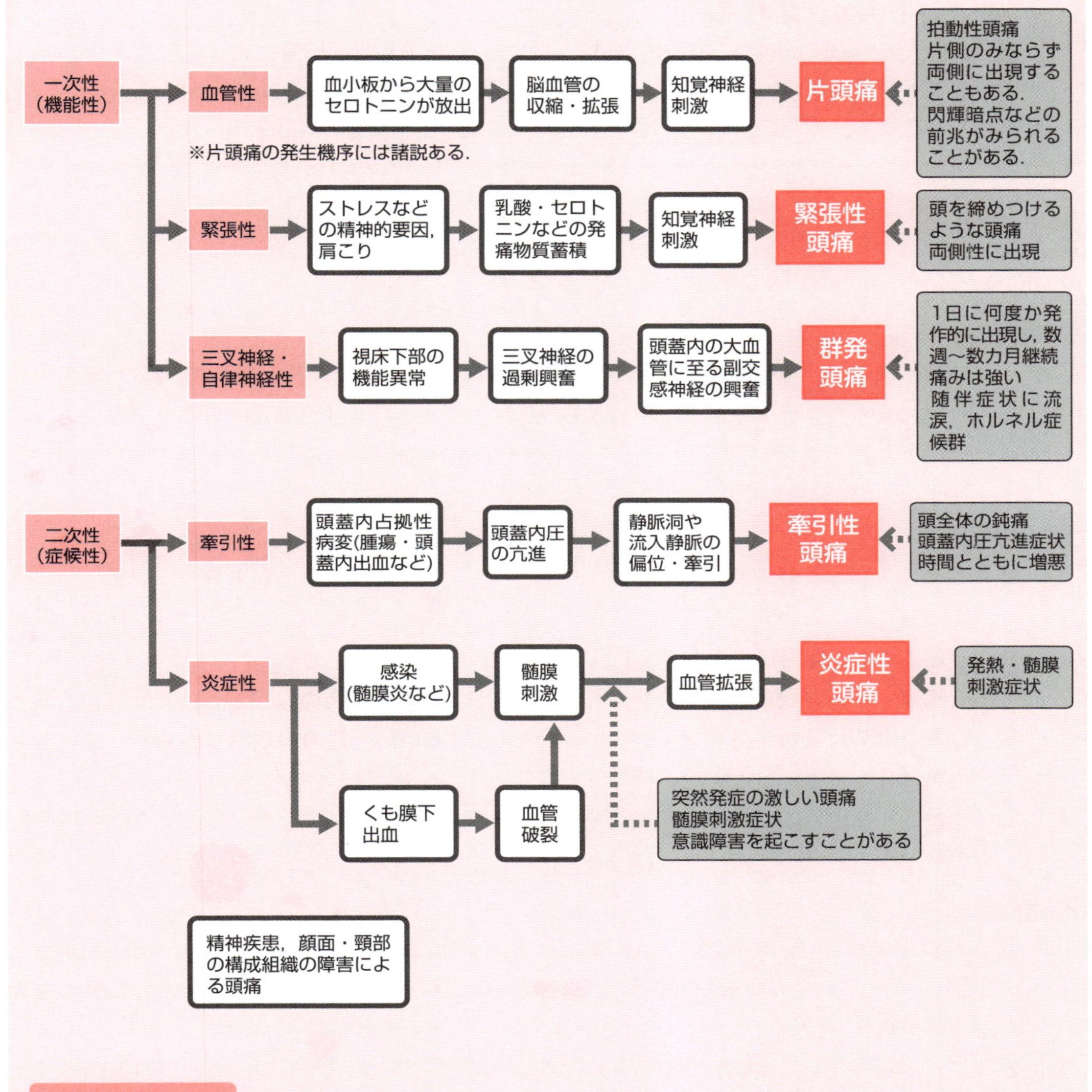

mini case

58歳の男性が，通勤途中で突然，後頭部をバットで殴られたような激しい頭痛に襲われ，意識を失って救急車で搬入されました．

- この頭痛のメカニズムを，症候マップで確認しよう．

3　痙攣とてんかん

ワンポイントチェック！

痙攣(けいれん)とは，脳の神経細胞から骨格筋に至る運動神経経路の異常な興奮によって起こる，筋肉の急激で不随意的な収縮をいう．一方，てんかんは，脳の神経細胞の異常な興奮が一斉に起こることで発症し，意識消失や痙攣などを発作性に繰り返す慢性の病態をいう．

〔　　〕に適する語を下の選択肢から選び，文を完成させせよう．

筋収縮のしくみ

□□ 1. 筋肉の収縮は，運動神経の末端から神経伝達物質(アセチルコリン)が放出され，筋肉を包む膜にあるセンサーが感知し，細胞内へ〔a　　　　　〕が流入することで起こる．これにより筋小胞体が〔b　　　　　〕を放出し，筋線維の滑り込みが起こって筋肉が収縮する．

痙　攣

□□ 2. 痙攣は，脳の神経細胞から骨格筋までの〔a　　　　　〕経路において，急激に強い興奮が起こり，この異常な興奮が支配下の筋群に伝播して〔b　　　　　〕な筋肉の収縮が起こることで発現すると考えられている．

□□ 3. 痙攣は，筋肉の収縮のパターンから2つに大別される．筋肉の収縮と弛緩が交互に，ある程度規則的に反復する痙攣を〔a　　　　　〕といい，筋肉の収縮が持続し，強直してこわばった状態になる痙攣を〔b　　　　　〕という．

□□ 4. 痙攣発作が長く続いたり，短い間隔で頻発したりする状態を〔a　　　　　〕状態という．〔b　　　　　〕などの後遺症が残ったり，死に至ったりする場合もある．

てんかん

□□ 5. 脳の器質的異常が原因で，痙攣などのてんかん性発作を繰り返す慢性の病態を〔a　　　　　〕，脳に器質的異常を認めないものの，痙攣などのてんかん性発作を繰り返す病態を〔b　　　　　〕という．

□□ 6. てんかんのうち，痙攣発作が身体の一部から始まるものを〔a　　　　　〕という．このうち，〔b　　　　　〕は意識障害を伴わず，脳皮質の局所で起こった神経細胞の異常な興奮が原因で，興奮の生じた脳の領域の働きに応じた発作症状を示す．

□□ 7. 非てんかん性の痙攣の原因には，〔a　　　　　〕(幼児のひきつけ)，解離性痙攣，〔b　　　　　〕などがある．

選択肢

症候性てんかん　複雑部分発作　強直性痙攣　脳梗塞　カリウムイオン
痙攣重積　運動神経　ナトリウムイオン　不随意的　認知症　過換気症候群
全般発作　感覚神経　部分発作　間代性痙攣　低酸素血症　熱性痙攣
カルシウムイオン　特発性てんかん　随意的　単純部分発作

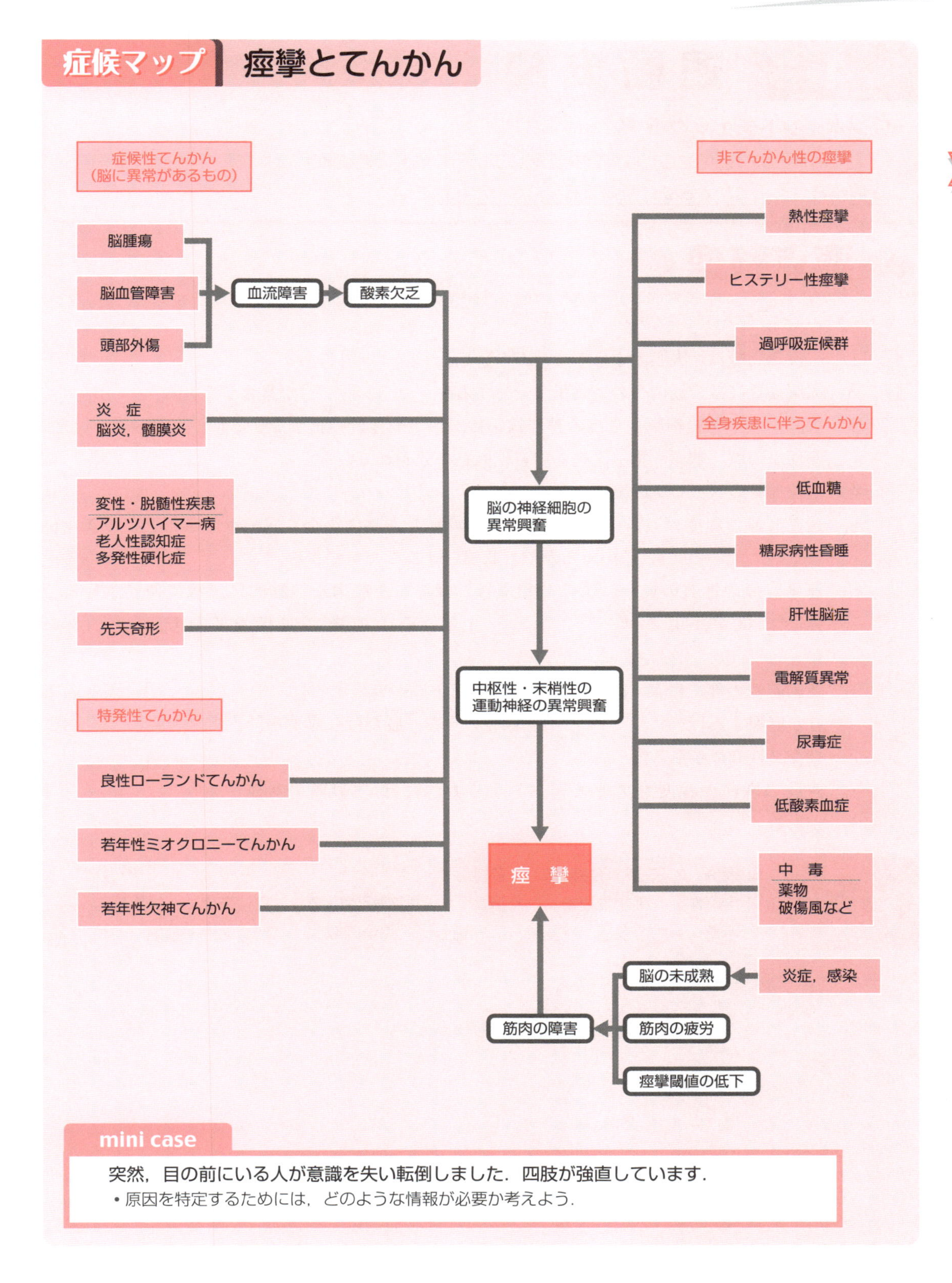

mini case

突然，目の前にいる人が意識を失い転倒しました．四肢が強直しています．

• 原因を特定するためには，どのような情報が必要か考えよう．

4 運動麻痺

ワンポイントチェック！

運動麻痺とは，筋肉もしくは筋肉を支配している神経系の機能障害によって，随意的に筋肉を収縮させることができず，運動できなくなった状態をいう．

要点整理

〔　　〕に適する語を下の選択肢から選び，文を完成させよう．

□□ 1. 一次運動野は，大脳の中心溝の前方の〔　　　　　　〕にある．

□□ 2. 大脳皮質には，筋肉への運動指令を発する〔　　　　　　〕が集合している．

□□ 3. 大脳皮質の神経細胞から出る神経線維は，手足や体幹へ指令を送る〔　　　　　　〕と，顔面や口腔，咽頭へ指令を送る皮質延髄路に分かれている．

□□ 4. 上位運動ニューロンの障害を〔　　　　　　〕という．

□□ 5. 運動麻痺の程度の違いによる分類では，麻痺した筋肉を全く収縮させることができない〔a　　　　　　〕と，いくらかでも収縮させることができる〔b　　　　　　〕がある．

□□ 6. 運動麻痺の性質の違いによる分類では，麻痺した筋肉を他動的に急激に伸展させると強い抵抗が生じる〔a　　　　　　〕と，その速度に関係なく抵抗が生じない〔b　　　　　　〕がある．

□□ 7. 運動麻痺の部位による分類では，同側の上下肢が麻痺する〔a　　　　　　〕，両側の下肢が麻痺する〔b　　　　　　〕，四肢のうち一肢だけ麻痺する〔c　　　　　　〕，および交叉性麻痺がある．

□□ 8. 四肢の麻痺の程度をアセスメントする方法には，6段階で評価する〔　　　　　　〕がある．

選択肢

単麻痺　末梢神経性麻痺　筋弛緩　徒手筋力テスト　筋緊張　皮質脊髄路
不全麻痺　弛緩性麻痺　片麻痺　中枢神経性麻痺　痙性麻痺　神経細胞
対麻痺　中心前回　脳幹　杯細胞　完全麻痺　ハビンスキー反射

トレーニング

正しいものには ○ を，誤っているものには × を記入しよう．

□□ 1. 〔　〕運動麻痺とは，骨もしくはそれを支配している神経系の機能障害によって起こる．

□□ 2. 〔　〕脳幹や脊髄の運動神経細胞の障害による運動麻痺を，上位運動ニューロン性麻痺という．

□□ 3. 〔　〕痙性（けいせい）麻痺とは，麻痺した筋肉をすばやく伸展させると，瞬間的に抵抗が高まる状態をいう．

□□ 4. 〔　〕両側の下肢の筋肉が麻痺した状態を単麻痺という．

□□ 5. 〔　〕大脳の運動皮質に加えて，運動前野が随意運動に関与していると考えられている．

□□ 6. 〔　〕筋肉を支配する末梢運動神経の機能障害によって筋肉が麻痺した状態を，完全麻痺という．

□□ 7. 〔　〕自分の意思で顔面や手足を好きなように動かす運動を，不随意運動系という．

●中枢性麻痺と末梢性麻痺の違い

	中枢性麻痺	末梢性麻痺
障害部位	上位ニューロン	下位ニューロン
麻痺の性質	痙性麻痺	弛緩性麻痺
筋緊張	亢進	低下・消失
深部反射	亢進	低下・消失
病的反射（バビンスキー反射）	陽性	陰性
筋萎縮	なし・軽度	あり
線維束性収縮※	なし	あり

※線維束性収縮：皮膚の上から観察できる，安静時に筋の一部がぴくぴくする自発的収縮．収縮の間隔は不規則で，短時間で消失する．

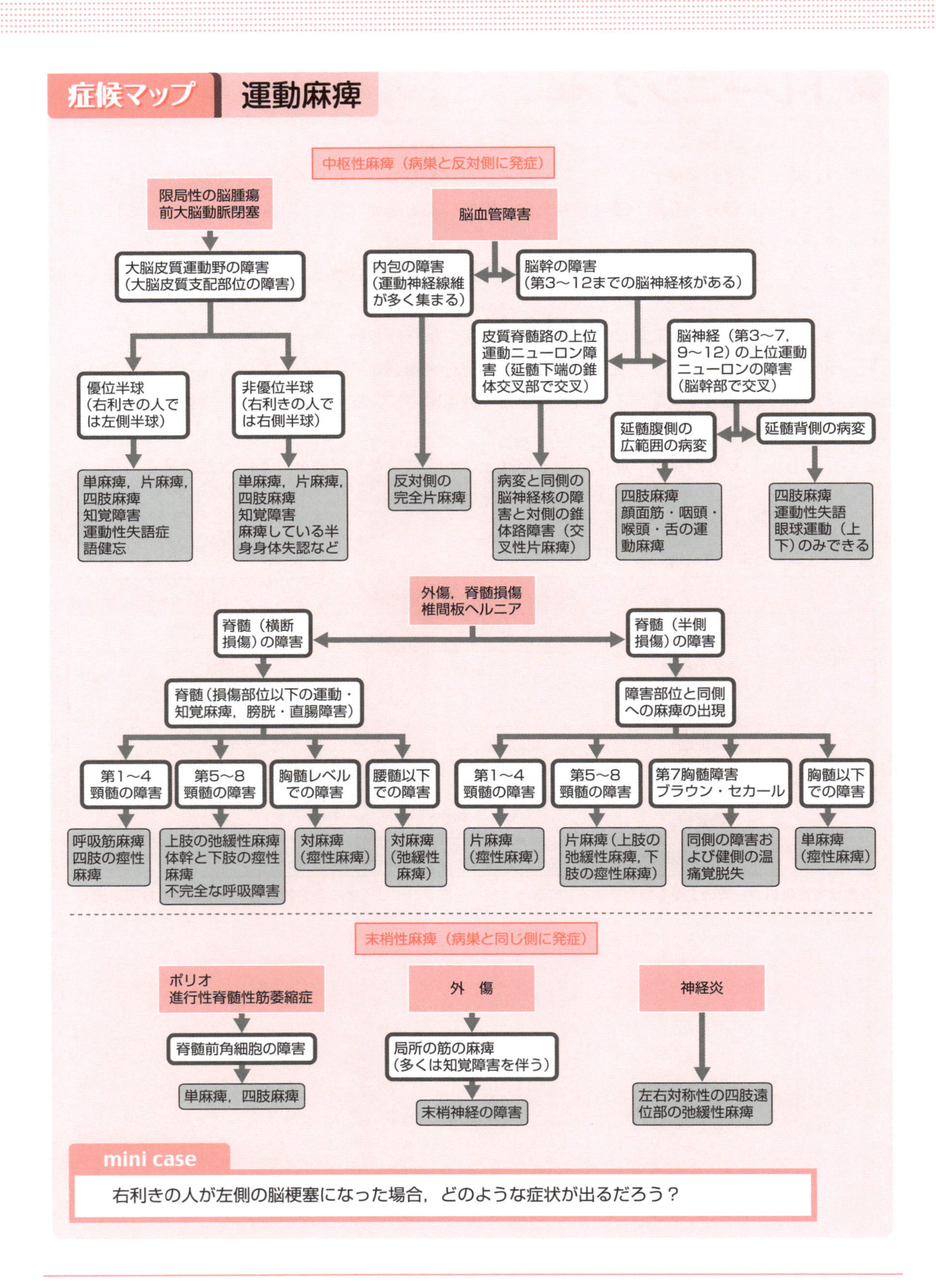
症候マップ
運動麻痺
中枢性麻痺（病巣と反対側に発症）
限局性の脳腫瘍
前大脳動脈閉塞
大脳皮質運動野の障害
（大脳皮質支配部位の障害）
優位半球
（右利きの人では左側半球）
単麻痺，片麻痺，
四肢麻痺
知覚障害
運動性失語症
語健忘
非優位半球
（右利きの人では右側半球）
単麻痺，片麻痺，
四肢麻痺
知覚障害
麻痺している半身身体失認など
脳血管障害
内包の障害
（運動神経線維が多く集まる）
反対側の
完全片麻痺
脳幹の障害
（第3〜12までの脳神経核がある）
皮質脊髄路の上位運動ニューロン障害（延髄下端の錐体交叉部で交叉）
病変と同側の脳神経核の障害と対側の錐体路障害（交叉性片麻痺）
脳神経（第3〜7，9〜12）の上位運動ニューロンの障害
（脳幹部で交叉）
延髄腹側の
広範囲の病変
四肢麻痺
顔面筋・咽頭・喉頭・舌の運動麻痺
延髄背側の病変
四肢麻痺
運動性失語
眼球運動（上下）のみできる
外傷，脊髄損傷
椎間板ヘルニア
脊髄（横断損傷）の障害
脊髄（損傷部位以下の運動・知覚麻痺，膀胱・直腸障害）
第1〜4
頸髄の障害
呼吸筋麻痺
四肢の痙性
麻痺
第5〜8
頸髄の障害
上肢の弛緩性麻痺
体幹と下肢の痙性
麻痺
不完全な呼吸障害
胸髄レベル
での障害
対麻痺
（痙性麻痺）
腰髄以下
での障害
対麻痺
（弛緩性
麻痺）
脊髄（半側損傷）の障害
障害部位と同側
への麻痺の出現
第1〜4
頸髄の障害
片麻痺
（痙性麻痺）
第5〜8
頸髄の障害
片麻痺（上肢の弛緩性麻痺，下肢の痙性麻痺）
第7胸髄障害
ブラウン・セカール
同側の障害および健側の温痛覚脱失
胸髄以下
での障害
単麻痺
（痙性麻痺）
末梢性麻痺（病巣と同じ側に発症）
ポリオ
進行性脊髄性筋萎縮症
脊髄前角細胞の障害
単麻痺，四肢麻痺
外 傷
局所の筋の麻痺
（多くは知覚障害を伴う）
末梢神経の障害
神経炎
左右対称性の四肢遠位部の弛緩性麻痺
mini case
右利きの人が左側の脳梗塞になった場合，どのような症状が出るだろう？

5 運動失調

ワンポイントチェック！

運動失調とは，ある運動に必要な筋群の協調の障害である．運動の協調の中心的役割を果たすのが小脳であるため，小脳障害で最も顕著に運動失調がみられる．

要点整理

〔　〕に適する語を下の選択肢から選び，文を完成させよう．

□□ 1. 小脳は全身の〔a　　〕と筋緊張の調節をつかさどり，〔b　　〕や運動の制御に関与する．

□□ 2. 小脳の障害でみられるさまざまな症候を〔　　〕という．

運動失調

□□ 3. ある複雑な運動行為を遂行するには，複数の筋群が協調して働くことが必要である．各筋群の運動自体の障害を〔a　　〕といい，筋群の協調の障害を〔b　　〕という．

□□ 4. 小脳の障害による〔a　　〕があると，椅子に座っている患者は開眼していても〔b　　〕がゆれていたり，足を開いて座面に手をついて支えていたりする．

□□ 5. 運動の失調とその程度をアセスメントする際，最も簡便で，かつ重要な検査は，〔　　〕と踵膝踵試験である．

選択肢

運動失調　体幹失調　姿勢　筋肉運動　振戦　小脳徴候
ロンベルク徴候　指鼻指試験　失行　体幹

トレーニング

正しいものには ○ を，誤っているものには × を記入しよう．

□□ 1. 〔　〕起立位で開眼していれば静止するが，閉眼させると倒れる症状をロンベルク徴候陰性という．

□□ 2. 〔　〕手で物をつかもうとするとき，手が目標より遠くに行きすぎたり，手前をつかんだりする現象を測定障害という．

□□ 3. 〔　〕1つのスムーズな運動が2つに分解されることを，回内回外変換運動障害という．

□□ 4. 〔　〕小脳障害があると，軸が崩れて，手の回内回外の変換運動を急速に行うことができない．

□□ 5. 〔　〕失行とは，運動麻痺がないにもかかわらず，目的にあった運動ができない状態をいう．

症候マップ　運動失調

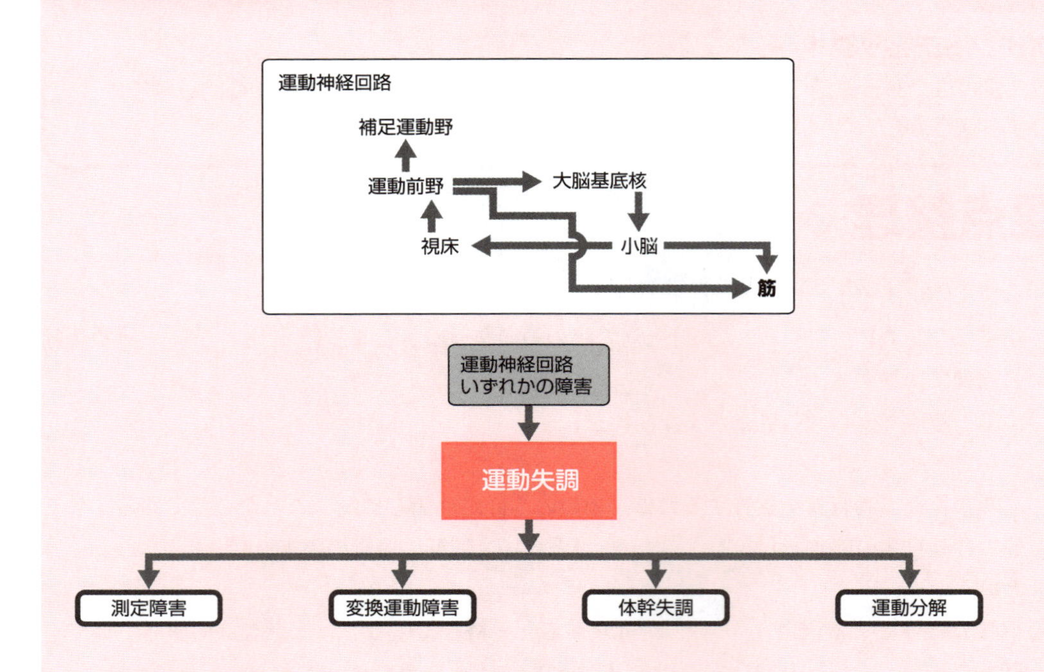

mini case

次の現象はそれぞれどの部位の障害によるものか，症候マップをたどって確認しよう．

1. 手足でバランスをとるのが難しいため，足を大きく開いて歩く．
2. 足を着く位置を目で確認し，膝を必要以上に上げ，前に放り出すように歩く．
3. 千鳥足で左右の足が交叉しながら歩く．

6 歩行障害

ワンポイントチェック！

歩行障害とは，随意運動に関わる運動皮質と自動運動に関わる補足運動野や小脳系などの中枢神経障害，末梢神経障害，また，骨・筋の障害によって，円滑な歩行が阻まれている状態をいう．

要点整理

〔　〕に適する語を下の選択肢から選び，文を完成させよう．

□□ 1. 下位運動ニューロンの障害，特に腓骨神経麻痺により足関節の背屈が弛緩性に障害されると，歩行時に〔a　　　　〕や〔b　　　　〕がみられる．

□□ 2. パーキンソン病性立位障害は，〔　　　　〕で立位を保持するのが特徴である．

□□ 3. 小脳性失調の患者が両足を開いて左右によろめきながら歩くことを，〔　　　　〕という．

□□ 4. 〔　　　　〕は，体幹失調がない場合，開眼していれば立位を保持できるが，閉眼すると身体の動揺性が増大し転倒する．

□□ 5. 一定の距離を歩くと，下肢が痛んだり脱力が生じて歩行を続けられなくなるが，数分休むと歩けるようになる状態を，〔　　　　〕という．

□□ 6. 大脳から脊髄に至る錐体路，上位運動ニューロン障害により痙性麻痺をきたした場合の歩行障害を〔　　　　〕という．

□□ 7. 多発性筋炎や近位筋型の筋ジストロフィーなどによる〔　　　　〕の筋群の障害では，腰や尻を左右に振って歩く．

選択肢

前傾姿勢　下垂足　鶏歩　失調性歩行　解離性障害による歩行障害
脊髄後索性立位障害　間欠性跛行　痙性歩行　片麻痺歩行　逆説歩行
腰部　ふくらはぎ

トレーニング

正しいものには ○ を，誤っているものには × を記入しよう．

□□ 1. 〔　〕膝を曲げないのは，パーキンソン病性歩行の特徴である．

□□ 2. 〔　〕無地の床の上では歩けないパーキンソン病の患者が，床の上に障害物を置くと，難なくまたいでしまうことを逆説歩行という．

□□ 3. 〔　〕前庭性立位障害は，バランスが崩れて障害側に倒れるのが特徴である．

□□ 4. 〔　〕片麻痺性歩行は，膝の伸展と足関節の底屈のため，尖足位のまま足を床から離して円を描くようにして歩く．

□□ 5. 〔　〕小脳疾患で体幹失調があると，両足を閉じて立つ．

□□ 6. 〔　〕ウェルニッケ・マン型拘縮は，脳梗塞や脳出血による痙性片麻痺が原因で起こる．

□□ 7. 〔　〕間欠性跛行は，下肢の動脈硬化や腰椎の脊柱管狭窄症などが原因で起こる．

□□ 8. 〔　〕脳梗塞の患者では，足が床に張りついたように離れず，膝をがくがく震わせるすくみ足がみられる．

□□ 9. 〔　〕痙性により下肢が伸展した場合，片麻痺では伸展した患側下肢で円弧を描くように歩き，対麻痺では足尖(そくせん)で歩行し，両膝をすりあわせるようにして歩行する．

症候マップ 歩行障害

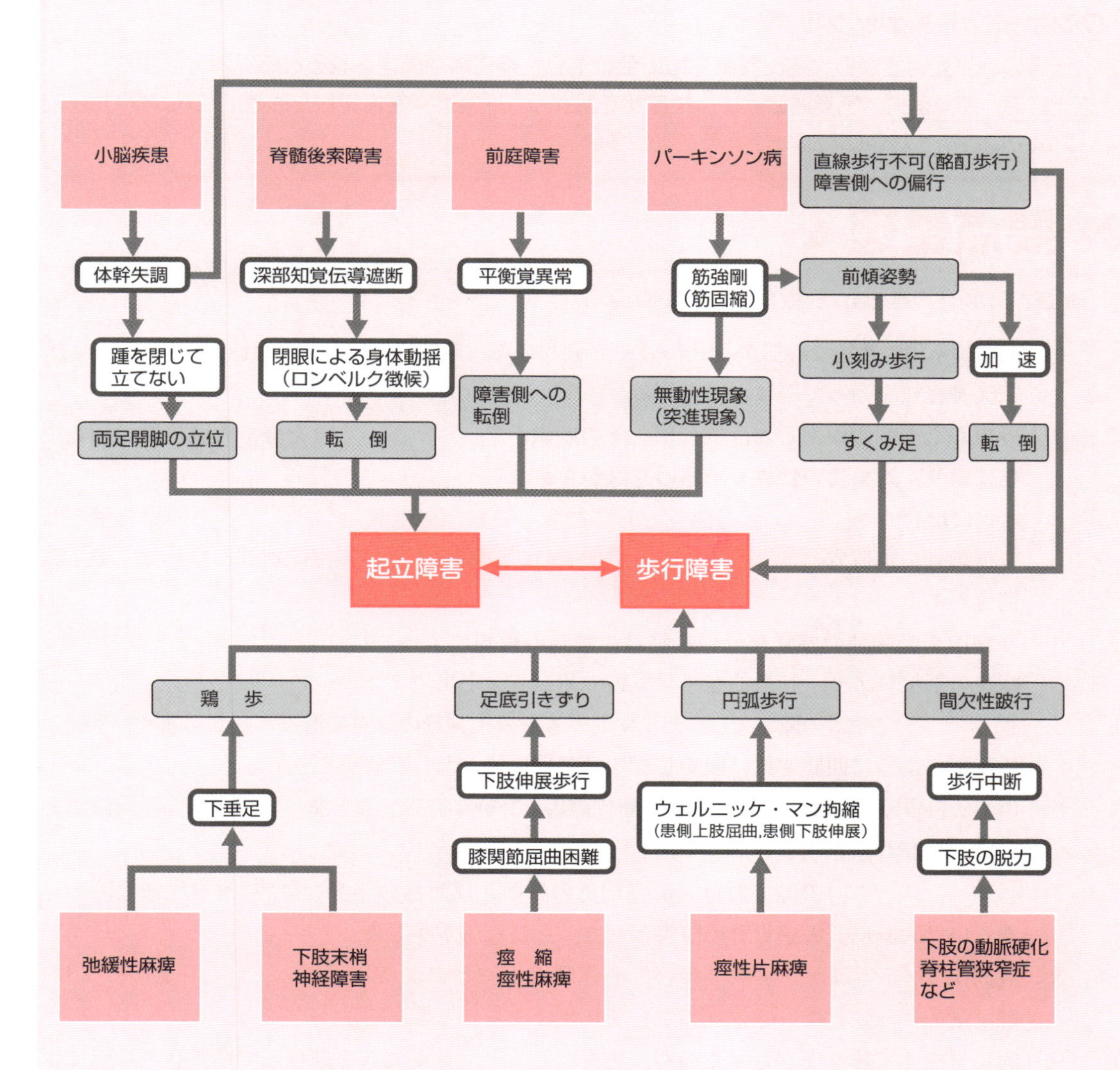

mini case

脳出血の後のリハビリをしています．踏ん張って足を開くと立ち上がれるのですが，ふらふらして物につかまっていないと転んでしまいそうです．歩行練習では酔っ払ったような歩き方をしてしまいます．

1. 原因となる障害・疾患に○をつけよう．
2. 起立障害や歩行障害までの経過にマーカーを引こう．
3. どの部位の出血だったか考えよう．

7 しびれ感（感覚障害）

ワンポイントチェック！

皮膚の感覚受容器から大脳皮質感覚野に至る求心性神経路が障害されると感覚障害が生じ，感覚鈍麻，感覚消失，感覚過敏といった症状を呈する．異常感覚を自覚した患者は「ぴりぴり」「じんじん」といったしびれ感を訴えることが多い．

要点整理

〔　〕に適する語を下の選択肢から選び，文を完成させせよう．

□□ 1. 刺激は末梢の感覚受容器から伝えられ，脊髄視床路・延髄視床路といった〔　　　　〕・三叉神経核を通って脳に届けられる．

□□ 2. 外界からの刺激があると，脳では，その刺激が〔　　　　〕を経て大脳皮質の知覚中枢に至り，対象物の性質や形態の認識がなされる．

□□ 3. 感覚には〔a　　　　〕感覚として触覚・痛覚・温度覚，〔b　　　　〕感覚として振動覚・位置覚，〔c　　　　〕感覚（皮質感覚）として二点識別覚・立体覚・数字識別覚がある．

□□ 4. 脊髄内や脳幹部の感覚神経の経路は，感覚の種類によって〔　　　　〕．このため，病変の部位により，特徴的な感覚障害のパターンが出現する．

□□ 5. 〔　　　　〕の障害では，デルマトームや末梢神経の分布に沿った知覚障害や，手袋・靴下型のように四肢遠位に限局した知覚障害に伴ったしびれ感を生じる．

□□ 6. 中心灰白質障害，後索障害，脊髄横断性障害，脊髄半側障害などを〔　　　　〕障害といい，しびれ感を生じる．

□□ 7. 〔　　　　〕の障害では，障害部位の顔面と反対側の半身の障害（解離性知覚障害），あるいは大脳皮質の感覚野の障害として，しびれ感が生じる．

□□ 8. 設問5，6，7のほか，解離性障害，心因性疾患などによる〔　　　　〕原因により，解剖学的に一致しない感覚障害がしびれ感となることもある．

□□ 9. 両足を揃えて体を安定させたのち，眼を閉じると，体が大きく動揺して閉眼状態を保てず転倒してしまうことを〔　　　　〕陽性という．

選択肢

末梢神経　　複合　　表在　　異なる　　変わることがない　　視床
求心性神経路　　脊髄　　中枢　　脳幹・視床・大脳皮質　　深部
精神的　　肉体的　　ロンベルク徴候　　ギラン・バレー症候群

トレーニング

正しいものには ○ を，誤っているものには × を記入しよう．

□□ 1. 〔　　〕しびれ感が生じる場合は，必ず運動麻痺が起きていることを示している．

□□ 2. 〔　　〕外側脊髄視床路は，四肢の痛覚，温度覚の経路である．

□□ 3. 〔　　〕前脊髄視床路は，四肢の粗大触圧覚の経路である．

□□ 4. 〔　　〕後索路は，触圧覚，振動覚といった表在感覚の経路である．

□□ 5. 〔　　〕中心灰白質障害の症状は，触覚・深部感覚の障害として現れる．

□□ 6. 〔　　〕腰神経叢障害の症状は，足底のしびれ感として現れる．

□□ 7. 〔　　〕右正中神経障害の症状は，右小指のしびれ感として現れる．

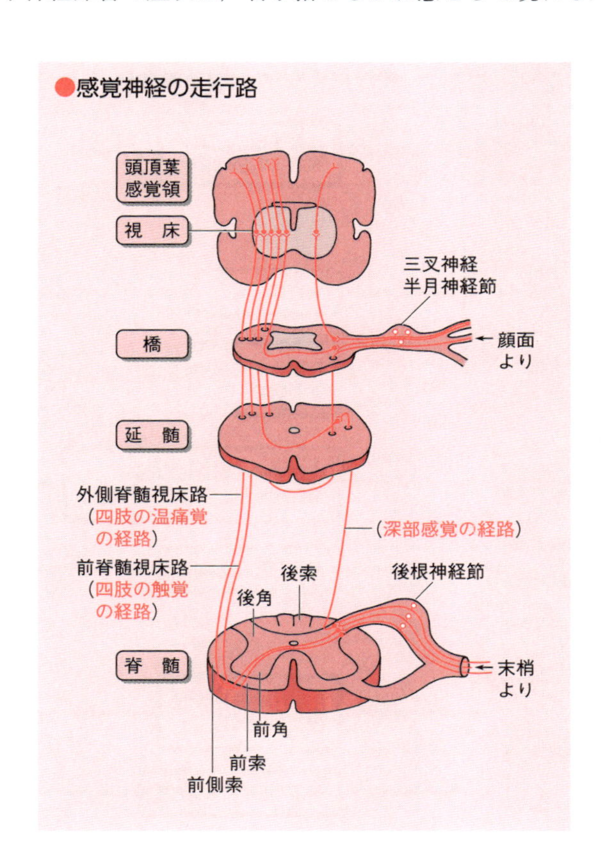

症候マップ しびれ感

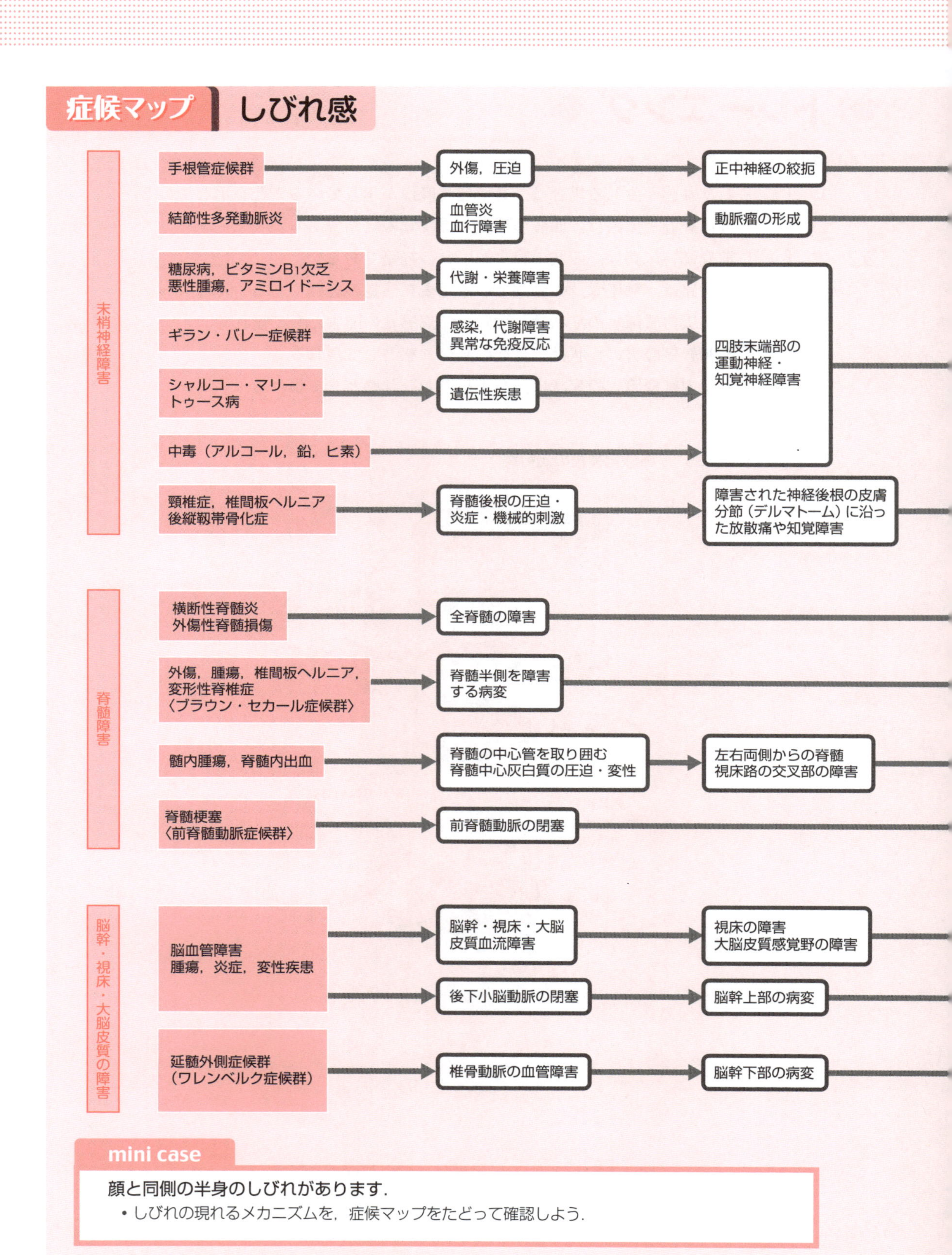

mini case

顔と同側の半身のしびれがあります．

- しびれの現れるメカニズムを，症候マップをたどって確認しよう．

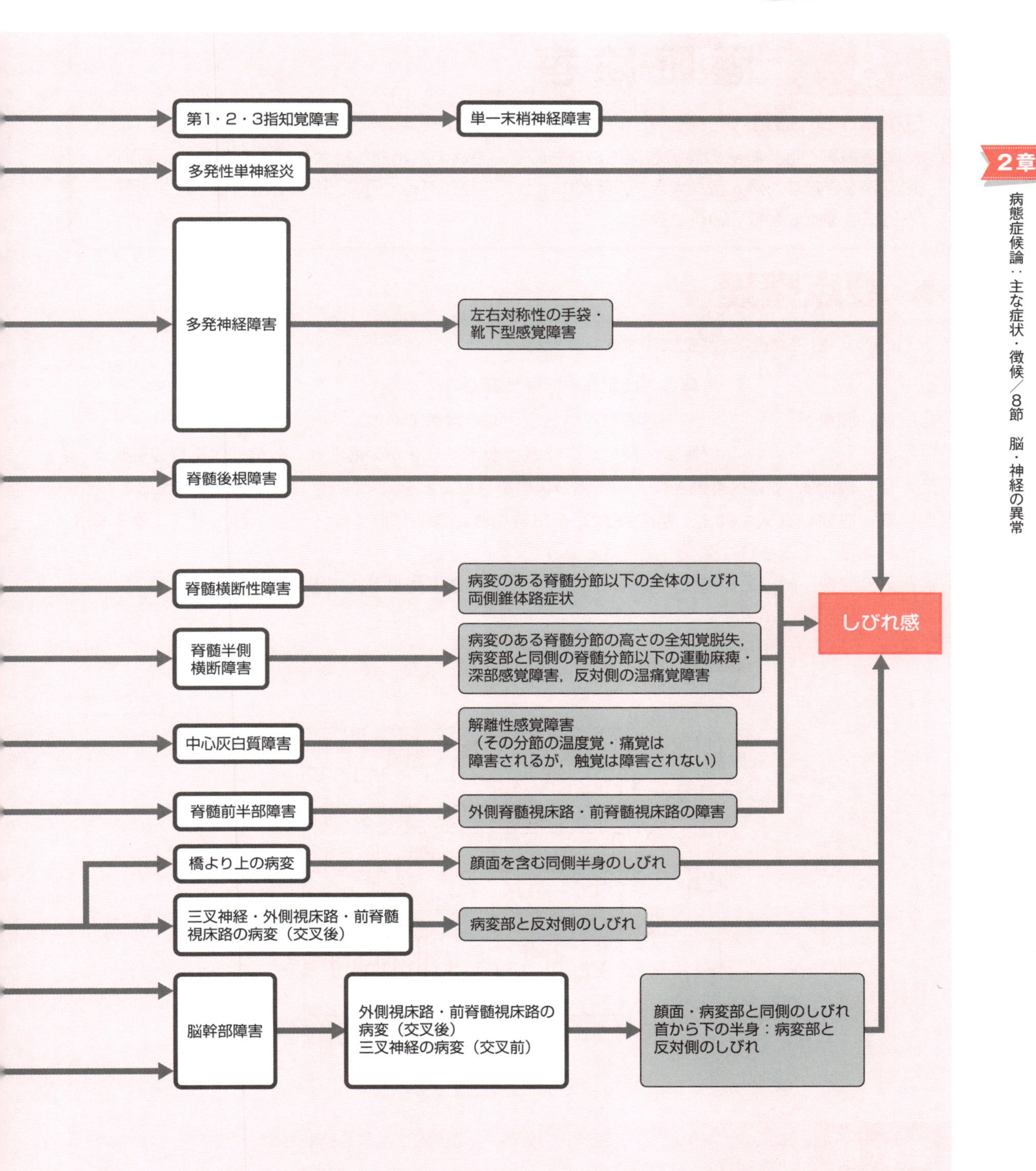

第1・2・3指知覚障害
単一末梢神経障害
多発性単神経炎
多発神経障害
左右対称性の手袋・靴下型感覚障害
脊髄後根障害
脊髄横断性障害
病変のある脊髄分節以下の全体のしびれ
両側錐体路症状
脊髄半側横断障害
病変のある脊髄分節の高さの全知覚脱失，病変部と同側の脊髄分節以下の運動麻痺・深部感覚障害，反対側の温痛覚障害
中心灰白質障害
解離性感覚障害（その分節の温度覚・痛覚は障害されるが，触覚は障害されない）
脊髄前半部障害
外側脊髄視床路・前脊髄視床路の障害
しびれ感
橋より上の病変
顔面を含む同側半身のしびれ
三叉神経・外側視床路・前脊髄視床路の病変（交叉後）
病変部と反対側のしびれ
脳幹部障害
外側視床路・前脊髄視床路の病変（交叉後）
三叉神経の病変（交叉前）
顔面・病変部と同側のしびれ
首から下の半身：病変部と反対側のしびれ

8 睡眠障害

ワンポイントチェック！

睡眠障害とは，睡眠の障害を総称したもので，生命の維持から社会生活まであらゆる活動に支障をきたす．個人差が大きく，年齢によっても差がある．日中，眠気で困らなければ，基本的には睡眠は足りていると考える．

要点整理

〔　　〕に適する語を下の選択肢から選び，文を完成させよう．

□□ 1. 〔　　　　　　〕睡眠では眼球が活発に動く．
□□ 2. 脳波が〔　　　　　　〕時に近い状態がレム睡眠である．
□□ 3. 〔　　　　　　〕睡眠の間に，さまざまなホルモンが分泌され，疲労回復や修復を行う．
□□ 4. 設問3. で述べた働きによって体の状態を保つことを，〔　　　　　　〕を維持するという．
□□ 5. 昼間の眠気を抑え，起床後およそ16時間後に急激に眠くなる覚醒・睡眠リズムを形成するしくみを〔　　　　　　〕という．
□□ 6. 覚醒・睡眠の周期は，強い〔　　　　　　〕ことで日々修正される．

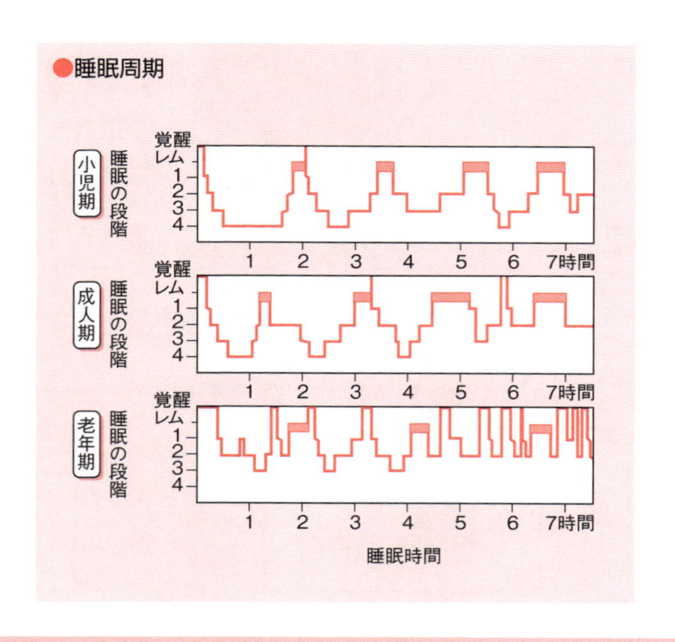

選択肢
レム　ノンレム　筋肉　覚醒　恒常性　体内時計機構　運動
光を浴びる　空腹を感じる

トレーニング

正しいものには ○ を，誤っているものには × を記入しよう．

□□ 1. 〔　〕正常では，入眠から通常60～120分の周期で，二つの睡眠状態が繰り返される．

□□ 2. 〔　〕ノンレム睡眠は，全身の筋肉の緊張が緩み，全く力が入らない状態である．

□□ 3. 〔　〕レム睡眠では，ノンレム睡眠時のような筋肉の完全な弛緩はみられない．

□□ 4. 〔　〕レム睡眠は，脳の休息（大脳皮質の活動低下）の度合により，4段階に分けられる．

□□ 5. 〔　〕起きている時間が短いほど，眠り始めに深いノンレム睡眠の量が多くなる．

□□ 6. 〔　〕ナルコレプシーには，日中に抑制できない眠気が，突然繰り返し起こるという特徴がある．

□□ 7. 〔　〕睡眠時無呼吸症候群では，いびきは観察されない．

COLUMN 5

「戦う」神経と「のんびり飯を食う」神経

人間の各臓器は，交感神経と副交感神経の支配を受けています．前者が緊張で後者が緩和とはよく言いますが，実際各臓器がどのように支配されているかはややこしいことが多いです．

筆者は学生時代，交感神経支配は緊張，すなわち“今から戦うぞ！”というときに，臓器がどうなっているのが有利か？を考えていました．

気管支は拡張した方がたくさん空気を吸えるので有利です．消化管の運動は抑えて，ほかのところに力をもっていった方が戦いには有利です（戦の最中にのんびり飯を食っている人はいません．飯を食うのは戦の前です）．血糖値はしっかり上げてすぐに使えるエネルギーを補充した方が有利です．

瞳孔はしっかり開いた方が戦う相手がよく見えて有利．ちょっと変わったところでは，立毛筋．これは毛を立てた方が戦いには有利です．なぜなら毛がバリバリ立っているお肉は食べにくい，すなわち捕食されにくいからです．

そして循環系．基本的には戦いに使う筋肉に多く血を流したい．だから心拍出量は上がります．心拍も増えます．そして血管は……一見，開いた方が，たくさん血が流れそうですが，ここで庭の水まきホースを思い出してください．ホースの出口，手で潰して狭くした方が，水が遠くまで飛ぶと思いませんか？これと同じで，末梢の血管は適度に収縮した方が末梢まで勢いよく血液が行き渡るのです．だから交感神経優位なのは，血管収縮です．

ただし，心臓の冠状動脈だけは別です．心拍出量を上げたり，心拍を増やしたり，ただでさえ心臓に負担がかかっている状態で，冠状動脈を収縮させてしまうと，これはさすがに栄養（酸素）の供給が追いつかなくなり，狭心症の状態になってしまいます．だから例外的に，冠状動脈だけは交感神経優位になると拡張するのです．

症候マップ　睡眠障害

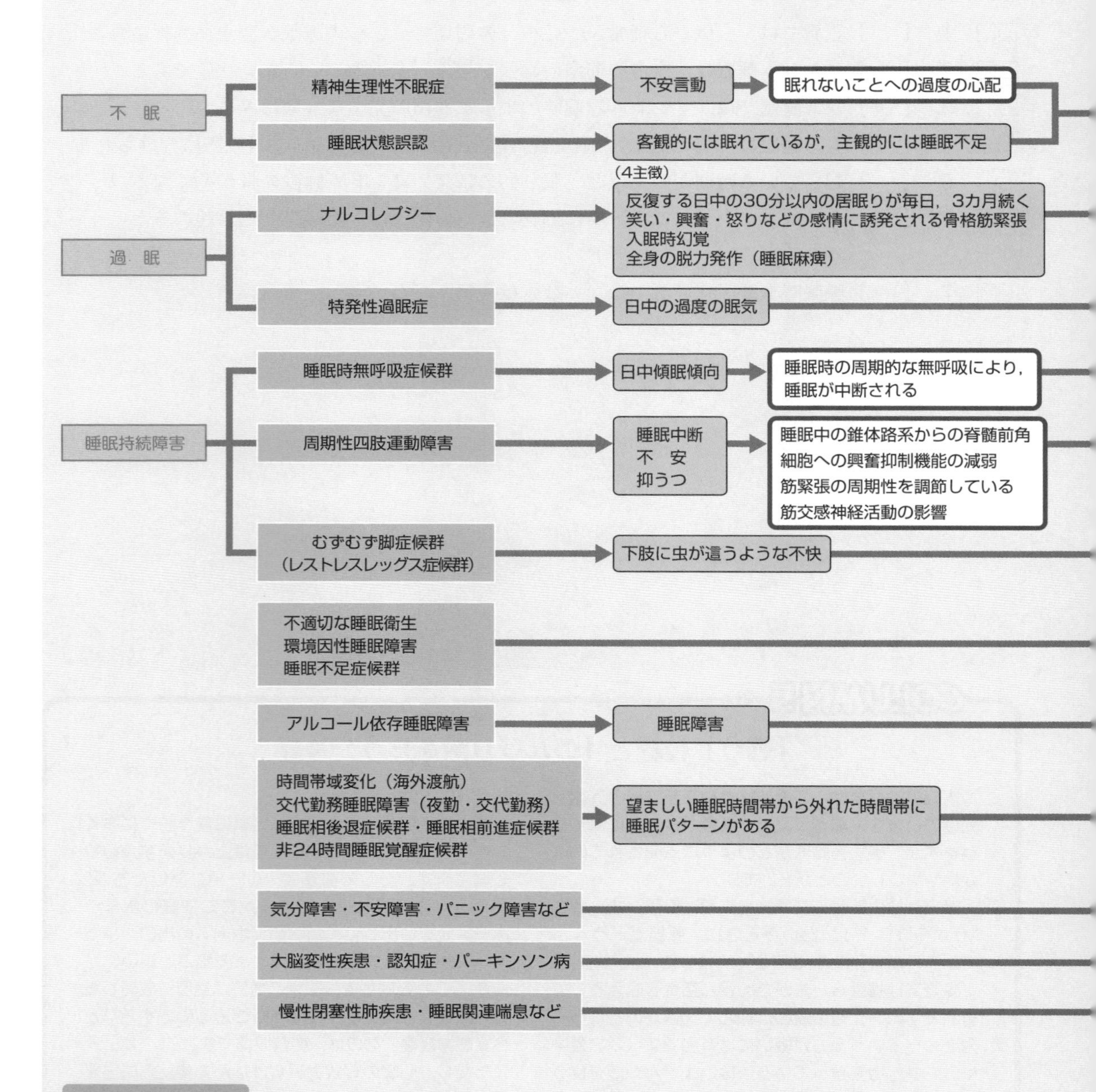

mini case

Aさんは，睡眠時間は8時間で，「よく眠れている」と熟眠感はある．しかし，職場で急に居眠りをすることが日々続いている．

- これはどのような睡眠障害か考えよう．

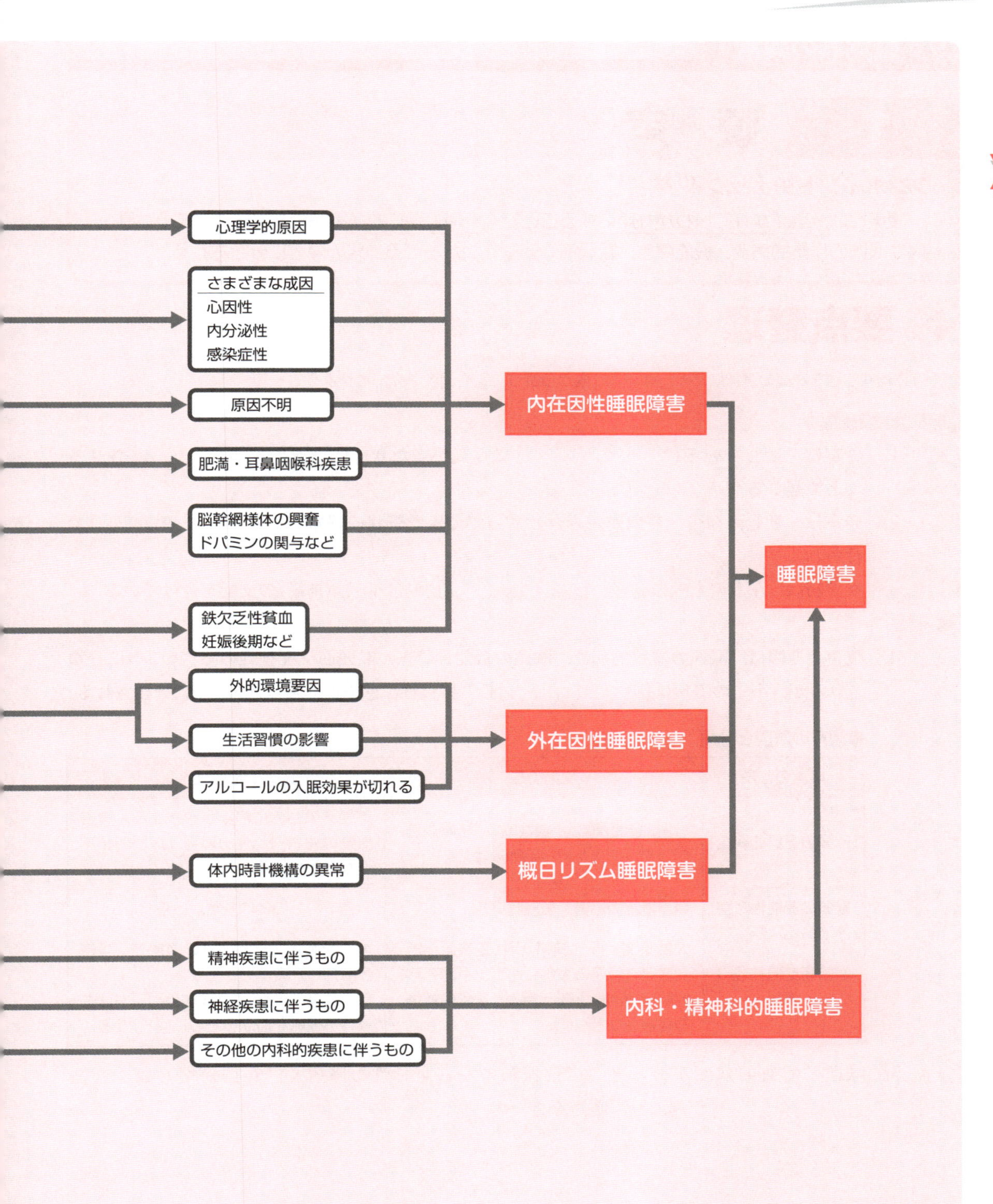
心理学的原因
さまざまな成因
心因性
内分泌性
感染症性
原因不明
肥満・耳鼻咽喉科疾患
脳幹網様体の興奮
ドパミンの関与など
鉄欠乏性貧血
妊娠後期など
外的環境要因
生活習慣の影響
アルコールの入眠効果が切れる
体内時計機構の異常
精神疾患に伴うもの
神経疾患に伴うもの
その他の内科的疾患に伴うもの
内在因性睡眠障害
外在因性睡眠障害
概日リズム睡眠障害
内科・精神科的睡眠障害
睡眠障害

1 嗄声

ワンポイントチェック！

嗄声（させい）とは，声がかれてしわがれ声になることで，声帯の閉じ方が不完全なときに起こる．原因は喉頭の器質的病変，機能障害，喉頭筋の運動をつかさどる神経の障害に分類される．

要点整理

〔　〕に適する語を次頁の選択肢，または〔　〕内から選び，文や図表を完成させよう．

喉頭の構造と機能

□□ 1. 発声は，閉じている〔a　　　　　〕に呼気が当たり，〔a〕を〔b　　　　　〕させることで起こる．

□□ 2. 発声は，軟骨，靱帯，筋肉が組み合わさってできた管状の器官である〔　　　　　〕で行われる．

□□ 3. 喉頭筋は，左右の上喉頭神経，〔　　　　　〕神経（下喉頭神経）の支配を受けている．

嗄声

□□ 4. 嗄声の原因は，喉頭の器質的病変，喉頭の機能性障害，喉頭筋支配神経の障害の3つに分類されるが，小児の嗄声は〔　　　　　〕性，外傷性，感染性，腫瘍性の4つに分類される．

●嗄声の原因と分類

嗄声の分類	原因疾患	病態生理
喉頭の器質的病変	外傷，急性喉頭炎，慢性喉頭炎，喉頭癌，声帯ポリープ，声帯結節など	声帯そのものに病変が存在する．声帯振動の左右対称性の障害，声門閉鎖不全などから，嗄声をきたす．
喉頭の機能性障害	発声器官の過労，解離性障害	声帯そのものには異常がみられない．
喉頭筋支配神経の障害	大動脈瘤，悪性腫瘍（甲状腺未分化癌，食道癌，肺癌の大動脈弓リンパ節転移，縦隔腫瘍，喉頭癌），手術，気管内挿管，神経疾患など	声帯を動かす反回神経の障害で，声帯が麻痺し，嗄声をきたす． 反回神経の走行（左は大動脈弓，右は右鎖骨下動脈を前から後ろに回る）から．

□□ 5. 喉頭に器質的病変があると，声帯振動の左右対称性の障害や，声門が閉じなくなる〔　　　　　〕が起こり，嗄声をきたす．

□□ 6. 喉頭の機能性障害には，声をよく使う職業の人にみられる発声器官の〔　　　　〕や，解離性障害などの精神疾患によるものがあるが，声帯そのものには器質的な異常はみられない．

□□ 7. 喉頭筋自体が障害されることは少ないが，〔a　　　　〕神経が障害されると声帯が麻痺し，嗄声をきたす．特に走行路の長い〔b　右・左　〕側の〔a〕神経が障害されやすい．

□□ 8. 嗄声の場合，声帯の病変によって特徴がある．

●喉頭筋の支配神経の走行

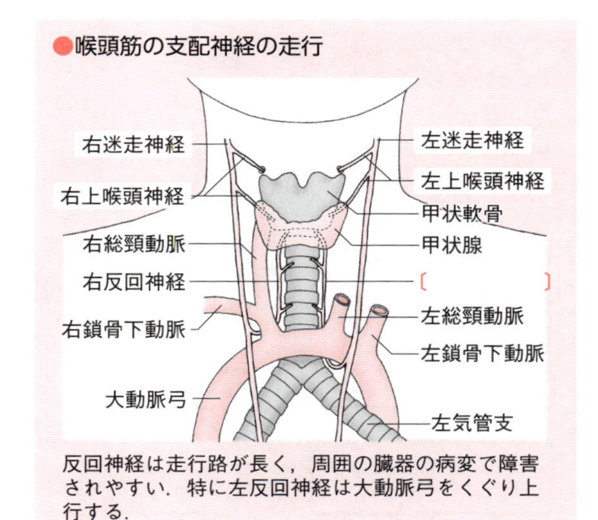

反回神経は走行路が長く，周囲の臓器の病変で障害されやすい．特に左反回神経は大動脈弓をくぐり上行する．

●嗄声の症状と病態

症　状	病　態
ガラガラした粗い声	〔a　　　　〕，声帯結節
ガラガラした重苦しい声	声帯全体が腫脹する〔b　　　　〕
ガラガラした粗い声＋金属的な響き	声帯が硬くなっている．がんの場合が多い
息もれがひどく，苦しそうな声	声帯が閉まらない状態．〔c　　　　〕を疑う

選択肢

仮性球麻痺　声帯　声門　振動　咽頭　喉頭　先天
後天　くも膜炎　声門開放不全　声門閉鎖不全　過労
声帯ポリープ　ポリープ様声帯　反回神経麻痺　左反回神経　反回

◆◆トレーニング◆◆

正しいものには ○ を，誤っているものには × を記入しよう．

□□ 1. 〔　〕発声は吸気時に声門が閉じ，これに吸気が当たって反響することにより起こる．

□□ 2. 〔　〕嗄声の発生機序である声帯の器質的変化とは，急性および慢性喉頭炎や喉頭の腫瘍，声帯の萎縮や緊張低下などをいう．

□□ 3. 〔　〕異物が喉頭に達するのは，吸気時に誤って吸引されるためである．

□□ 4. 〔　〕声帯の内転筋と外転筋は，上喉頭神経に支配される．

□□ 5. 〔　〕息もれがひどく，苦しそうなときは，声帯結節を疑う．

□□ 6. 〔　〕喉頭の炎症では熱い飲食物や刺激性の嗜好品，アルコールは禁止するが，喫煙は患者の意思に任せてもよい．

症候マップ 嗄声

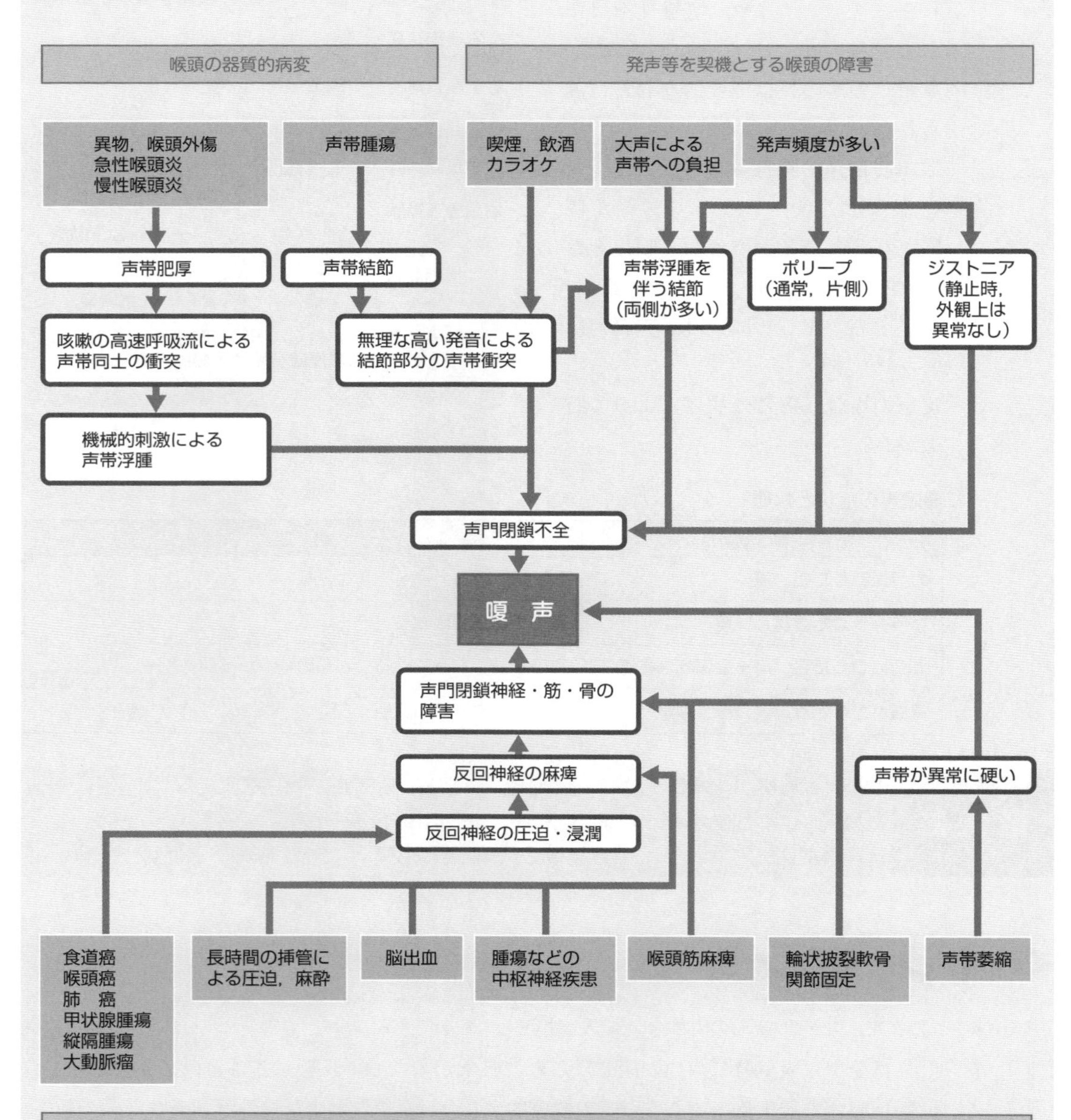

mini case

職業は歌手です．最近，声がかすれるようになり，手術を受けることになりました．

- この人の声がかすれる原因を考えよう．

2 めまい

ワンポイントチェック！

めまいとは，体の平衡感覚が乱れることをさす．めまいの性質は，天井がグルグル回るように感じる回転性めまいと，ふわふわと宙に浮いているように感じる浮動性めまいの2つに大別される．

要点整理

〔　〕に適する語を次頁の選択肢，または〔　〕内から選び，文や図表を完成させせよう．

平衡感覚機能

□□ 1. ヒトの体のバランス(平衡感覚)は，〔外耳・中耳・内耳〕にある平衡覚器の情報，視覚情報，皮膚感覚・深部感覚の情報が複合的に処理されることにより保たれている．

□□ 2. 前庭器官の平衡斑は，〔　　　　〕と重力を感知している．

□□ 3. 回転運動を感知しているのは，前庭器官の〔　　　　〕である．

□□ 4. 平衡感覚の情報は前庭神経を通って〔　　　　〕へ伝わり，視床を経て大脳に伝わる．

めまい

□□ 5. 〔　　　　〕とは，天井がグルグル回るような感じがする症状をいう．

□□ 6. 内耳の内側を満たしている内リンパ液が，何らかの原因で正常以上に貯留することを〔a　　　　〕という．〔a〕によって，めまい，耳鳴，難聴が起こる．〔a〕をきたす疾患としては，〔b　　　　〕，中耳炎などの炎症，膠原病などが知られている．

□□ 7. 〔　　　　〕は，激しい回転性めまいに嘔気，嘔吐を伴い，難聴や耳鳴がないことが特徴である．

●内耳の構造と機能

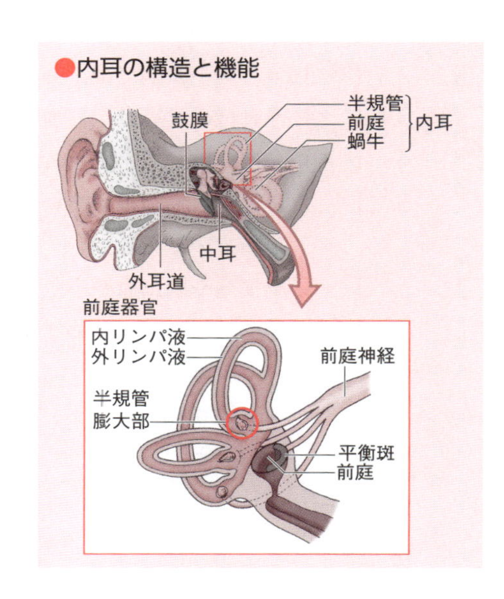

□□ 8. ●めまいの鑑別

めまいの性質	症状の現れ方	随伴症状	原因となる疾患
主に回転性	数分～数時間 長期にわたり発作性に繰り返す	耳鳴，難聴を伴う	メニエール病
回転性	〔a 〕で強い	聴力正常	前庭神経炎
	強い回転性のめまい	嘔気・嘔吐が急激に出現する	脳血管障害（脳梗塞，脳出血）
	特定の頭位により誘発	聴力正常	〔b 〕
回転性あるいは浮動性	主に動脈硬化を有する中高年	四肢の脱力やしびれなどの神経症状を伴うことが多い	椎骨脳底動脈循環不全
	徐々に悪化	他の脳神経障害 小脳症状	聴神経鞘腫
	交通事故などの外傷後	頭痛など	むちうち慢性期
浮動性			脳梗塞，高血圧，低血圧，不整脈，貧血など

選択肢

前庭神経炎　鼓膜　慢性的　突発性　循環障害　直線加速度
半規管膨大部　小脳　視床下部　浮動性めまい　回転性めまい
内リンパ水腫　動脈硬化　良性発作性頭位めまい　メニエール病

トレーニング

正しいものには ○ を，誤っているものには × を記入しよう．

□□ 1. 〔 〕ふわふわと宙に浮いているような感じがする症状は浮動性めまいである．

□□ 2. 〔 〕メニエール病では，めまいが生じる際に眼振を伴わない．

□□ 3. 〔 〕浮動性めまいは，高血圧，低血圧，不整脈などによる脳の循環不全が原因である．

□□ 4. 〔 〕主に，前庭－小脳系で起こるめまいを中枢性めまいという．

□□ 5. 〔 〕良性発作性頭位めまいは，寝返りをうったり，置き上がったりといった動作で起こるめまいである．

□□ 6. 〔 〕脳梗塞や脳出血が小脳に起こると，強い回転性めまい，嘔気，嘔吐が急激に現れる．

□□ 7. 〔 〕前庭神経炎では，めまいは通常，数日で消失する．

症候マップ めまい

回転性のめまい

- 良性発作性頭位めまい → 体動 → 内耳の平衡斑の細胞変性 クプラの変性 → グルグル回る感じがするめまい
- メニエール病 → 内耳での内リンパ水腫 → 回転運動の感知の障害 → グルグル回る感じがするめまい
- メニエール病 → 水平回旋混合性眼振 → グルグル回る感じがするめまい
- 前庭神経炎 → 水平回旋混合性眼振
- 前庭神経炎 → 前庭神経の炎症 → 平衡感覚受容器からの伝達障害 → 回転運動の感知の障害
- 聴神経鞘腫 → 腫瘍による前庭神経の圧迫 → 前庭機能障害 → グルグル回る感じがするめまい
- 椎骨脳底動脈循環不全 → 椎骨脳底動脈領域の血行不全 → 平衡感覚受容器からの伝達障害
- 椎骨脳底動脈領域の血行不全 → 脳細胞の虚血状態
- 椎骨脳底動脈循環不全 → 自律神経機能の異常 → 嘔気，嘔吐，冷汗
- 自律神経機能の異常 → 脳細胞の虚血状態
- 小脳・脳幹の出血・梗塞・閉塞 → 小脳・脳幹の循環障害 → 注視方向性の眼振 → グルグル回る感じがするめまい
- 小脳・脳幹の循環障害 → 小脳機能障害 → 前庭神経核への投射の障害 → グルグル回る感じがするめまい

浮動性のめまい

- 高血圧 → 脳動脈硬化症 脳動脈の閉鎖 → 脳の循環不全
- 不整脈 → 脳の循環不全
- 貧血 → 脳の循環不全
- 脳の循環不全 → 脳細胞の虚血状態 → ふわふわと宙に浮いたようなめまい

mini case

めまいの主訴がありますが，この訴えだけでは原因が特定できません．

1. めまいの原因となる疾患には，どのようなものがあるか症候マップで確認しよう．
2. 原因を特定するためには，どのような情報が必要か考えよう．
3. 原因が特定できたら，めまいの起こり方や随伴症状についても調べておこう．

3 視力障害

ワンポイントチェック！

視力障害は，視力の障害と視野の障害に二分される．視力の障害は光の通過経路である角膜，前眼房，水晶体，硝子体の透光性の低下や，網膜(特に黄斑部)の障害によるものが多い．視野の障害は，視神経の走行路に異常がある場合にみられる．

要点整理

〔　〕に適する語を次頁の選択肢から選び，文や図表を完成させよう．

□□ 1. 視力障害は，視力の障害と〔　　　　　　　〕の障害に大きく分けることができる．

□□ 2. 視力障害は，眼球の障害，〔a　　　　　　　〕の障害，眼圧の上昇，視神経・大脳半球の障害，眼瞼（がんけん）・外眼筋の機能障害によって起こる．

●視力障害の分類と原因疾患

分類			原因疾患
視力の障害	眼球の障害	角膜疾患	角膜混濁（角膜炎後角膜瘢痕，角膜の感染症）
		脈絡膜疾患	ぶどう膜炎（ベーチェット病，サルコイドーシス，原田病）
		水晶体疾患	〔b　　　　〕
		硝子体疾患	硝子体出血，硝子体混濁
	網膜の障害	高血圧性網膜症	悪性高血圧，〔c　　　　　　〕
		網膜中心動脈閉塞症	
		網膜中心静脈閉塞症	
		糖尿病性網膜症	
		網膜剝離	裂孔原性網膜剝離（原発性）， 続発性網膜剝離（牽引性網膜剝離，浸出性網膜剝離）
		黄斑病変	中心性網脈絡膜症，〔d　　　　　〕
		網膜色素変性	
視野の障害	眼圧の上昇	緑内障	閉塞隅角緑内障，開放隅角緑内障
	視神経の障害	視神経萎縮	単純性，炎症性（視神経炎〔慢性期〕），緑内障性
		うっ血乳頭	視神経炎（急性期），頭蓋内圧亢進
	大脳半球の障害		脳梗塞，脳出血，脳腫瘍
	眼瞼の機能障害		重症筋無力症，眼瞼痙攣
	外眼筋の機能障害		〔e　　　〕，多発性硬化症，脳動脈瘤

□□ 3. 角膜疾患，脈絡膜疾患，水晶体疾患，硝子体疾患は，眼球の〔　　　　　　　〕を障害するため，光の通過障害を引き起こす．

□□ 4. 水晶体が混濁する〔　　　　　　〕の原因は，加齢性のものが最も多い．

□□ 5. 網膜の障害では，〔　　　　　　〕に病変が及ぶと視力障害が著しい．

□□ 6. 失明の原因として最も多い〔a　　　　　　〕網膜症は，単純型網膜症と〔b　　　　　　〕網膜症に分けられる．

□□ 7. 視神経線維が炎症・脱髄・中毒などによって障害されたものを，〔　　　　　　〕(視神経症)と総称する．

□□ 8. 外眼筋の運動障害では〔　　　　　　〕をきたす．

□□ 9. 下垂体腫瘍など脳腫瘍の好発部位である〔a　　　　　　〕部が障害されると，特徴的な〔b　　　　　　〕を示す．

選択肢　両耳側半盲　糖尿病性　視野　網膜　黄斑部　白内障　複視　加齢黄斑変性　妊娠高血圧症候群　糖尿病　透光性　視交叉　増殖型　視神経炎

トレーニング

正しいものには ○ を，誤っているものには × を記入しよう．

□□ 1. 〔　〕視力障害は，眼球の障害，網膜の障害，眼圧の上昇，視神経の障害，大脳半球の障害，眼瞼の機能障害，外眼筋の機能障害に分けられる．

□□ 2. 〔　〕眼球の障害では，眼球の炎症や感染，代謝異常などによる眼球混濁により透光性が障害される．

□□ 3. 〔　〕網膜の障害には，循環障害として出血，網膜の虚血，網膜剝離，網膜の変性がある．

□□ 4. 〔　〕網膜の鼻側からの神経線維は視交叉で半交叉しており，脳の左側は右視野を，右側は左視野を受け持つため，視交叉以後の中枢性病変では同名半盲を示す．

□□ 5. 〔　〕眼圧が下がると視神経が圧迫され，軸索障害が生じて神経障害が起こる．

実力アップ

以下の問いに答えよ．

□□ **1.** 視神経交叉部の下垂体腫瘍による圧迫で生じる視野欠損はどれか．〔　　〕

1. 両眼ともに耳側が見えない．
2. 左眼の鼻側が見えない．
3. 右眼が全く見えない．
4. 左眼の鼻側と右眼の耳側が見えない．

□□ **2.** 緑内障について正しいのはどれか．2つ選べ．〔　　〕

1. 眼底に出血がみられる．
2. 眼圧が上昇する．
3. 神経障害を発症する．
4. 瞳孔が縮小する．
5. 眼球が突出する．

症候マップ　視力障害

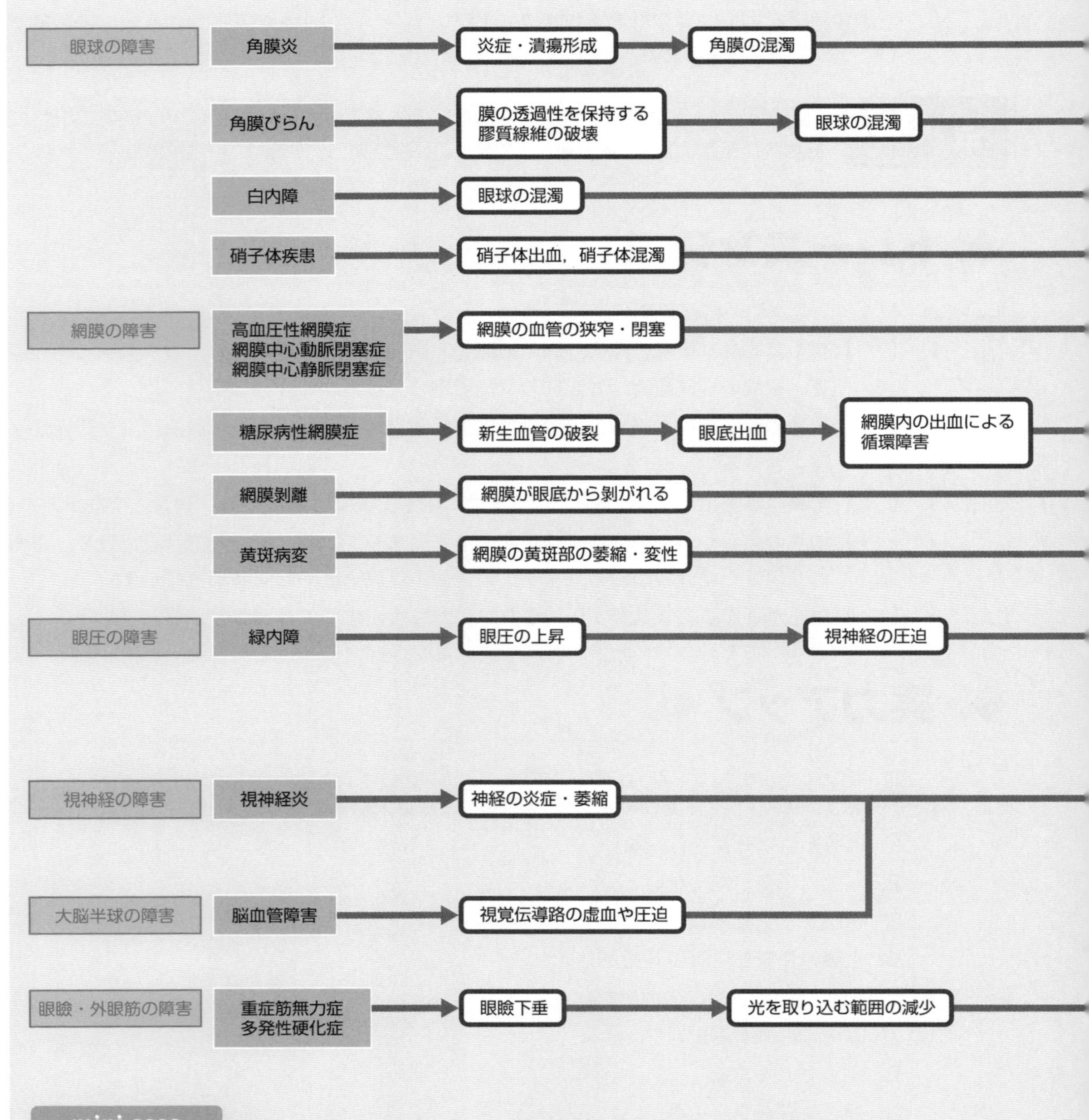

mini case

「ものが見えにくい」という主訴がありますが，この訴えだけでは原因が特定できません．

1．視力障害の原因となる疾患には，どのようなものがあるか症候マップで確認しよう．
2．原因を特定するためには，どのような情報が必要か考えよう．

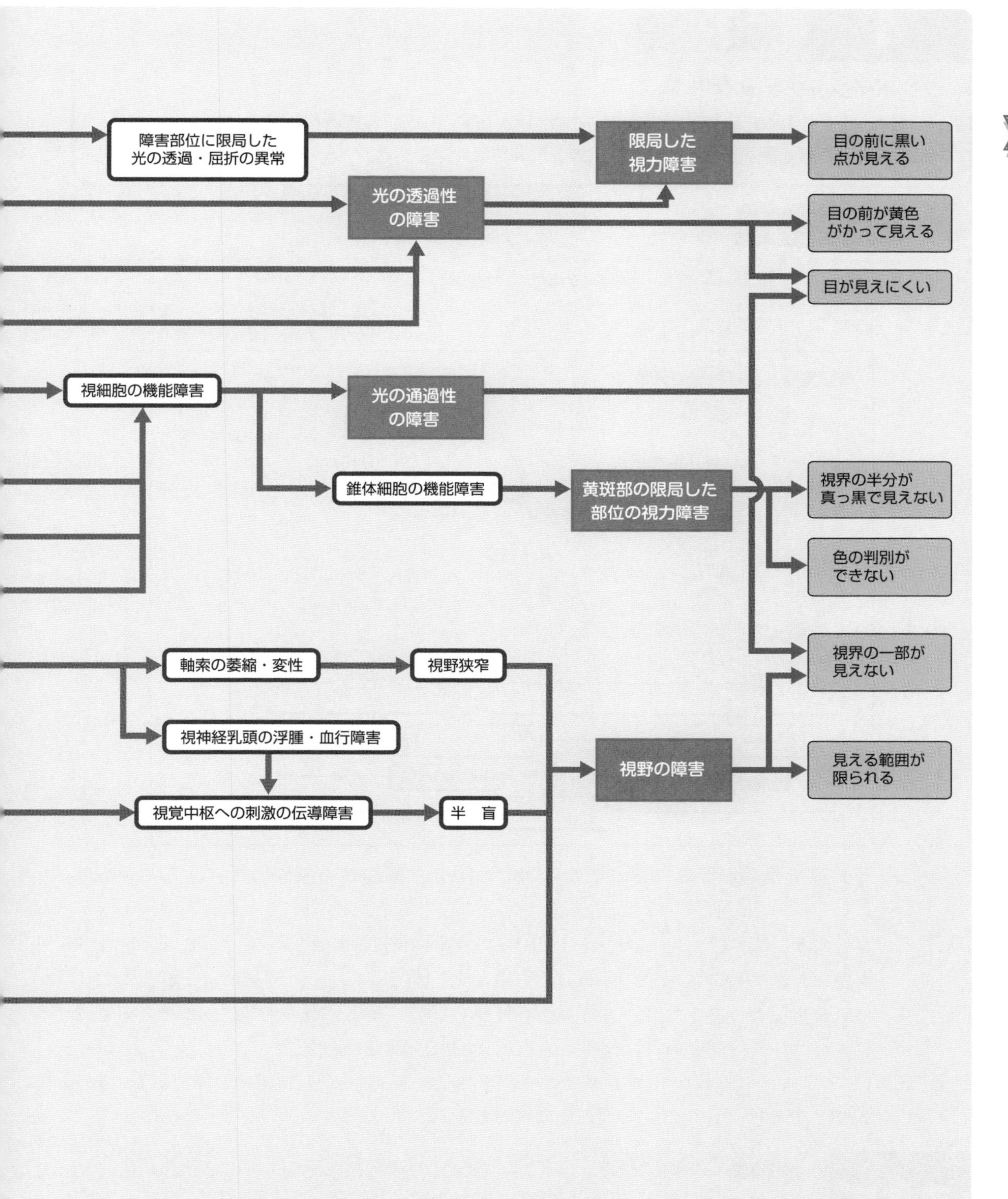
障害部位に限局した
光の透過・屈折の異常
限局した
視力障害
目の前に黒い
点が見える
光の透過性
の障害
目の前が黄色
がかって見える
目が見えにくい
視細胞の機能障害
光の通過性
の障害
錐体細胞の機能障害
黄斑部の限局した
部位の視力障害
視界の半分が
真っ黒で見えない
色の判別が
できない
軸索の萎縮・変性
視野狭窄
視界の一部が
見えない
視神経乳頭の浮腫・血行障害
視野の障害
見える範囲が
限られる
視覚中枢への刺激の伝導障害
半　盲

4 難　聴

ワンポイントチェック！

聴覚の低下によって音や声が聞こえにくいことを難聴という．原因となる障害の部位により，伝音難聴，感音難聴，混合難聴，機能性難聴の4つに分類される．

要点整理

〔　〕に適する語を下の選択肢から選び，文や図表を完成させよう．

□□ 1. 聴覚器のうち，外耳と中耳を合わせて〔a　　　　〕という．

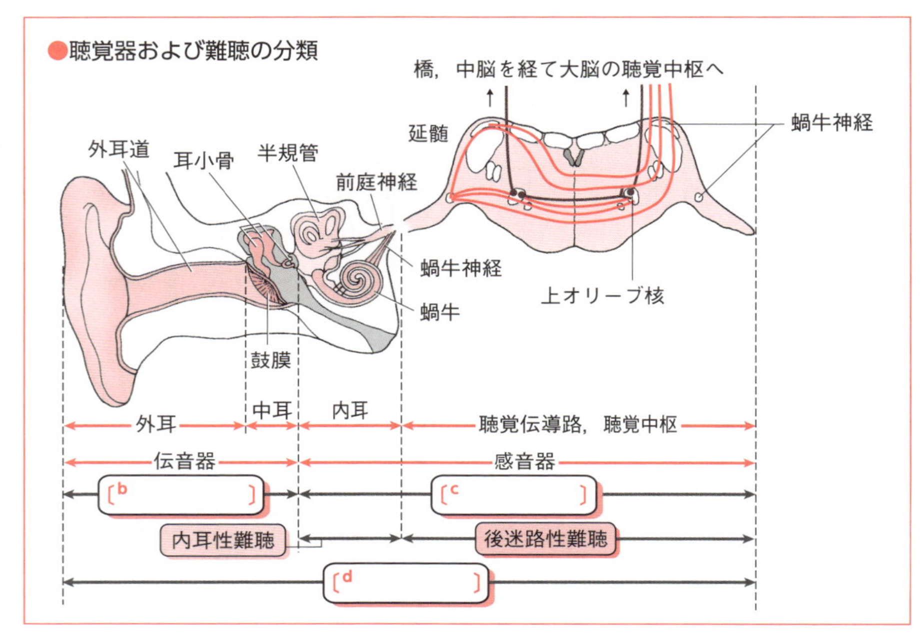

□□ 2. 聴覚器や聴覚伝導路に器質的な障害はないが，心因性の原因により生じる難聴を〔　　　　〕という．

□□ 3. 音の大きさは，〔a　　　　〕(dB)という単位を使って表される．40dB以上70dB未満の大きさの音でないと聞き取りにくい場合は，〔b　　　　〕難聴に分類される．

□□ 4. 空気中を伝わってきた音が外耳道から鼓膜を経て，耳小骨から内耳に伝導する経路を〔a　　　　〕といい，頭蓋骨から内耳に直接伝導する経路を〔b　　　　〕という．

□□ 5. 〔a　　　　〕は，音を増幅させて中耳から内耳へ音を伝える補助装置である．30～90dBまでの〔b　　　　〕難聴に有効である．

選択肢

混合難聴　機能性難聴　伝音器　軽度　中等度　高度　デシベル
ベクレル　器質性　伝音難聴　感音難聴　補聴器　人工内耳　伝音
感音　混合　気導　骨導

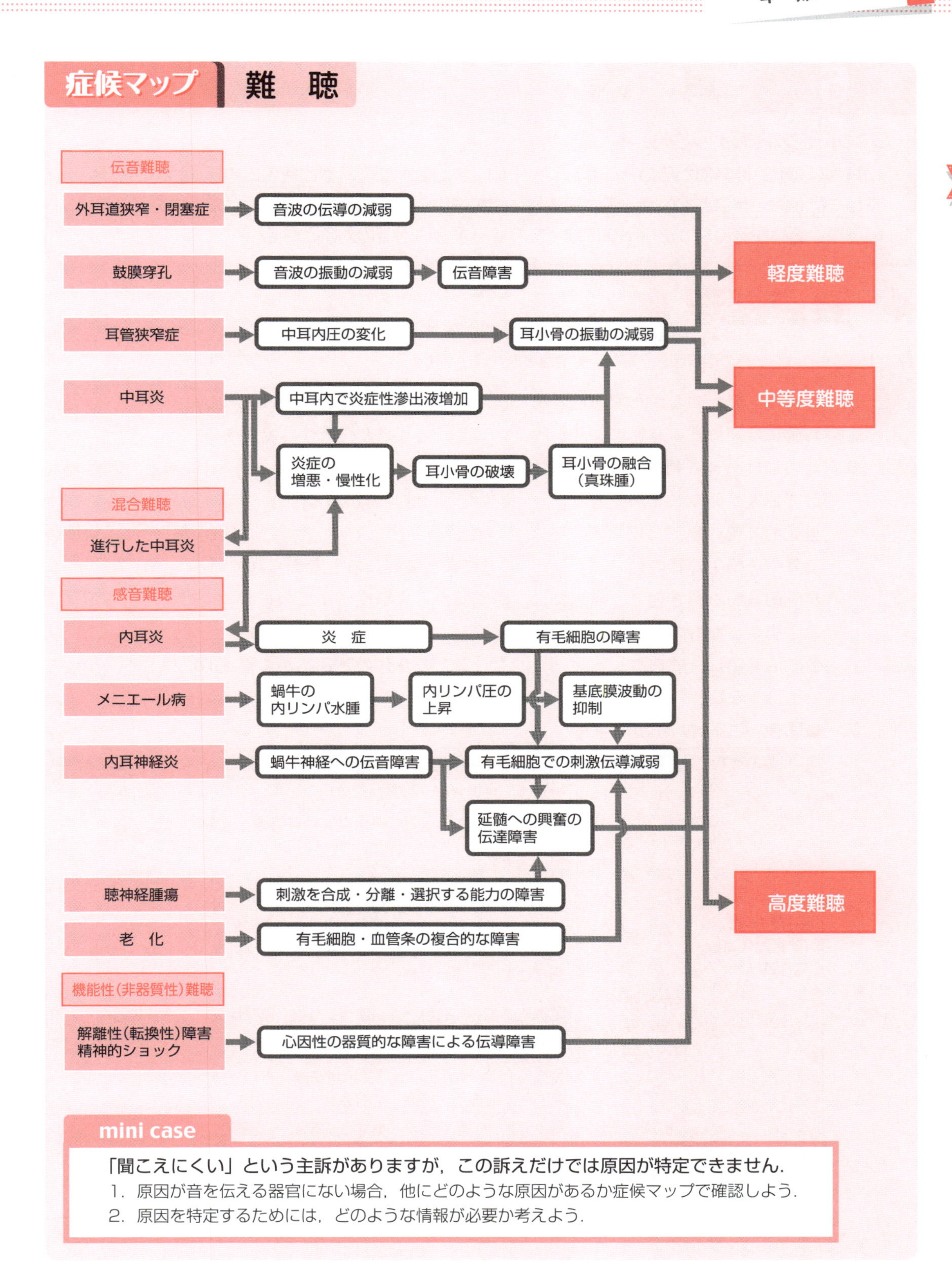

mini case

「聞こえにくい」という主訴がありますが，この訴えだけでは原因が特定できません．

1. 原因が音を伝える器官にない場合，他にどのような原因があるか症候マップで確認しよう．
2. 原因を特定するためには，どのような情報が必要か考えよう．

5 耳 鳴

ワンポイントチェック！

耳鳴(じめい)(耳鳴り)は外部からの音ではなく，一側，または両側の耳や頭蓋内に内部(聴覚)から発生した音を感じることをいう．音は連続性，間欠性または拍動性で，ほとんどの人が感じるものだが，それが気になったり不快になったりする場合は治療の対象となる．

要点整理

〔　〕に適する語を次頁の選択肢から選び，文や図表を完成させよう．

□□ 1. 耳鳴は，発症のしかたで急性耳鳴と〔　　　　〕耳鳴に分けられる．

□□ 2. 耳鳴には，難聴の有無により〔　　　　〕耳鳴と難聴性耳鳴がある．

□□ 3. 耳鳴には，音響刺激がなくても本人にのみ聴こえる〔a　　　　〕耳鳴と，聴診器などで他人も聞くことができる〔b　　　　〕耳鳴がある．

□□ 4. 自覚的耳鳴の原因は明らかにされていないが，〔a　　　　〕(蝸牛神経)の過敏性の上昇や，蝸牛神経の〔b　　　　〕によって起こると考えられている．

□□ 5. 自覚的耳鳴を引き起こす疾患には，聴覚器から大脳皮質までの〔　　　　〕を障害するさまざまなものがある．

□□ 6. 他覚的耳鳴は，筋肉や〔　　　　〕などの身体の雑音源から機械的に生じる．頻度としては少ない．

□□ 7. ●耳鳴の主因となる疾患・病態

耳鳴の種類	障害部位	主因となる疾患・病態	伴う難聴の分類
自覚的耳鳴 (非振動性耳鳴，真性耳鳴)	外　耳	外耳炎，耳垢塞栓，外耳道内異物	伝音難聴
	中　耳	〔a　　　　〕，耳硬化症，中耳外傷，上鼓室炎	伝音難聴
	耳　管	耳管炎，耳管狭窄症	伝音難聴
	内　耳	老人性難聴，突発性難聴，〔b　　　　〕，内耳振盪症，外リンパ瘻，内耳炎，薬物中毒（ストレプトマイシンなど），内耳外傷，音響外傷，騒音性難聴，急性音響性障害	感音難聴 (内耳性難聴)
	後迷路 脳　幹 大　脳	聴神経腫瘍，くも膜炎，髄膜炎，脳炎，脳動脈瘤，動静脈奇形，脳腫瘍	感音難聴 (後迷路性難聴)
	全身疾患	貧血，〔c　　　　〕，甲状腺腫，リウマチ，高血圧，低血圧，妊娠，心臓疾患	
他覚的耳鳴 (振動性耳鳴)	筋肉性雑音	耳小骨筋・口蓋帆張筋・咽頭筋の攣縮，鼓膜音	
	血管性雑音	頭部動静脈奇形，グロムス腫瘍，頸静脈憩室・高位頸静脈腫瘍，重症貧血のコマ音（静脈雑音），血管腫，脳底部動脈瘤	

□□ 8. 一般に，中耳などの伝音性聴覚器の障害に伴う耳鳴は，〔a　　　　　　　〕で持続が〔b　　　　　　　〕.

□□ 9. 一般に，内耳から聴覚中枢に至るまでの，感音性聴覚器および聴覚伝導路の障害に伴う耳鳴は，〔a　　　　　　　〕で持続が〔b　　　　　　　〕.

□□ 10. 耳鳴のほとんどは〔a　　　　　　　〕耳鳴で，〔b　　　　　　　〕耳鳴は少ない.

□□ 11. 耳鳴はあらゆる部位の障害で起こるが，しばしば難聴，耳閉感，耳痛，めまい，異常眼球運動，〔a　　　　　　　〕や起立障害などの〔b　　　　　　　〕障害（前庭系障害）を伴う.

□□ 12. 耳鳴の決定的な治療法はなく，多くは〔　　　　　　　〕療法が中心となる.

選択肢

糖尿病　無難聴性　自覚的　他覚的　内耳神経　興奮抑制　異常興奮
中耳炎　メニエール病　血管　慢性　高音性　低音性　短い
長い　連続性　拍動性　聴覚神経路　眼振　平衡　対症

トレーニング

正しいものには ○ を，誤っているものには × を記入しよう.

□□ 1. 〔　　〕耳鳴とは，一側，または両側の耳や頭蓋内に響く不快な音で，必ず頭痛を伴う.

□□ 2. 〔　　〕自覚的耳鳴は本人のみに聞こえる聴覚異常感で、何らかの音響刺激が原因となる.

□□ 3. 〔　　〕他覚的耳鳴は，血管や筋肉から発せられる雑音によって生じる.

□□ 4. 〔　　〕他覚的耳鳴では，音は確認できるが本人の自覚はない.

□□ 5. 〔　　〕耳鳴は，聴覚器から大脳皮質までの聴覚神経路のうち，いずれの部位の障害によっても起こりうる.

□□ 6. 〔　　〕耳鳴の多くは他覚的耳鳴である.

□□ 7. 〔　　〕中耳炎や耳管狭窄症では，中耳における液体振動の伝導が減弱するため，自覚的耳鳴が起こる.

□□ 8. 〔　　〕頭部の動静脈奇形では，血管の短絡（シャント）による血管性雑音が生じ，拍動性の他覚的耳鳴が起こる.

□□ 9. 〔　　〕伝音難聴を伴う耳鳴は，難治性であることが多い.

実力アップ

以下の問いに答えよ.

□□ **1. 耳鳴と難聴を伴う回転性のめまいがある場合，最も考えられるのはどれか.**　〔　　　〕

1. 小脳出血
2. 良性発作性頭位めまい
3. メニエール病
4. 脳底部動脈瘤

症候マップ　耳　鳴

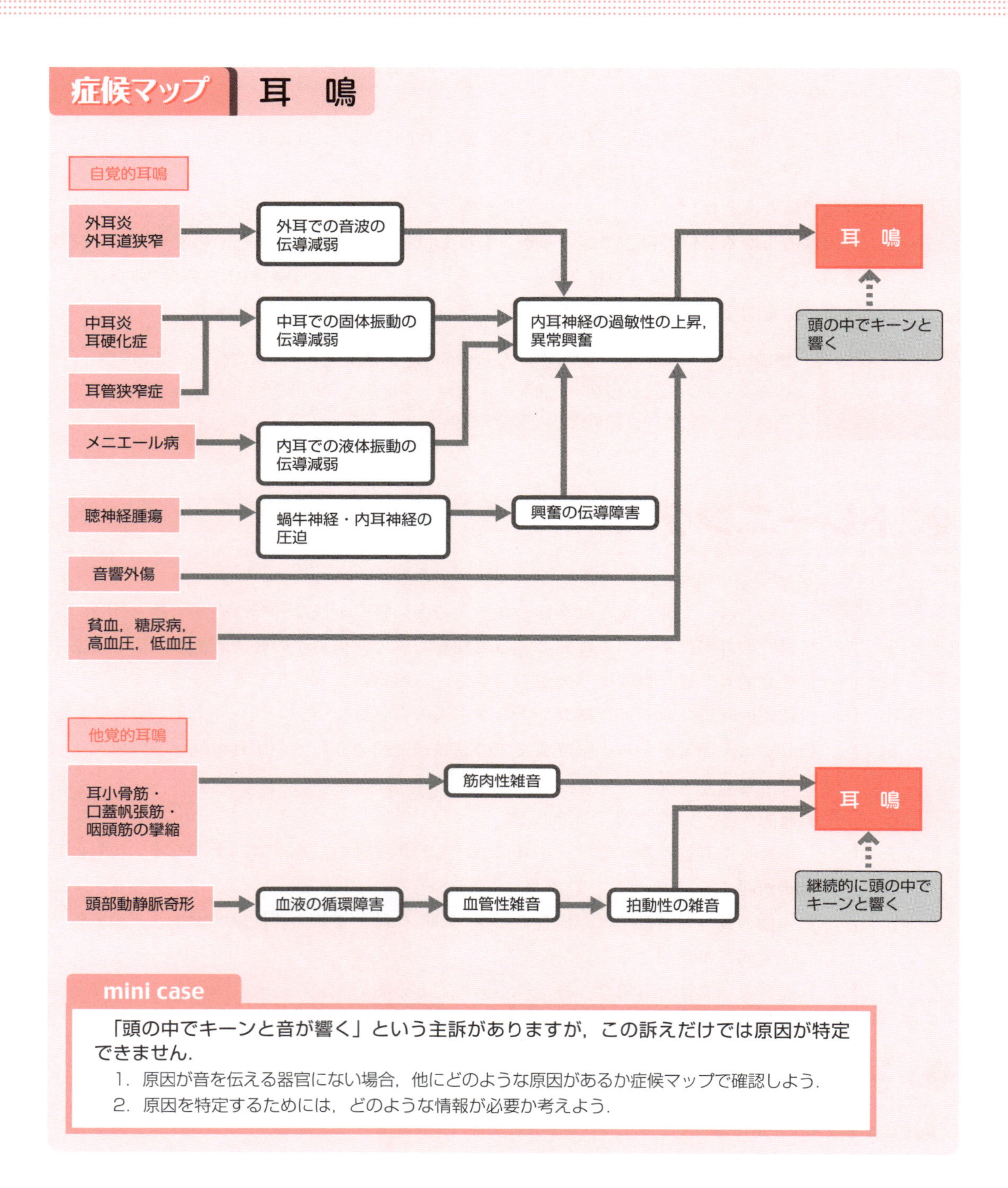

mini case

「頭の中でキーンと音が響く」という主訴がありますが，この訴えだけでは原因が特定できません．

1．原因が音を伝える器官にない場合，他にどのような原因があるか症候マップで確認しよう．
2．原因を特定するためには，どのような情報が必要か考えよう．

6　味覚障害

ワンポイントチェック！

味覚障害では，「食べ物の味がわからない」「家族に料理の味付けがおかしいと言われた」など，味覚に関する異常が認められる．以前は高齢者に多くみられたが，近年では若年層でも増加の傾向にあり，全世代にみられる．

要点整理

〔　〕に適する語を次頁の選択肢から選び，文や図表を完成させよう．

味覚と味覚受容器

□□ 1. 味覚の受容器である〔a　　　　〕は，舌や軟口蓋，〔b　　　　〕にあり，味の情報を脳に伝える．

□□ 2. 味覚には甘味，塩味，酸味，〔　　　　〕，うま味がある．

□□ 3. 味覚の受容器につながる神経のうち，舌の前側3分の2は〔a　　　　〕神経（顔面神経の枝），舌の奥側3分の1は〔b　　　　〕神経につながっている．

味覚障害

□□ 4. 味覚障害の原因は，味覚受容器や〔a　　　　〕の障害，中枢神経系のいずれかの部位の障害が考えられるが，〔b　　　　〕のものや原因が不明なものも多い．

●味覚障害の主な原因

原　因	内　容
薬剤性	最も多い．薬剤の亜鉛キレート作用や，吸収阻害作用が原因と考えられる．
亜鉛欠乏性	血清亜鉛値の低下（70 μg/dL未満）が認められる．
特発性	問診や臨床検査で原因や誘因が特定できないもの．
心因性	〔c　　　　〕，神経症，仮面うつ病などでみられる．
全身性疾患	〔d　　　　〕，肝疾患，腎疾患などでみられる．
口腔・唾液腺疾患	舌炎，舌苔，口内乾燥症に伴うもの．
末梢の味覚伝導路障害	顔面神経の障害：ベル麻痺，中耳炎，中耳の手術や外傷，聴神経腫瘍 舌咽神経の障害：球麻痺，扁桃摘出術などでみられる．
中枢神経障害	〔e　　　　〕，脳出血，脳腫瘍，頭部外傷などでみられる．

□□ 5. ●味覚障害の主な症状

症　状	病　態
味覚消失	味がまったくわからない．
〔a　　　　〕	味に対する感じ方が鈍くなる．
自発性異常味覚	口に何も入っていないのに，苦みなどを感じる．
解離性味覚障害	甘味など，特定の味覚だけがわからなくなる．
〔b　　　　〕	異なる味を感じる（多くは甘いものが苦く感じられる）．
悪味症	何を食べても，嫌な味になる．

□□ 6. 利尿薬，降圧薬，抗うつ薬，ステロイドホルモンなどの薬剤や，ポリリン酸やフィチン酸が繁用されている加工食品の偏食は，〔　　　　　〕欠乏を生じさせ，味覚障害の原因となる．

選択肢

苦味　辛味　渋味　鼓索　舌咽　亜鉛　関節リウマチ
味覚伝導路　慢性　急性　心因性　解離性障害　糖尿病
脳梗塞　味覚減退　異味症　味蕾　喉頭　咽頭　扁桃

トレーニング

正しいものには ○ を，誤っているものには × を記入しよう．

□□ 1. 〔　〕味覚の受容器である味蕾は，舌の表面に見られる糸状乳頭の頂部にある．

□□ 2. 〔　〕味覚障害の症状のうち，味がまったく分からないものを味覚消失といい，味の感じ方が鈍いものを味覚減退という．

□□ 3. 〔　〕口に何も入っていないのに，苦みを感じるのが自発性異常味覚である．

□□ 4. 〔　〕解離性味覚障害では，甘味などの特定の味覚を強く感じる．

□□ 5. 〔　〕味覚障害の症状のうち，悪味症は食べたものと違う味を感じることで，何を食べても嫌な味がするものを異味症という．

□□ 6. 〔　〕味覚障害の原因は薬剤によるものが最も多い．

□□ 7. 〔　〕薬剤が原因の味覚障害は，キレート作用(ミネラルを包み込む作用)により，カルシウムが体外へ排出され欠乏するために起こる．

□□ 8. 〔　〕顔面神経の障害，舌咽神経の障害など，末梢の味覚伝導路障害や，味覚中枢障害を原因とする中枢神経障害によっても，味覚障害は生じる．

実力アップ

以下の問いに答えよ．

□□ **1. 味覚障害の原因となるのはどれか．** 〔　　〕

1. マグネシウム欠乏
2. リン欠乏
3. 亜鉛欠乏
4. カルシウム欠乏

症候マップ 味覚障害

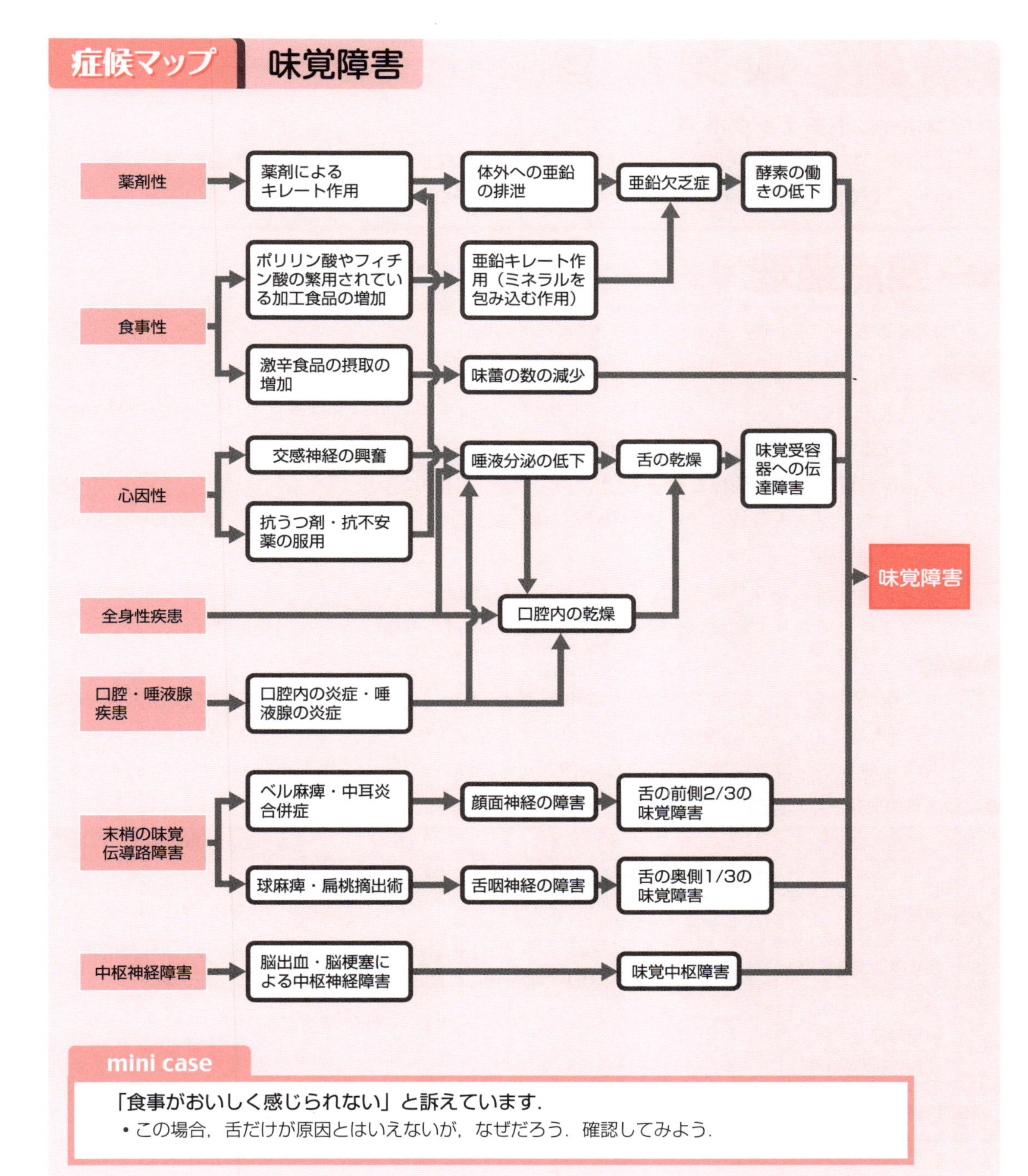

mini case

「食事がおいしく感じられない」と訴えています．

- この場合，舌だけが原因とはいえないが，なぜだろう．確認してみよう．

7　嗅覚障害

ワンポイントチェック！

においがまったく分からない，感じにくい，または本来とは異なるにおいに感じたり，何もないところで嫌なにおいを感じたりすることを嗅覚(きゅうかく)障害という．

要点整理

〔　〕に適する語を下の選択肢から選び，文や図表を完成させよう．

嗅　覚

□□ 1. 大気中の〔a　　　　　〕は，鼻粘膜の表面を覆っている粘液に溶け込んで，粘膜内にある〔b　　　　　〕の嗅小毛（のレセプター）で受容される．

□□ 2. 嗅神経は篩骨の篩板を通って〔a　　　　　〕内に入り，〔b　　　　　〕の僧帽細胞とシナプスを形成している．〔b〕から脳底部まで伸びる嗅索の一部は，扁桃体や梨状前野に達する．

□□ 3. 嗅覚系は複雑な情動や〔a　　　　　〕に関わっている．例えば，嗅索の一部は脳幹まで続いており，においを嗅ぐと唾液を分泌する〔b　　　　　〕を起こす．

嗅覚障害

□□ 4. 嗅覚障害は，鼻疾患あるいは中枢性疾患により，嗅覚器官のいずれかの部位で〔a　　　　　〕変化が起こったり，機能的に〔b　　　　　〕が起こることで生じる．

□□ 5. 嗅覚脱失・嗅覚障害の原因には，〔a　　　　　〕性のものと中枢神経性のものがある．

●嗅覚障害の分類と主な原因

分　類		メカニズム	主な疾患および原因
末梢性嗅覚障害	〔b　　　　　〕性嗅覚障害	においの経路（嗅裂）がふさがれ，におい物質が嗅細胞のある〔c　　　　　〕に到達できない	慢性副鼻腔炎やアレルギー性鼻炎などによる粘膜の炎症性腫脹，鼻中隔弯曲症
	嗅粘膜性嗅覚障害	嗅粘膜における〔d　　　　　〕の機能低下．〔d〕が傷害を受けた状態にある	風邪，慢性副鼻腔炎，薬剤，刺激性ガス（有害物質）の吸入
	〔e　　　　　〕性嗅覚障害	嗅神経細胞体からの軸索（嗅糸）の断裂	頭部の前後方向からの打撲
	（混合性嗅覚障害*）	長期の炎症による嗅粘膜の障害	
中枢神経性嗅覚障害		嗅球から〔f　　　　　〕までの嗅覚の経路が障害されることによって生じる	頭部外傷，脳腫瘍，脳手術，初期のアルツハイマー病，〔g　　　　　〕

*呼吸性嗅覚障害と嗅粘膜性嗅覚障害との鑑別が困難なもの．

□□ 6. 嗅細胞が傷害を受けいったん〔　　　　　〕すると，再生し，嗅覚が回復するのに，数カ月以上かかる場合が多い．

選択肢
頭蓋　坐骨　末梢　呼吸　嗅覚異常　変性　嗅細胞　嗅球　嗅粘膜
末梢神経　嗅覚中枢　行動反応　反射　におい物質　器質的　心身症

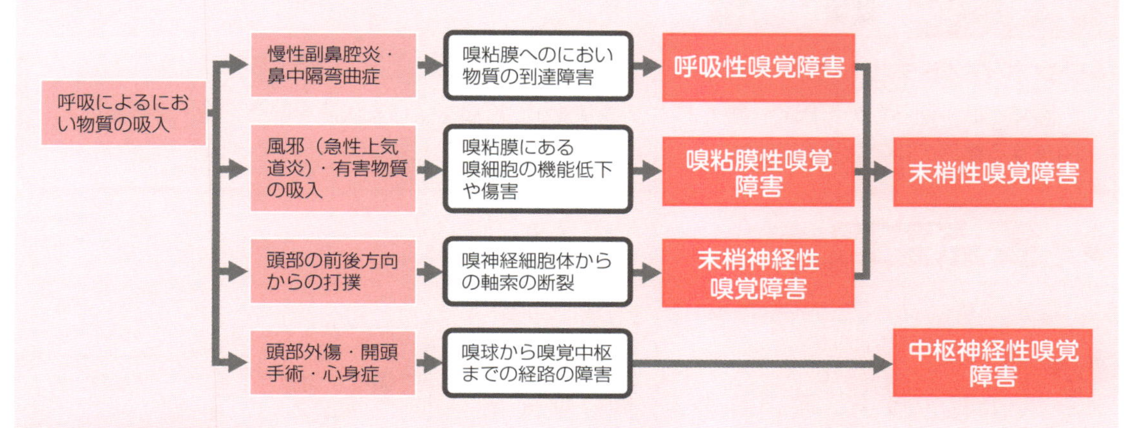

mini case

「においが感じられない」と訴えています．

- この場合，鼻だけが原因とは言えないが，なぜだろう．確認してみよう．

COLUMN6

医療の世界には，いろいろ独特の言い回しがあります

医療の世界では，独特の漢字の読み方をしたり，世間一般に使われている言葉が違う意味に使われていたりといったことがあります．

例えば,「外側」,「内側」．これは,何と読みますか？

一般的には「そとがわ」,「うちがわ」でしょう．ところが，医療の世界では「がいそく」,「ないそく」と読みます．頭蓋骨はどうですか？　これは「ずがいこつ」ではなく「とうがいこつ」です．このような独特の読み方はほかにもいろいろあるので注意が必要です．

では，世間一般で使われるのと違う意味をもつ言葉ですが，典型的なのは本文にも出てきている「ショック」でしょう．普通は,「応援していた選手があんな負け方をしてショックだった」というように使いますよね．でも医療では，ショックは「衝撃」の意味ではなく「急性循環不全」の意味です．応援していた選手が負けると心にショック（衝撃）は受けますが，心原性ショック（心臓の機能障害による急性循環不全）にはなりません．

そのほかにも,「貧血」という言葉．「校長先生の朝礼でのお話し中，貧血で倒れてしまった」とはよく聞くフレーズです．しかし，これは本当に貧血でしょうか．「貧血」は，医学的には血中ヘモグロビン濃度が減少した状態のことをいいます．校長先生のお話がいかに長くても（失礼），ヘモグロビン濃度が減ってしまうことはありませんね．倒れるのは，さまざまな理由による脳血流量の低下が原因です．

ちなみに筆者が研修医の時，採血した患者さんが血管迷走神経反射で気分が悪くなられたことがありました（採血時の迷走神経刺激による血管拡張・血圧低下による脳血流量低下です）．すぐに横になって休んでもらいながら，指導医に連絡を取って「患者さんが貧血を起こしました！」と報告しました．「君も一応医師免許をとったんだから……」と，あきれながら諭してくれた指導医のちょっと寂しそうな表情を今でも思い出します．

1 腰 痛

ワンポイントチェック！

腰痛とは，何らかの原因で，腰部および周辺領域に疼痛を生じる状態をいう．筋・骨格系に由来する痛みの中で最も頻度が高い．

要点整理

〔　〕に適する語を下の選択肢から選び，文や図表を完成させよう．

腰 椎

□□ 1. 脊椎のうち，腰部にある5個の椎骨を〔　　　　〕という．

□□ 2. 椎骨の前側を〔a　　　　〕，後側を〔b　　　　〕という．

□□ 3. 椎体は上半身の体重を支持するために大きく〔a　　　　〕になっている．椎弓の中心には〔b　　　　〕という孔があり，ここを〔c　　　　〕が走行している．

□□ 4. 連続した2つの椎骨は，上側の椎骨の〔a　　　　〕と，下側の椎骨の上関節突起によって〔b　　　　〕を形成している．

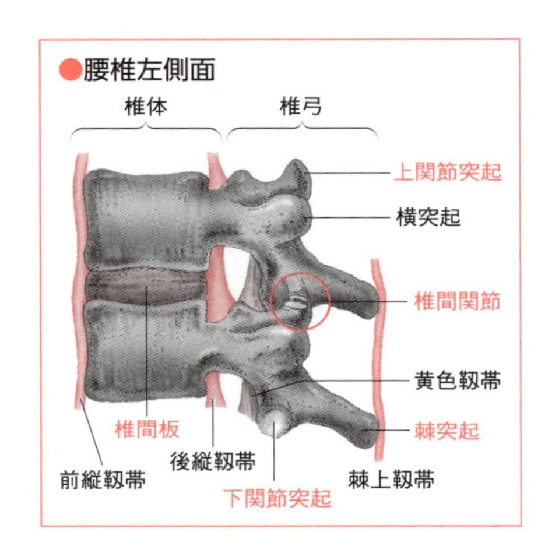

腰 痛

□□ 5. 腰痛の発生部位には，椎体・椎間関節，腰背部筋，〔　　　　〕，神経根，仙腸関節があり，それぞれ病態が異なる．

□□ 6. ●腰痛の分類

発生部位		原　因	痛みの特徴
椎体・椎間関節		椎体・椎間関節の炎症・変性	体動時痛，伸展位痛など
腰背部筋	急性	外傷による筋肉・筋膜の損傷	損傷部の治癒に応じて軽快
	慢性	加齢による筋萎縮・筋力低下	易疲労性，軽快と増悪を繰り返すことが多い
椎間板		椎間板（主に線維輪）の変性	前屈や〔a　　　〕で痛みが増強
神経根		神経根の圧迫，神経周囲の炎症	神経根への機械的刺激が増す体位で増強
仙腸関節		仙腸関節への負荷の増大	〔b　　　〕領域に特徴的にみられる

選択肢

椎骨　椎間板　関節　棘突起　球体　円柱状　直方体
腰椎　下関節突起　変形性腰椎症　椎体　椎弓　座位　側臥位
脊髄　椎孔　椎間腔　腰殿部　椎間関節

症候マップ 腰 痛

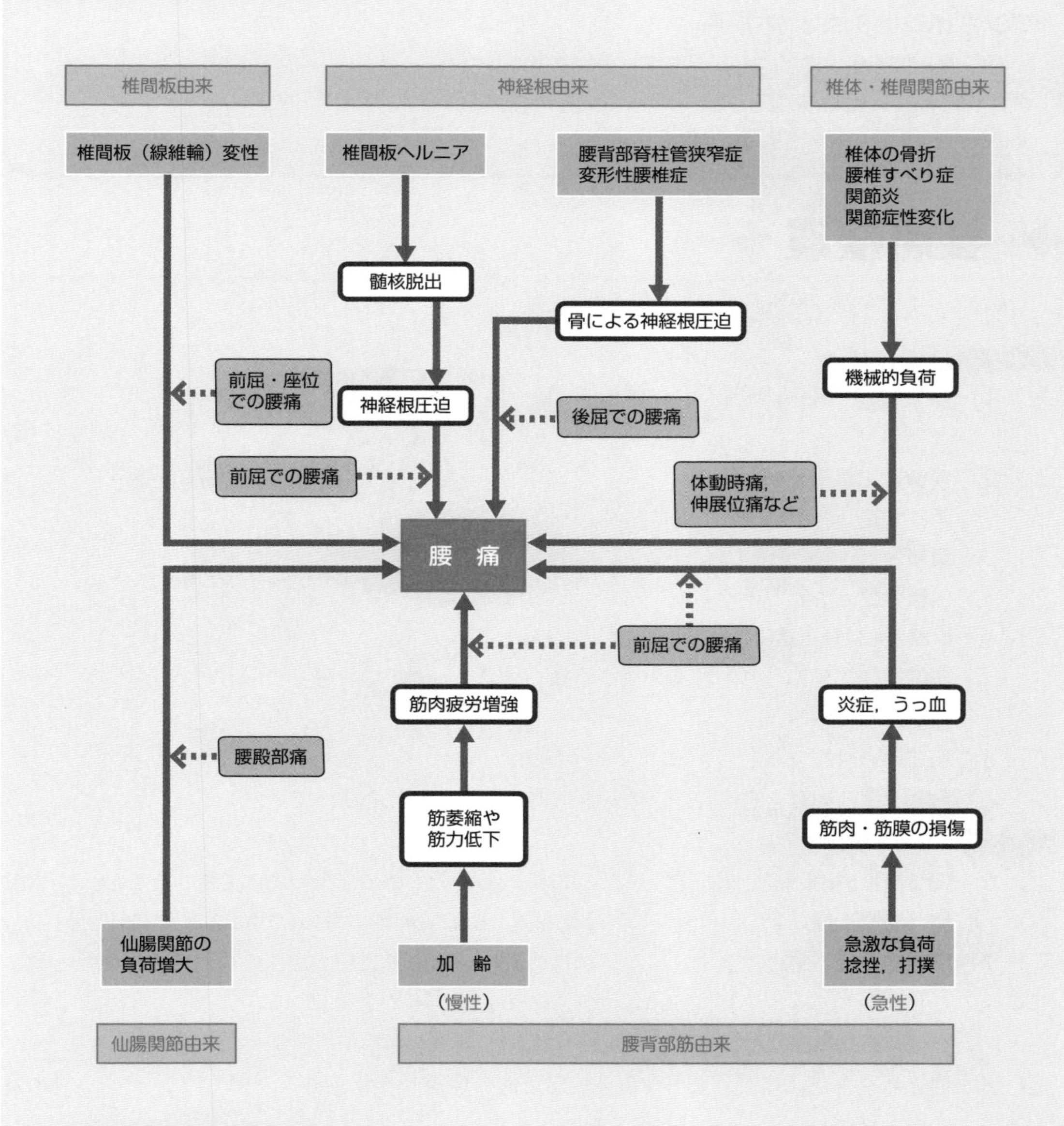

mini case

子どものころから猫背で，姿勢が悪いとよく注意されていました．まだ若いのに，長時間座っていると腰や背中が痛くなります．

1．何に由来している腰痛か考えよう．
2．腰痛を感じる体位は前屈時か後屈時か，またはその両方か考えよう．
3．脊柱の弯曲が強くなる部位はどこか考えよう．

2 関節症状

ワンポイントチェック！

関節痛とは，骨，滑膜など関節の構成組織の障害や，靱帯，腱などの周辺組織の障害によって，関節に生じる痛みのことをいう．関節症状はこの関節痛に加えて，関節の腫れや変形，可動域制限などを含めた症状全体を指す．

要点整理

〔　　〕に適する語を下の選択肢から選び，文を完成させよう．

関節の構造

□□ 1. 骨と骨との連結部分を〔　　　　　　　　〕という．

□□ 2. 関節は二重構造の〔　　　　　　　　〕によって覆われている．

□□ 3. 関節包の外側の膜を〔　　　　　　　　〕，内側の膜を滑膜という．

□□ 4. 滑膜からは無色透明の〔　　　　　　　　〕が関節腔へ分泌され，関節の動きを滑らかにしている．

□□ 5. 関節内の骨端には〔　　　　　　　　〕があり，関節の動きを滑らかにすると同時に，骨の摩耗を防いでいる．

●関節の基本構造

滑膜
線維膜
関節包（靱帯により補強）
関節腔（滑液が入っている）
関節軟骨
関節包（靱帯により補強）
骨
骨膜

関節症状

□□ 6. 関節痛は，構成組織（骨，〔a　　　　　　　　〕）そのものの障害によって起こることが多いが，筋，筋膜，腱，〔b　　　　　　　　〕などの，関節周囲の組織の障害によっても起こる．

□□ 7. 関節痛には，外傷や運動による外傷性のもの，感染や加齢・変性，自己免疫疾患などによる〔a　　　　　　　　〕性のもの，糖尿病や脊髄空洞症などの〔b　　　　　　　　〕によるもの，血液疾患や腫瘍，骨壊死などによって生じるものがある．

□□ 8. 関節痛をきたす代表的な自己免疫疾患である関節リウマチでは，〔a　　　　　　　　〕の炎症から〔b　　　　　　　　〕が引き起こされる．

□□ 9. 関節リウマチには疼痛，炎症，免疫異常に対して，〔a　　　　　　　　〕薬，NSAIDs，ステロイド，生物学的製剤といった〔b　　　　　　　　〕が行われる．

選択肢

関節包　関節　関節破壊　滑液　靱帯　関節腔　関節リウマチ
炎症　骨　腱　神経障害　関節軟骨　線維膜　薬物療法
代謝　副腎皮質ホルモン　抗リウマチ　骨膜　滑膜　温熱療法

トレーニング

正しいものには ○ を，誤っているものには × を記入しよう．

□□ 1. 〔　　〕関節リウマチになると，滑膜が減少し，関節痛と関節の変形を起こす．

□□ 2. 〔　　〕関節リウマチでは，朝，こわばった感じがある．

□□ 3. 〔　　〕シェーグレン症候群では，口渇や目の乾燥といった症状が出現する．

□□ 4. 〔　　〕関節リウマチにおいては，リウマトイド因子(RF)，抗シトルリン化ペプチド抗体(抗CCP抗体)，抗ガラクトース欠損IgG抗体(CARF)が陽性になることが多い．

□□ 5. 〔　　〕痛風は，関節内に頻繁に出血を引き起こす．

□□ 6. 〔　　〕関節リウマチは多くの場合，左右対称性に生じる．

□□ 7. 〔　　〕関節痛に対症的に使用される非ステロイド性抗炎症薬には，副作用がない．

□□ 8. 〔　　〕関節痛は，骨や滑膜など関節を構成する組織に障害が起こったときにのみ生じる．

□□ 9. 〔　　〕熱感を伴う関節痛が生じたときは，まずは冷やすことが大切である．

□□ 10. 〔　　〕抗リウマチ薬の使用時の原則は，少量から開始しゆっくり増量することである．

□□ 11. 〔　　〕いかなる関節症状の場合も，疼痛があるときは安静第一のため，運動療法は行ってはならない．

実力アップ

以下の問いに答えよ．

□□ **1.** 関節リウマチによって起こる主な炎症はどれか．〔　　〕

1. 関節周囲炎
2. 滑膜炎
3. 骨軟骨炎
4. 骨髄炎

□□ **2.** 炎症性の関節症状の組み合わせで正しいのはどれか．〔　　〕

1. 加　齢 ――― 溶連菌感染後関節炎
2. 自己免疫 ――― 全身性エリテマトーデス
3. 感　染 ――― ベーチェット病
4. 反応性 ――― 肩関節周囲炎

□□ **3.** 関節リウマチで入退院を繰り返している患者の関節症状に対する看護で適切なのはどれか．〔　　〕

1. こわばりのある関節部位に冷湿布をする．
2. 臥床時は関節を伸展位にする．
3. アスピリンは入眠前に与薬する．
4. 非活動期は関節可動域訓練を行う．

症候マップ　関節症状

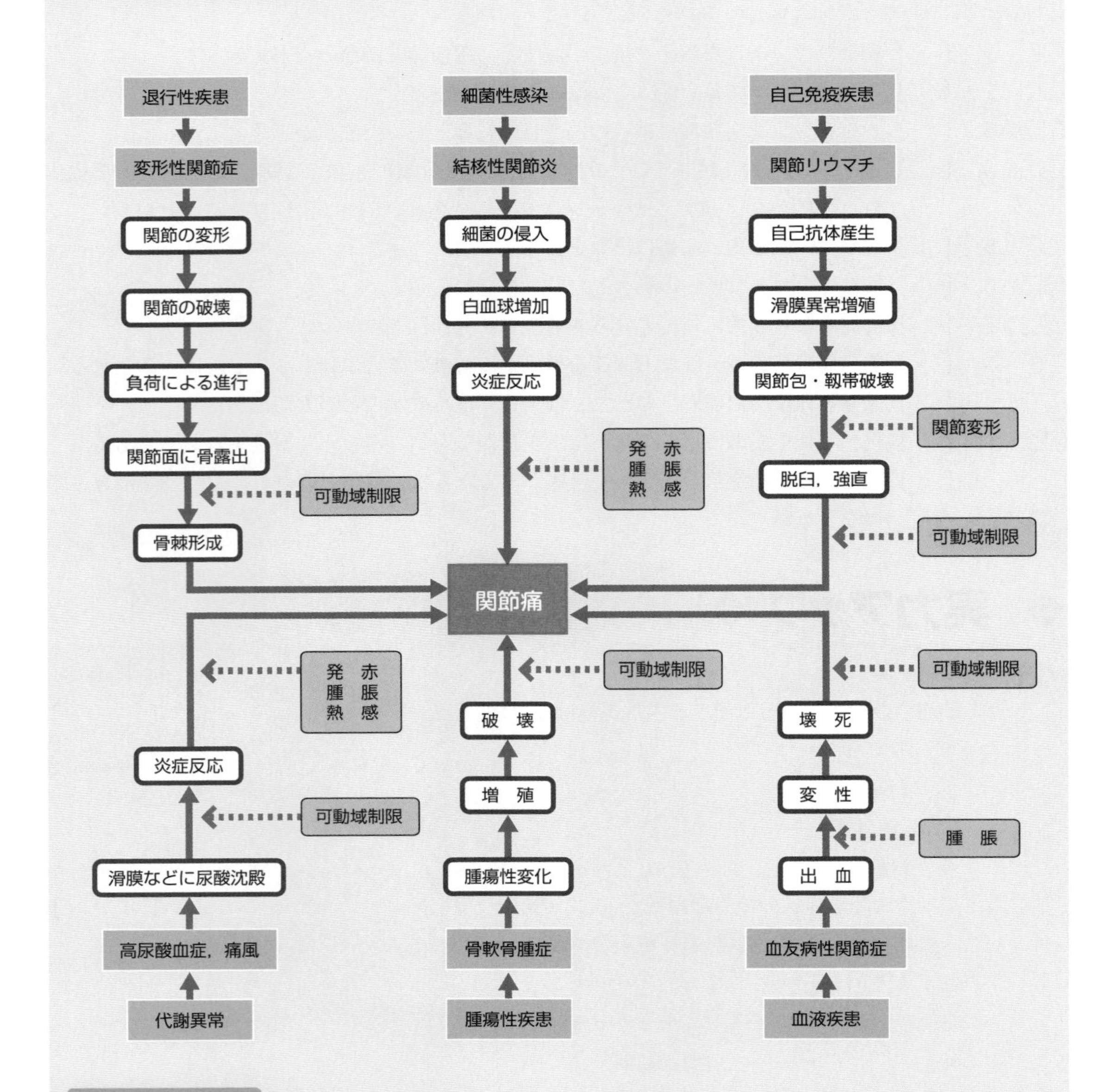

mini case

45歳の主婦です．最近，左右の指の関節が変形して，指を伸ばしたり，首を回したりするのに時間がかかります．関節には痛みもあり，朝は指がこわばっています．

1. 該当する疾患に○印をつけよう．
2. 症状の好発部位について考えよう．
3. 関節痛に至るまでの経過にマーカーを引いてみよう．

11◉その他の異常

1 倦怠感

ワンポイントチェック！

倦怠感とは，「だるい」「疲れやすい」「やる気が出ない」などの訴えの総称である．休息しても回復せず長引く倦怠感の背後には，重篤な疾患が隠されていることがある．

要点整理

〔　〕に適する語を下の選択肢から選び，文や図表を完成させよう．

□□ 1. 「だるい」「疲れやすい」などの訴えを総称して〔　　　　〕という．

□□ 2. ●倦怠感をきたす疾患と病態

分　類	病　態	主な疾患
心疾患	心拍出量低下や，右→左短絡などによる低酸素血症	心不全，心奇形
血液疾患	ヘモグロビンの減少による低酸素血症	〔a　　〕
呼吸器疾患	換気障害による低酸素血症	慢性閉塞性肺疾患（COPD），肺線維症
肝疾患	解毒能の低下による老廃物の蓄積	〔b　　〕
腎疾患	老廃物の排泄の障害	〔c　　〕，腎不全
内分泌疾患	ホルモンの異常による代謝障害	甲状腺機能低下症，糖尿病，クッシング症候群，アジソン病
神経・筋疾患	筋力低下	重症筋無力症，多発性硬化症
消化管疾患	栄養の補給障害	潰瘍性大腸炎，〔d　　〕
感染症	炎症の持続や異化の亢進によるエネルギーの消耗，貧血，栄養摂取・吸収の障害による低タンパク血症など	ウイルス感染症，結核，その他感染症
悪性腫瘍		
自己免疫疾患	慢性炎症の持続	全身性エリテマトーデス（SLE）
その他	水・電解質異常	脱水，〔e　　〕
	原因不明	慢性疲労症候群
	治療に伴う副作用	化学療法，放射線照射，手術

□□ 3. 〔a　　　　〕やエネルギーが不足すると，〔b　　　　〕によって傷害された細胞膜やタンパクの修復・新規合成が間に合わなくなり，疲労を起こすと考えられている．

□□ 4. 活性酸素による細胞の傷害が起こると免疫系の細胞がそれを認識して〔　　　　〕を産生し，これが脳内に移行することで疲労感が引き起こされる．

□□ 5. 〔　　　　〕症候群は，生活が著しく損なわれるような強い原因不明の疲労が6カ月以上持続，または再発を繰り返す病態である．

選択肢

ネフローゼ症候群　クローン病　倦怠感　貧血　活性酸素　酵素
肝硬変　低カリウム血症　高カリウム血症　栄養素　サイトカイン
慢性疲労

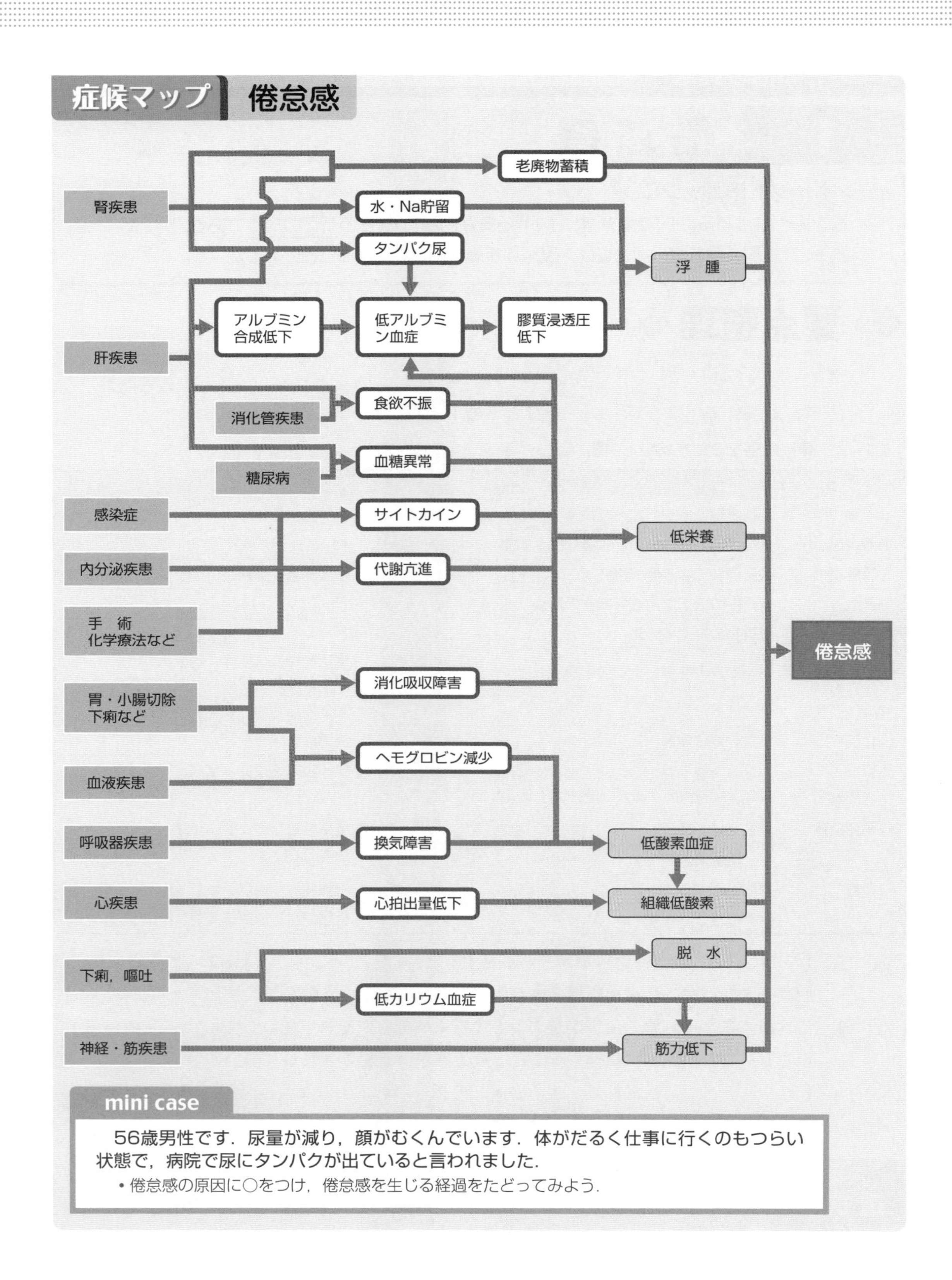
症候マップ
倦怠感
老廃物蓄積
腎疾患
水・Na貯留
タンパク尿
浮　腫
アルブミン合成低下
低アルブミン血症
膠質浸透圧低下
肝疾患
食欲不振
消化管疾患
血糖異常
糖尿病
感染症
サイトカイン
低栄養
内分泌疾患
代謝亢進
手　術
化学療法など
倦怠感
消化吸収障害
胃・小腸切除
下痢など
ヘモグロビン減少
血液疾患
呼吸器疾患
換気障害
低酸素血症
組織低酸素
心疾患
心拍出量低下
脱　水
下痢，嘔吐
低カリウム血症
神経・筋疾患
筋力低下
mini case
56歳男性です．尿量が減り，顔がむくんでいます．体がだるく仕事に行くのもつらい状態で，病院で尿にタンパクが出ていると言われました．
• 倦怠感の原因に○をつけ，倦怠感を生じる経過をたどってみよう．

2 気分［感情］障害

ワンポイントチェック！

抑うつ障害と双極性障害は，気分・感情の障害を主症状とする疾患である．身体的・精神的な活動の減衰や亢進が生じ，これらはうつ状態・躁状態と呼ばれる．

要点整理

〔　　〕に適する語を下の選択肢から選び，文を完成させよう．

□□ 1. 気分とは，特別の対象や内容をもたない感情の持続的な状態を指す．気分が変調をきたし，日常生活に支障が出てきた状態のことを〔　　　　　〕という．

□□ 2. 国際疾病分類（ICD-10）における気分障害には，〔　　　　　〕以外の要因に伴うすべての気分の障害が含まれる．

□□ 3. 抑うつ障害の一つであるうつ病は，さまざまな〔　　　　　〕において併発しやすい．

□□ 4. うつ病と双極性障害の病因として，脳内の神経伝達物質である〔　　　　　〕などの伝達機構の障害によるとする説がある．

□□ 5. うつ状態とは，〔　　　　　〕が抑えられている状態をいう．抑うつ状態と同義である．

□□ 6. うつ病は，①抑うつ気分，②興味と喜びの喪失，③〔　　　　　〕などの状態が2週間以上続く疾患である．

□□ 7. 抑うつ気分や精神運動の制止には，〔　　　　　〕がある．

□□ 8. うつ病相では，自己評価が低くなり，自己卑下を特徴とした妄想が出現することがある．この妄想を総称して〔　　　　　〕という．

□□ 9. うつ病では，「死にたい」と思う〔a　　　　　〕が起こることがあり，特に〔b　　　　　〕には自殺企図に注意が必要である．

□□ 10. 双極性障害は，〔　　　　　〕とうつ病相を繰り返す．

□□ 11. 双極性障害では，〔　　　　　〕などの睡眠障害がよくみられる．

□□ 12. 躁状態では，気分の高揚（爽快な気分）や，瞬間的・一方的に怒り出す〔　　　　　〕などが症状としてみられる．疲れを感じなくなり，自信に満ちあふれる．

□□ 13. 思い浮かんだことを次々と口にし前後の脈絡がなくなることを〔　　　　　〕という．躁状態でみられる．

□□ 14. 躁状態が進み，社会的な〔　　　　　〕がみられたり，不眠や体重減少など身体的な消耗が著しい場合は入院治療を考慮する．

選択肢

器質性因子　遺伝素因　気分障害　身体疾患　セロトニン
執着気質　アセチルコリン　躁病相　初期　回復期　逸脱行為
観念奔逸　早朝覚醒　微小妄想　心気妄想　希死念慮　自殺念慮
精神活動　易怒性　易疲労性　日内変動

トレーニング

正しいものには ○ を，誤っているものには × を記入しよう．

□□ 1. 〔　〕抑うつ気分の日内変動では，朝は気分が軽く，午後から夕方にかけて頭が重くなり何事にもやる気が出なくなることが多い．

□□ 2. 〔　〕うつ病において，自発的な運動がなくなり，外界からの刺激に対して応答しない状態をうつ病性昏迷という．

□□ 3. 〔　〕出産直後から2週間くらいの間に起こる，一過性の情動不安定な状態を産後うつ病という．

□□ 4. 〔　〕躁病相においては，患者は病識を得ることが困難である．

□□ 5. 〔　〕双極性障害の患者に薬物療法を行う場合，原則として抗うつ薬を投与する．

実力アップ

以下の問いに答えよ．

□□ 1. 躁状態について，正しいのはどれか．〔　　〕

1. 思考の速度が遅くなる．
2. 注意や関心の対象が次々と変わる．
3. 理由もなく憂うつになる．
4. 食欲が減退する．

症候マップ うつ病

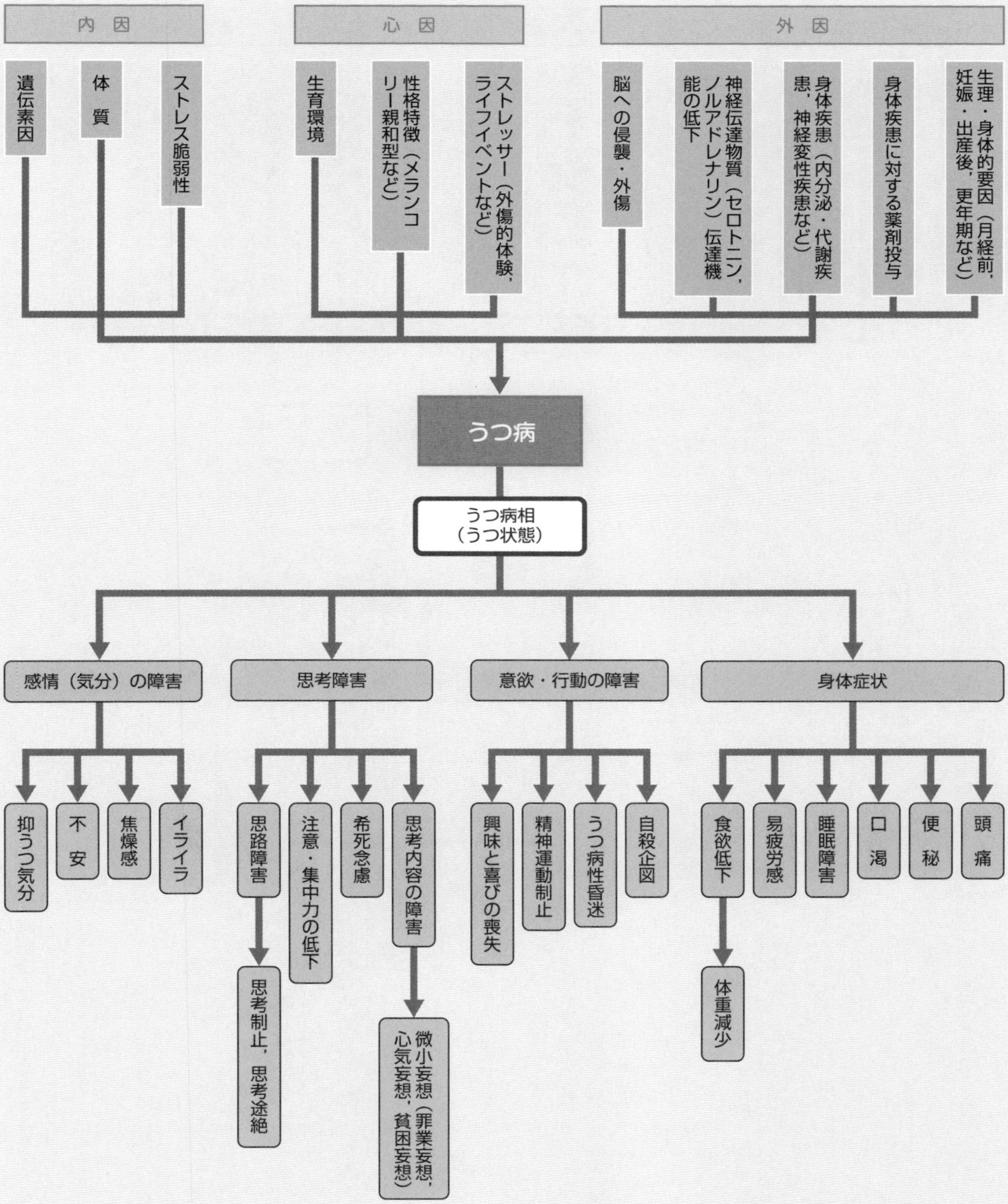

内因
- 遺伝素因
- 体質
- ストレス脆弱性

心因
- 生育環境
- 性格特徴（メランコリー親和型など）
- ストレッサー（外傷的体験，ライフイベントなど）

外因
- 脳への侵襲・外傷
- 神経伝達物質（セロトニン，ノルアドレナリン）伝達機能の低下
- 身体疾患（内分泌・代謝疾患，神経変性疾患など）
- 身体疾患に対する薬剤投与
- 生理・身体的要因（月経前，妊娠・出産後，更年期など）

↓

うつ病

うつ病相（うつ状態）

感情（気分）の障害
- 抑うつ気分
- 不安
- 焦燥感
- イライラ

思考障害
- 思路障害 → 思考制止，思考途絶
- 注意・集中力の低下
- 希死念慮
- 思考内容の障害 → 微小妄想（罪業妄想，心気妄想，貧困妄想）

意欲・行動の障害
- 興味と喜びの喪失
- 精神運動制止
- うつ病性昏迷
- 自殺企図

身体症状
- 食欲低下 → 体重減少
- 易疲労感
- 睡眠障害
- 口渇
- 便秘
- 頭痛

mini case

うつ病の患者にみられる特徴的な思考内容の障害は何かたどってみよう．

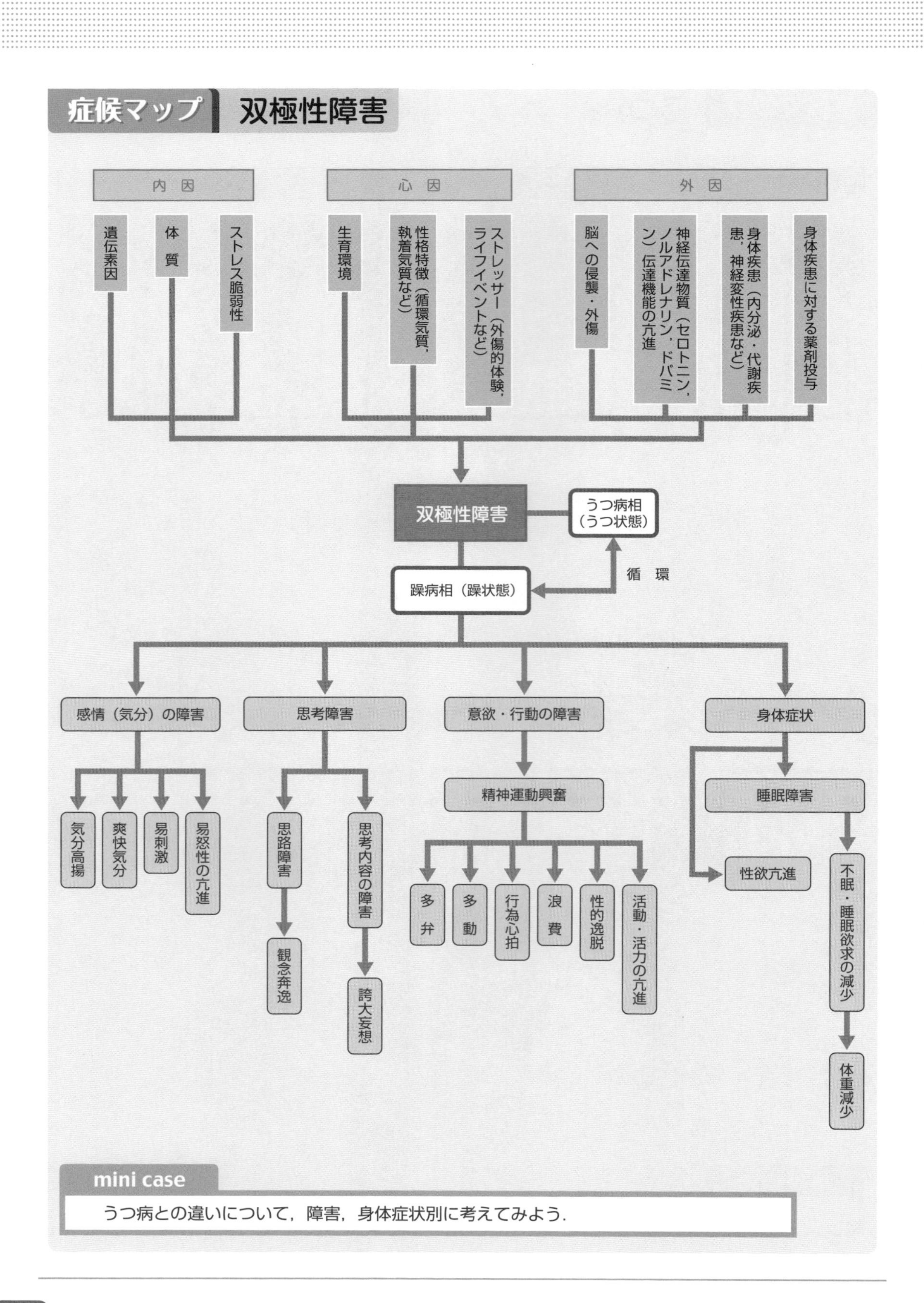
症候マップ
双極性障害
内因
遺伝素因
体質
ストレス脆弱性
心因
生育環境
性格特徴（循環気質，執着気質など）
ストレッサー（外傷的体験，ライフイベントなど）
外因
脳への侵襲・外傷
神経伝達物質（セロトニン，ノルアドレナリン，ドパミン）伝達機能の亢進
身体疾患（内分泌・代謝疾患，神経変性疾患など）
身体疾患に対する薬剤投与
双極性障害
うつ病相（うつ状態）
循環
躁病相（躁状態）
感情（気分）の障害
気分高揚
爽快気分
易刺激
易怒性の亢進
思考障害
思路障害
観念奔逸
思考内容の障害
誇大妄想
意欲・行動の障害
精神運動興奮
多弁
多動
行為心拍
浪費
性的逸脱
活動・活力の亢進
身体症状
睡眠障害
性欲亢進
不眠・睡眠欲求の減少
体重減少
mini case
うつ病との違いについて，障害，身体症状別に考えてみよう．

索引

た

な

は

ま

や

ら

装幀・本文デザイン・・・(株)くとうてん
イラストカット・・・・・・・・・・藤井 昌子
編集協力 ・・・・・・・・・(有) アドバンス

ナーシング・サプリ
改訂2版 イメージできる 病態生理学

2016年1月5日発行 第1版第1刷
2017年12月15日発行 第2版第1刷©
2025年3月20日発行 第2版第6刷

編 集 ナーシング・サプリ編集委員会
角 謙介
発行者 長谷川 翔
発行所 株式会社メディカ出版
〒532-8588
大阪市淀川区宮原3－4－30
ニッセイ新大阪ビル16F
https://www.medica.co.jp/
印刷・製本 株式会社広済堂ネクスト

ISBN978-4-8404-6211-2 Printed and bound in Japan

当社出版物に関する各種お問い合わせ先（受付時間：平日9：00～17：00）
●編集内容については、06-6398-5045
●ご注文・不良品（乱丁・落丁）については、お客様センター 0120-276-115

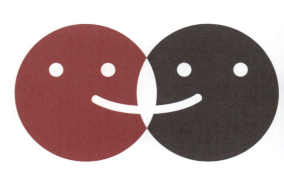

イメージできる病態生理学【解答・解説】

1章　病理病態論：病態生理学の基礎知識

1　体液の異常 (p.8～9)

■要点整理

1. a. 水分　b. 60
2. a. 40　b. 細胞外液　c. 血漿
3. a. 少ない　b. 低く　c. 65　d. 45
4. a. ナトリウム　b. カリウム
5. a. 塩化物　b. リン酸
6. 能動輸送
7. 膠質浸透圧
8. a. 食物　b. 不感蒸泄
9. a. 体液量　b. 145　c. 135
10. a. 神経　b. 5.5　c. 3.5
11. 7.35
12. a. アシドーシス　b. アルカローシス

■トレーニング

1. （×）低ナトリウム血症は，ナトリウムの欠乏または水分の過剰によって発生する．
2. （○）健常者では，血清ナトリウム濃度が高くなると血漿浸透圧が上昇し，渇中枢が刺激され飲水行動をとるため，高ナトリウム血症は補正される．
3. （○）
4. （○）
5. （×）血中のO_2濃度ではなく，CO_2濃度の低下で起こる酸塩基障害である．

2　血行障害（循環障害）(p.10～11)

■要点整理

1. a. 酸素　b. 循環障害
2. a. 動脈　b. うっ血　c. 静脈血
   d. 赤血球　e. 内出血　f. 破綻性出血
   g. 点状・斑状出血　h. 血栓症　i. 血栓
   j. 阻血　k. 速度　l. 閉塞　m. 梗塞
   n. 壊死　o. 狭窄

■トレーニング

1. （○）心臓のポンプ機能が低下すると静脈にうっ滞が生じる．
2. （×）門脈は静脈血を肝臓に送る血管なので，充血ではなく，うっ血である．
3. （×）血管壁が破れておらず，毛細血管のすき間から血液が漏れ出すことを漏出性出血という．
4. （○）
5. （×）心筋に酸素や栄養を送る血管は冠状動脈である．
6. （○）側副血行路は，正常な血行路の狭窄・閉塞を補うために発達する．
7. （×）梗塞とは動脈が閉塞し，その支配領域への酸素供給が不足する．

3　炎症と修復 (p.12～13)

■要点整理

1. 防御反応
2. 腫脹
3. 生物学的
4. ウイルス
5. 好中球
6. 赤沈の亢進
7. サイトカイン

■トレーニング

1. （×）炎症の修復に関わるのは，主に白血球である．
2. （×）炎症の場に最初に駆けつけ，貪食するのは好中球である．

3. (○)
4. (×) 免疫グロブリンはB細胞が産生分泌するタンパク質である.
5. (○) 炎症の有無・程度の指標となる検査として頻用されている.

4 免疫および自己免疫疾患 (p.14～16)

■要点整理

1. a. 自己 b. 非自己
2. リンパ球
3. a. 抗原 b. 免疫グロブリン c. 抗体
4. 主要組織適合遺伝子複合体
5. アレルギー反応
6. 免疫記憶
7. 自己抗体

■トレーニング

1. (○) ウイルスや小さな異物を抗原と呼び, 抗原を凝集させる働きをもつタンパクを抗体と呼ぶ.
2. (×) 血液中に最も多量にある抗体はIgGである.
3. (○) IgMは, 抗原の侵入に際し早期に分泌される. 細菌凝集能が高い.
4. (○) B細胞が抗原と反応して分化し, 多量の抗体を分泌するようになったものを形質細胞という.
5. (○) IgAは腸管粘膜や涙, 唾液, 母乳などに含まれている.
6. (○)
7. (×) アレルギー反応に関係する抗体はIgEである.

■実力アップ

1. 3
 Ⅰ型アレルギーは即時型で, IgE抗体が関与することで引き起こされる. 代表的な疾患は気管支喘息, アレルギー性鼻炎 (花粉症を含む), 蕁麻疹, アトピー性皮膚炎, アナフィラキシーショックなどである.
2. 1, 5
 Tリンパ球 (T細胞) は, Ⅳ型細胞性免疫反応 (遅延型) を引き起こす. ツベルクリン反応はⅣ型 (遅延型) アレルギー反応の一つである.

5 感染 (p.17～18)

■要点整理

1. 病原微生物
2. 感染経路
3. 抵抗力
4. 発疹
5. a. 接触 b. 垂直
6. スタンダードプリコーション
7. ウイルス

■トレーニング

1. (×) インフルエンザは飛沫感染によって感染する.
2. (○)
3. (×) 母親から胎児・新生児への感染は, 垂直感染である.
4. (○)
5. (×) 帯状疱疹の起因微生物は, 水痘・帯状疱疹ウイルスである.

6 変性・壊死・萎縮・老化 (p.19～21)

■要点整理

1. 変性
2. 脂肪変性
3. a. 壊死 b. 凝固壊死 c. 融解壊死
 d. 自己融解

4. 壊疽
5. a. アポトーシス　b. プログラム細胞死
6. a. 萎縮　b. 細胞　c. 減少
7. a. 生理的萎縮　b. 栄養障害
8. a. 肥大　b. 高まる
9. a. 過形成　b. 肝臓
10. 化生
11. a. 喫煙　b. ヒトパピローマウイルス
12. 加齢

トレーニング

1. （×）可逆性の形態・機能の変化は変性である．
2. （×）融解壊死は，脳梗塞（脳軟化症）でみられる．
3. （○）
4. （×）加齢による萎縮は，生理的萎縮である．
5. （○）
6. （×）慢性炎症は化生の原因になる．
7. （○）
8. （○）
9. （×）老化によって収縮力が低下すると，肺は膨張し，肺胞腔が拡張した状態（肺気腫に似た状態）になる．
10. （○）

7　腫瘍と過形成 (p.22～24)

要点整理

1. a. 無秩序　b. 自律性
2. 分化
3. a. 異型度　b. 分化度
4. 過形成
5. 遠隔転移
6. 所属リンパ節転移

トレーニング

1. （○）
2. （×）免疫療法でなく放射線療法である．
3. （×）胃癌の直腸子宮窩（ダグラス窩）への転移はシュニッツラー転移である．
4. （×）播種性転移による癌性腹膜炎により腹水が貯留する．
5. （○）
6. （○）

実力アップ

1. 1

   肝臓は「沈黙の臓器」と呼ばれ，早期の自覚症状は乏しい．肝細胞癌に特異性の高い腫瘍マーカーはAFPである．肝細胞癌は，C型肝炎ウイルスによる肝炎・肝硬変を背景に発症することが多い．

2. 2

   癌腫は上皮性悪性腫瘍である．大腸ポリープ（腺腫）は癌化（腺腫内癌）することがある．平滑筋腫は非上皮性の腫瘍である．

3. 1

   乳癌の部位別発生頻度は，乳房の外側上部，内側上部，外側下部，内側下部，乳輪部の順である．乳癌では，疼痛が主訴であることはまれであり，高閉経年齢，授乳経験なし，肥満などがリスク要因となる．ホルモン療法においては，エストロゲンの分泌の抑制が図られる．罹患率は40歳代後半から50歳代前半がピークである．

8　先天異常 (p.25～26)

要点整理

1. 先天異常
2. a. 構造異常　b. 機能異常
3. 先天奇形

4. a. 大奇形　b. 小奇形
5. a. 無脳症　b. 多指　(順不同)
6. 母斑
7. a. 単一遺伝子病　b. 多因子遺伝病
8. a. DNA　b. 染色体
9. a. 46　b. 23
10. 常染色体
11. 性染色体
12. a. トリソミー　b. ダウン症候群
13. 薬剤
14. a. ハンチントン病
    b. フェニルケトン尿症
    c. ターナー症候群　d. 先天性心疾患
    e. 先天性風疹症候群

トレーニング

1. (○)
2. (×) トリソミーとは，染色体の数が1本増える染色体異常のこと.
3. (○)
4. (○)
5. (○)

9　代謝異常 (p.27～29)

要点整理

1. エネルギー源
2. ブドウ糖
3. a. グルカゴン　b. 促進　c. 血糖
   d. 脂肪
4. 脂質
5. 糖尿
6. a. 高血糖　b. インスリン
7. a. 1型　b. 2型
8. グルコース
9. a. グリコーゲン　b. 糖原病
10. 先天性糖代謝異常
11. a. 脂質代謝異常　b. リポタンパク
12. 低タンパク血症
13. a. 尿酸産生過剰型　b. 尿酸排泄低下型
14. a. 尿酸結晶　b. 痛風　c. 核酸
    d. 尿酸

トレーニング

1. (○) 糖は肝臓だけでなく，筋肉へも取り込まれ，グリコーゲンとして蓄積される.
2. (×) 膵臓から分泌されるグルカゴンが作用して，肝臓からブドウ糖が放出されるため，血糖は一定に維持される.
3. (×) 血中のケトン体が増えて蓄積した状態をケトーシスという．これにアシドーシスが加わったケトアシドーシスは重篤な病態である.
4. (×) 血糖が160mg/dLを超えた分は近位尿細管で再吸収されず体外へ排泄される.
5. (○)
6. (○)
7. (×) インスリン分泌は抑制される.
8. (○)
9. (○)
10. (○)
11. (×) リポタンパクの過剰産生や代謝障害によって生じる.
12. (○)
13. (○)
14. (○)
15. (×) ビタミンB_{12}が不足すると，悪性貧血や神経系の異常，消化器障害を生じる.
16. (○)

■実力アップ

1. 2

メタボリックシンドローム（内臓脂肪症候群）とは，内臓脂肪型肥満（腹囲測定で基準以上）をベースに，高血糖・高血圧・脂質異常のうち2つ以上を合併した状態をいう．腹囲の測定に関しては基準について多くの意見があるが，男性85cm以上，女性90cm以上である．立位で軽く息を吐き，臍部の高さで測定する．

2. 5

1日のエネルギー摂取量（kcal）は，年齢や性別，肥満度，身体活動量，血糖値，合併症の有無などを考慮して決定される．成人期のエネルギー摂取量は，標準体重（kg）×身体活動量（kcal）の式で求められる．

2章　病態症候論：主な症状・徴候

1節　皮膚・体温調節の異常

1　皮膚瘙痒 (p.30～32)

■要点整理

1. 皮下組織
2. 表皮
3. 脊髄視床路
4. a. ヒスタミン　b. エンドペプチダーゼ
5. 遊離神経網
6. Ⅰ型アレルギー

■トレーニング

1. （×）アトピー性皮膚炎は湿疹を伴う．
2. （○）胆汁うっ滞により，皮膚や皮膚表面の胆汁酸が増加することが関与すると言われている．
3. （×）皮膚の乾燥によるかゆみで，皮疹は伴わない．
4. （○）神経症患者の幻覚や妄想から引き起こされる心身症的な瘙痒症は難治性である．
5. （×）最も外の層で体の内部環境を保護する役割があるのは，表皮である．

2　発熱・低体温 (p.33～35)

■要点整理

1. 35℃
2. 甲状腺ホルモン
3. 輻射
4. 放散
5. 高体温
6. うつ熱
7. 化学的刺激
8. a. 稽留熱　b. 間欠熱　c. 無熱期
   d. デング熱　e. 不定熱
9. 深部体温

2節　体液調節の異常

1　浮腫 (p.36～37)

■要点整理

1. 傍糸球体装置
2. a. 副腎皮質　b. アルドステロン
3. a. ナトリウム　b. 水
4. a. 上昇　b. 低下　c. 亢進
5. a. 全身性浮腫　b. 局所性浮腫
6. a. 倦怠感　b. 腹水　c. 痛み
   d. リンパ性浮腫

2　脱水 (p.38～39)

■要点整理

1. 不感蒸泄
2. 水欠乏性脱水
3. Na^+欠乏性脱水
4. 等張性
5. 水分必要量

■トレーニング

1. (×) およそ60％である.
2. (×) ナトリウムが失われて生じる脱水は低張性脱水である.
3. (×) 小児は水分必要量が成人より多いため, 脱水になりやすい.
4. (○)
5. (×) 等張性脱水では口渇はみられない.

3節　心臓系の異常

1　不整脈 (p.40～43)

■要点整理

1. 洞結節
2. a. 房室結節　b. プルキンエ線維
3. 洞調律
4. 徐脈性不整脈
5. a. 頻脈性不整脈　b. 期外収縮
6. 上室性期外収縮
7. 洞機能不全症候群

■トレーニング

1. (○) 心房の各部分の無秩序な電気興奮が, 心室に不規則に伝導する.
2. (×) 心房で頻回に電気刺激が発生するのは, 心房細動と心房粗動である.
3. (○) 徐脈性不整脈の代表的な症状である.
4. (○) 正常よりも時間はかかるが電気刺激は必ず伝わるため, 脈拍数は維持される.
5. (×) これはモビッツⅡ型の説明. モビッツⅠ型は, PQ間隔が徐々に延長し, QRS波が欠落する.
6. (×) アダムス・ストークス発作は, 心室細動, 心室頻拍, 洞不全症候群などでもみられるが, 発作性上室頻拍ではあまりみられない.
7. (○) 僧帽弁狭窄症または閉鎖不全症, 甲状腺機能亢進症, 虚血性心疾患, 心筋疾患などが原因である.

2　チアノーゼ (p.45～46)

■要点整理

1. 吸気
2. a. 拡散　b. 二酸化炭素
3. 5g/dL
4. 15g
5. 中枢性チアノーゼ
6. 末梢性チアノーゼ
7. a. 動静脈シャント　b. 動脈血

■トレーニング

1. (×) 酸素と結合したヘモグロビンを酸化ヘモグロビン, 酸素と結合していないヘモグロビンを還元ヘモグロビンという.

2. (×) 貧血とは末梢血中の赤血球数ないしヘモグロビン濃度が低下した状態のことで，還元ヘモグロビンが5g/dL以上になりにくいため，チアノーゼは出現しにくい．
3. (○) チアノーゼは，皮膚が薄い部分や粘膜で観察しやすい．
4. (×) 呼吸または循環の障害により，中枢性チアノーゼが生じる．
5. (○) 還元ヘモグロビンの増加は，動脈血に静脈血が混じってしまったり，末梢循環不全のために血液が停滞して多くの酸素を失ったりすることによっても起きる．

3 ショック (p.47～49)

■要点整理

1. 酸素
2. 血管抵抗
3. 心拍数
4. 出血
5. アナフィラキシーショック
6. a. 頻脈 b. 微小循環
   c. 不可逆的ショック d. 多臓器不全
7. 脈拍触知不能
8. 皮膚温低下

4 貧血 (p.50～53)

■要点整理

1. 8％
2. a. 血球 b. 血漿
3. 幹細胞
4. 腎臓
5. ビタミンB_{12}
6. 再生不良性貧血
7. ヘモグロビン濃度
8. 小球性貧血
9. a. 脾腫 b. 汎血球減少
10. a. めまい b. 易疲労感
11. 動悸
12. 鉄欠乏性貧血

■トレーニング

1. (×) 貧血とは，末梢血中の赤血球数ないしヘモグロビン濃度が低下した状態である．
2. (○) 腎機能不全によりエリスロポエチンの分泌不全をきたすために貧血となり，人工透析では改善はみられない．
3. (×) 赤血球寿命が短縮したために起こる貧血は溶血性貧血という．
4. (○) 慢性出血では次第に鉄欠乏となるため，小球性の鉄欠乏性貧血となる．
5. (×) 自己免疫性溶血性貧血などが該当する．
6. (×) 内因性溶血性貧血は赤血球自体に溶血の原因があり，血漿側に原因があるのは外因性溶血性貧血である．
7. (○) 膜の異常により溶血を起こし，ヘモグロビンがビリルビンに変化するため黄疸がみられる．
8. (○) 自己免疫性溶血性貧血では，赤血球に対する自己抗体が産生され，赤血球が破壊されることで溶血の亢進が起こる．
9. (×) ビタミンB_{12}の吸収が障害され巨赤芽球性貧血をきたすものが悪性貧血である．

■実力アップ

1. 2
   看護師国家試験第104回午後第15問の類似問題．貧血とは，赤血球数（RBC）およびヘモグロビン（Hb）濃度が低下した状態をいう．収縮期血圧は，高血圧の診断に用いられる．急に立ち上がったりすることで，血圧が低下し，めまい，立ちくらみが起こることがあるが，この場合は医学的な貧血，すなわち赤血球や血色素の量が低下した状態とは異なる．

2. 1

看護師国家試験第99回午前第31問の類似問題．再生不良性貧血は，末梢血で汎血球減少症を呈し，さらに骨髄の低形成をきたす．骨髄における造血能の低下により，汎血球減少症（赤血球減少・血小板減少・白血球減少）を引き起こして白血球減少となるため，免疫力が低下し，易感染性がみられる．

3. 1

看護師国家試験第102回午後第83問の類似問題．匙状爪は，スプーンのように爪の中央部分がへこむ症状で，鉄分不足が原因で起こる症状の一つである．運動失調は，小脳・大脳・脊髄・内耳の神経などの障害によって起こる．皮膚の紅潮は，毛細血管が拡張していることを示す．ほてり感は，代表的な更年期症状である．

4節　脈管系の異常

1　出血傾向 (p.54～56)

■要点整理

1. a. 血小板　b. 凝固反応
2. 7日
3. 出血傾向
4. a. 皮下出血　b. 血尿
5. a. 血小板減少症
   b. 特発性血小板減少性紫斑病
6. 播種性血管内凝固症候群

2　リンパ節腫脹 (p.57～58)

■要点整理

1. 濾過
2. 食細胞
3. 表在
4. 縦隔
5. a. 感染性　b. 悪性リンパ腫　c. SLE
   d. サルコイドーシス
6. 拡大
7. a. 疼痛　b. 頸部　c. 縮小
8. 硬い

3　レイノー症状 (p.59～60)

■要点整理

1. a. 延髄　b. 自律神経　c. 収縮
2. 末梢性チアノーゼ
3. a. 蒼白期　b. 静脈　c. 紫色　d. 動脈
4. a. 特発性レイノー現象
   b. 二次性レイノー現象　c. ストレス
   d. 進行性全身性硬化症　e. 振動
   f. クリオグロブリン血症

■トレーニング

1. (○)
2. (×) チアノーゼ期に入ると拡張するのは，毛細血管と静脈である．
3. (○) 交感神経の興奮によって末梢血管が収縮するため．
4. (×) 酸素を結合していない還元ヘモグロビンが増加した場合に中枢性チアノーゼがみられる．
5. (○) 末梢性チアノーゼでは，末梢における毛細血管内の血液うっ滞により組織に多量の酸素が放出されて還元ヘモグロビンが増加する．
6. (○) レイノー病以外は，何らかの原疾患を伴う二次性レイノー現象である．
7. (×) 交感神経の機能亢進が関与していると推定される．

5節　呼吸器系の異常

1　咳嗽・喀痰・喀血 (p.61～63)

要点整理

1. 線毛運動
2. 咳嗽
3. 乾性咳嗽
4. 膿
5. 血液
6. 酸性
7. 肺結核

2　呼吸困難 (p.64～67)

要点整理

1. 意識
2. 息切れ
3. 呼吸不全
4. 換気障害
5. 肺うっ血
6. 酸素消費量
7. a. 過換気症候群　b. 二酸化炭素

トレーニング

1. (×) 呼吸器疾患に必発ではない.
2. (×) 二酸化炭素濃度が上昇して意識障害が起こる場合などには，呼吸不全は強度でも呼吸困難は起こらない場合がある.
3. (×) 呼吸困難は換気の増加要求量と実際の換気量とのバランス感覚と考えられる．運動時には安静時に比べ実際の換気量は増加するため，むしろ現れやすい.
4. (×) COPDやうっ血性心不全，貧血，甲状腺機能亢進症などでは慢性呼吸困難を起こす.
5. (○) 異物吸入による気道閉塞や，呼吸運動の消失がみられるような致死的呼吸困難では直ちに救命処置が必要である.
6. (○) ヒュー・ジョーンズ (Hugh-Jones) の分類のほか，ボルグ (Borg) スケールなどが用いられる.

実力アップ

1. 1

   看護師国家試験第93回午前第14問の類似問題．起坐位では横隔膜が下がって横隔膜の圧迫が低下し静脈還流量を減少させることから，呼吸困難がある患者にとって安楽な体位である．また仰臥位から上半身を15～30° 程度挙上したファウラー位も，同様に呼吸しやすく換気量が増加する体位である.

2. 2

   看護師国家試験第98回午前第25問の類似問題．自然気胸は肺胸膜嚢胞や気腫性嚢胞の破裂で起こる．このため，気胸を起こした側では気胸を起こさなかった側に比べて呼吸音の減弱が生じる．したがって，聴診によって左右で呼吸音に差が認められる場合は自然気胸の可能性が高い.

3　胸痛 (p.68～71)

要点整理

1. 侵害受容性疼痛
2. 神経障害性疼痛
3. 心因性疼痛
4. 体性痛
5. a. 表面痛　b. 深部痛　(順不同)

トレーニング

1. (○) 深部痛　体性痛の一つには筋炎，肋骨骨折などに由来する痛みがある.
2. (○) 知覚神経末端の侵害受容体が化学的・物理的な刺激を受けて発生する.
3. (○) 狭心症，急性心筋梗塞などで起きる.

4. （×）急性大動脈解離，胸部大動脈破裂などで起きる．
5. （×）過換気症候群などで起きるのは心因性疼痛．

■実力アップ

1. 3
急性大動脈解離は大動脈瘤の一種である．大動脈中膜が2層に解離し，その間に偽腔（解離腔）ができる．突然の胸痛が出現するのが特徴で，解離の進行に伴い血管の走行に沿って痛みが移動する．
2. 2
看護師国家試験第100回午前第11問の類似問題．心筋を栄養する冠状動脈が何らかの原因により狭窄し，血液を十分に送れず心筋が酸欠状態に陥ると，狭心症が起きる．症状は，胸痛，胸内苦悶，放散痛（左肩～左上肢，頸部など），呼吸困難などである．

6節　消化器系の異常

1　腹痛 (p.72～73)

■要点整理

1. 疝痛
2. 持続性鋭痛
3. 鈍痛
4. 関連痛
5. 内臓痛
6. 体性痛
7. 放散痛
8. 圧痛点
9. マックバーニー点
10. 反跳痛
11. 筋性防御
12. 急性腹症

2　肥満 (p.74～75)

■要点整理

1. 視床下部
2. 基礎代謝
3. 肥満
4. a. 食習慣　b. 腫瘍　c. 運動不足
5. a. 脂肪細胞増多型　b. 思春期
6. a. 内臓脂肪型肥満　b. 生活習慣病
7. a. 動脈硬化　b. 胆石
c. 睡眠時無呼吸症候群　d. 不妊症

3　やせ (p.76～78)

■要点整理

1. a. 摂取　b. 消費
2. －10％
3. るいそう
4. a. 嚥下障害　b. 消化液　c. 1型糖尿病
d. 甲状腺機能亢進症　e. 悪性腫瘍
5. a. 肝臓　b. グリコーゲン
c. グルコース　d. 体脂肪
6. 栄養補給
7. 無気力
8. a. 褥瘡　b. 仙骨
9. 免疫力

■トレーニング

1. （×）甲状腺ホルモンは，基礎代謝を亢進させる．
2. （○）
3. （×）エネルギー不足に陥ると，肝臓や筋肉に貯蔵されていたグリコーゲンがエネルギー源として利用される．次に筋肉の分解が始まり，その後，体脂肪が分解される．
4. （○）
5. （×）るいそう時の褥瘡は，栄養不足のため治癒が難しい上，免疫力の低下によって容易に感染しやすくなる.

6. (×) 高エネルギー, 高タンパク, 高ビタミン類の食品を摂取し, 消費エネルギーを少しでも少なくするため, 運動量を減らすよう指導する.
7. (○) 臓器機能をはじめ, 筋力や気力の低下, 皮膚の壊死, 褥瘡, 浮腫, 骨の弯曲などさまざまな症状が現れ, 重篤の場合は死に至ることもある.

4 食欲不振 (p.79～80)

■要点整理

1. a. 摂食中枢 b. 満腹中枢
2. a. 血糖値 b. 遊離脂肪酸
3. a. 内臓性食欲不振 b. 中枢性食欲不振 c. 中毒性食欲不振 d. 便秘 e. 抑うつ f. 味覚 g. 副交感 h. 内分泌障害
4. 倦怠感

5 嚥下障害 (p.81～83)

■要点整理

1. a. 咀嚼 b. 咽頭 c. 咽頭期 d. 軟口蓋 e. 喉頭蓋 f. 気管 g. 蠕動
2. 誤嚥
3. a. 嚥下前誤嚥 b. 咽頭クリアランス c. 胃食道逆流

6 嘔気・嘔吐 (p.84～87)

■要点整理

1. 延髄
2. a. 嘔気 b. 嘔吐
3. a. 化学受容器引金帯 b. 有害物質
4. 脳腫瘍
5. 大脳皮質
6. 前庭神経求心路
7. 嘔吐中枢
8. 迷走神経
9. a. 十二指腸潰瘍 b. 胃癌 c. 腹膜炎
10. a. 脱水 b. 低クロール血症
11. a. 唾液 b. 呼吸

■トレーニング

1. (×) 嘔吐中枢は, 延髄網様体にある.
2. (×) 虫垂炎などの腹膜刺激は, 迷走神経・交感神経求心路から延髄を介して嘔吐中枢に伝わる.
3. (×) 嘔吐中枢への刺激は, 近位にある呼吸中枢・循環中枢に影響する.
4. (○)
5. (×) 嘔吐を繰り返すと大量の胃液が喪失し, 脱水を引き起こす.
6. (○)
7. (×) 低クロール血症では, 代償的に重炭酸塩 (HCO_3^-) が増加して, 代謝性アルカローシスを引き起こす.
8. (○) 嘔吐時は, 座位または側臥位などに体位を変え, 気道を確保する.
9. (×) 十二指腸潰瘍やゾリンジャー・エリソン症候群が疑われる.
10. (×) 胃炎や食道炎が疑われる.
11. (○)
12. (○)

■実力アップ

1. 3

   脳腫瘍による脳圧亢進は, 嘔吐中枢を直接的に刺激するため, 嘔気・嘔吐が生じる.

7 黄疸 (p.88～91)

■要点整理

1. 肝小葉
2. a. 胆汁 b. 胆嚢

3. a. 胆汁色素　b. アルカリ
4. a. 非抱合型ビリルビン　b. ヘモグロビン
5. a. アルブミン　b. 抱合型ビリルビン
6. a. 小腸
7. a. 排出されない　b. 排出される
   c. 抱合型
8. a. ビリルビン　b. 胆汁流出
9. a. 溶血性黄疸　b. 体質性黄疸
   c. 肝細胞性黄疸　d. 溶血性貧血
   e. 原発性胆汁性肝硬変　f. 胆石症
10. 皮膚瘙痒感
11. a. 眼球結膜　b. 皮膚

トレーニング

1. (○)
2. (×) 水溶性なのは抱合型ビリルビン (直接ビリルビン) である.
3. (○)
4. (×) 溶血性黄疸は, ビリルビンの過剰生産によって起こる. 先天性のビリルビン代謝障害によって起こるのは, ジルベール症候群やデュビン・ジョンソン症候群である.
5. (○)
6. (○)
7. (×) 皮膚の色調は, 軽度黄疸時には淡い黄色調で, 中等度になるとオレンジ色, 高度になると緑色調を帯びてくる.
8. (○)

8　吐血・下血 (p.92～93)

要点整理

1. a. トライツ靭帯　b. 十二指腸
2. a. ショック　b. 肝性昏睡
3. コーヒー残渣様
4. 胃・十二指腸潰瘍
5. 喀血
6. a. 鮮紅色　b. 暗赤色
   c. 急性胃粘膜病変　d. 直腸癌　e. 痔核
   f. 潰瘍性大腸炎
7. 粘血便
8. タール便

9　便秘 (p.94～97)

要点整理

1. 十二指腸
2. 回腸
3. a. 回盲弁　b. 結腸　c. 蠕動運動
   d. 直腸
4. 反射
5. 骨盤神経
6. a. 内肛門括約筋　b. 外肛門括約筋
7. 排便反射
8. 大腸
9. a. 器質的便秘　b. 機能的便秘
   c. 一過性単純性便秘　d. 常習便秘
10. a. 狭窄　b. 感染性腸炎　c. 排ガス
11. ヒルシュスプルング病
12. a. 弛緩性便秘　b. 痙攣性便秘　c. 低下
    d. 長く　e. 副交感　f. 亢進　g. 低下
    h. ストレス　i. 長期臥床患者

トレーニング

1. (×) 小腸は絶えず蠕動運動を行っているが, 大腸の運動は一定ということではなく, 普段は連続した蠕動運動を行ってはいない.
2. (○)
3. (×) 大腸の蠕動運動が低下して腸内容物が大腸内に停留する時間が長くなり, 水分が過剰に吸収され硬い便となる. ガスが多く発生するが, 下痢は生じない.
4. (○) 一時的に排便のリズムが障害されて起こる便秘のため, 原因となった状況が改善されれば，便秘も解消される．

5. （×）ガスの発生が多いのは弛緩性便秘である．直腸性便秘は，排便反射の低下により，直腸内に糞便が貯留しても排便が起こらない．
6. （○）痙攣性便秘は自律神経失調症，極度のストレス状況も誘因となる．神経症的な性格傾向にある若者に多くみられる便秘のパターンである．

10　下痢 (p.98～101)

■要点整理

1. a. 8～10　b. 消化液
2. 80
3. 100
4. 下痢
5. 腸管運動
6. a. 回数　b. 量　（順不同）
7. a. ナトリウムイオン　b. 塩化物イオン（aとbは順不同）　c. ショック
8. 低ナトリウム血症
9. a. 高浸透圧物質　b. 腸内細菌　c. 乳糖
10. 浸透圧性下痢
11. a. 分泌性下痢　b. 滲出性下痢　c. 腸管運動性下痢
12. 粘血便

■トレーニング

1. （×）消化管内の水分は，消化液が約8L，飲食物が約2Lの水分に分けられ，その80％が小腸で吸収される．残りの大部分が大腸で吸収され，糞便中には約100mLの水分が含まれる．
2. （○）腸管内に高浸透圧で吸収されにくい物質が存在すると，浸透圧を下げようとして腸管壁から多量の水分が引き出されるため，下痢が起こりやすい．
3. （○）腸管運動性下痢は，腸管運動が亢進して内容物の腸内通過時間が速まり，水分が十分に吸収されずに起こる．
4. （×）炎症性腸疾患や感染性腸炎によって腸管の粘膜が傷害され，水分の吸収障害や滲出液の排泄によって生じる下痢のため，原因疾患が治癒するまで続くことが多い．

11　腹部膨満 (p.102～103)

■要点整理

1. 腹腔
2. 横隔膜
3. 脊柱
4. 漿膜
5. 副腎
6. a. 鼓腸　b. 空気嚥下症
7. a. 内臓脂肪　b. 腸間膜　c. 大網
8. 濁音
9. a. 膨隆　b. クールボアジェ徴候

12　腹水 (p.104～105)

■要点整理

1. a. 濾出液　b. 滲出液
2. a. 濾出　b. 滲出　c. 漿液　d. 少ない　e. 多い　f. 肝硬変　g. 細菌性腹膜炎
3. a. 門脈圧亢進　b. 高アルドステロン血症　c. 亢進
4. a. タンパク合成　b. タンパク漏出
5. a. 増加　b. 減少　c. レニン－アンジオテンシン－アルドステロン系
6. a. 500　b. 濁音　c. 両側方
7. a. 食塩　b. カリウム

7節　泌尿器系の異常

1　排尿異常 (p.107～109)

■要点整理

1. a. 下腹　b. 陰部　(順不同)
2. a. 骨盤　b. 尿意
3. 排尿異常
4. a. 頻尿　b. 残尿感
5. a. 排尿痛　b. 前立腺炎　c. 膀胱炎
6. 排出困難
7. 尿閉
8. a. 尿失禁　b. 骨盤底筋群　c. ADL

■トレーニング

1. (×) 単位に注意. 正しくは300～500mLである.
2. (○) 膀胱内に尿が150～250mL貯留すると, 膀胱壁への圧力が骨盤神経を介して大脳に伝わり, 尿意が生じる.
3. (×) 主に尿を貯める機能の障害から生じる.
4. (×) 主に尿の排出機能の障害から生じる.
5. (○) 排尿中に継続して起こる痛みを全排尿痛という.
6. (○) 前立腺肥大症や神経因性膀胱などでみられる.
7. (×) ぜん延性排尿の説明である. 排尿終末時滴下とは, 排尿の終わりごろに滴が垂れて, なかなか終わらない状態をいう.
8. (○) 昼間遺尿と夜間遺尿 (夜尿症) がある.

■実力アップ

1. 4
   尿道炎では排尿時の痛み, 尿道口からの膿性分泌物がみられる. 前立腺炎では発熱, 頻尿, 排尿痛がみられる. 膀胱炎では排尿時痛 (特に排尿の最後のほうの痛み), 頻尿, 尿の混濁がみられる.

2　尿量異常 (p.110～113)

■要点整理

1. ネフロン
2. a. 糸球体　b. 糸球体嚢 (ボーマン嚢)
3. 原尿
4. 尿素
5. 無尿
6. 乏尿
7. a. 不可避尿　b. 尿毒症　c. 心筋梗塞
   d. 前立腺肥大症
8. 多尿

■トレーニング

1. (○) ネフロンは, 腎臓を構成する最小の機能単位である.
2. (×) 糸球体は毛細血管の集合体で, 糸球体嚢 (ボーマン嚢) に包まれている.
3. (○) 腎臓の働きにより, 体液の成分が一定の濃度に保たれ, 血圧も正常な範囲内で維持されている.
4. (○) 水分摂取量 (イン) と水分排泄量 (アウト) は通常等しい. これを「インとアウトのバランスがとれている」という.
5. (○) 各ネフロンの尿細管は, 最終的に合流して集合管となる.
6. (×) 急性糸球体腎炎などの腎性疾患も, 乏尿・無尿の原因となる.
7. (×) 乏尿や無尿では, 1日の尿量が不可避尿　約400mLに達しないため, 尿素やクレアチニンの尿中への排出が不十分になる. その結果, 血中の尿素窒素やクレアチニンの値が上昇する.
8. (×) 急性乏尿では, 腎機能低下による症状が現れないこともある.
9. (○) 両側に水腎症がみられる場合には, 腎後性乏尿の可能性が高い.

10. (○) 多尿で高張尿の場合は糖尿病が，低張尿の場合は水分摂取過剰と尿崩症が原因として考えられる．
11. (×) 説明が逆になっている．前者を中枢性尿崩症，後者を腎性尿崩症という．

■実力アップ

1. 2
看護師国家試験第101回午後第12問の類似問題．乏尿は腎機能の障害のために尿量が減少している状態．導尿して尿が流出するのは尿閉である．1日の尿量が400mL以下となった場合は乏尿，乏尿よりもさらに尿量が低下して100mL/日以下となった場合は無尿という．
2. 2
看護師国家試験第106回午後第14問．無尿とは，1日の尿量が100mL未満のことである．腎疾患のために尿が生成されない，あるいは，結石などにより尿路が閉塞して膀胱に尿が排泄されないなど，さまざまな原因によって起こる．無尿の場合，膀胱内に尿は溜まっていない．膀胱内に尿が充満しているのに排尿できない「尿閉」とは区別する．
3. 4
1：腎血管性障害は腎性，2：循環血漿量の減少は腎前性，3：腎盂・尿管の圧迫は腎後性の原因である．

3　尿所見異常 (p.114～116)

■要点整理

1. a. 淡黄　b. 透明
2. 塩類
3. 弱酸性
4. 尿比重
5. タンパク
6. a. 新鮮尿　b. 肝細胞傷害
c. ミオグロビン尿
7. a. アンモニア　b. アルカリ
c. アルカローシス
8. a. 尿崩症　b. 末期腎不全
9. ネフローゼ症候群
10. a. 腎性　b. 炎症
11. 尿糖
12. a. 肉眼的　b. 顕微鏡的
13. a. 膿尿　b. 細菌尿
14. a. 初尿　b. 中間尿

8節　脳・神経の異常

1　意識障害 (p.117～120)

■要点整理

1. 自己
2. a. 意識の内容　b. 覚醒度
3. 大脳皮質
4. 感覚刺激
5. 思考
6. a. 髄膜刺激症状　b. 項部硬直
7. くも膜下出血
8. a. 心筋梗塞　b. ケトン体
9. GCS

■トレーニング

1. (○) 意識水準の低下は脳幹部周辺部位の病変によって生じ，意識内容の障害は大脳皮質部位の病変によって生じる．
2. (×) 急激な意識レベルの低下は，多くの場合，頭蓋内の病変によって起こる．
3. (○)
4. (×) 脳細胞が高度の興奮状態になる．
5. (○) 頭蓋内圧が亢進し，適切な処置がなされないと脳ヘルニアをきたし，死に至る．
6. (○) 対光反射の消失，瞳孔不同など，脳へルニア徴候を早期にみつけることが大切である.

■実力アップ

1. 3
クレペリンテストとは心理検査の一つで,適性検査等に利用される.フェイススケールは痛みの評価に,ロールシャッハテストは性格検査時に実施される.

2 頭痛 (p.121～123)

■要点整理

1. 帽状腱膜
2. a. くも膜 b. 脳実質
3. 静脈洞
4. 舌咽神経
5. a. 一次性 b. 顔面痛
6. 機能性
7. 症候性
8. 片頭痛

■トレーニング

1. (○) 脳実質,頭蓋骨は痛覚神経が分布していない.ただし,骨膜には,痛みに対する軽度の感受性がある.
2. (×) 血管性頭痛は,何らかの原因で頭部の血管が拡張して発生する.
3. (○) 群発頭痛は眼窩周辺から側頭部にかけて起こる激しい頭痛である.
4. (○) 日常診療で最も頻度の高い頭痛で,一般集団における生涯有病率は30～78%.
5. (○) 頭蓋内に占拠性病変が発生すると頭蓋内圧が亢進し,痛み受容器がある静脈洞や流入静脈の偏位や牽引が起こることで,頭痛が発生する.
6. (×) 炎症性頭痛は微生物感染や出血によって起こる.
7. (○) 低酸素血症,高炭酸ガス血症,血圧異常,内分泌機能障害,絶食時など,身体のホメオスタシス(恒常性)の異常により頭痛が起こる.

3 痙攣とてんかん (p.124～125)

■要点整理

1. a. ナトリウムイオン
b. カルシウムイオン
2. a. 運動神経 b. 不随意的
3. a. 間代性痙攣 b. 強直性痙攣
4. a. 痙攣重積 b. 認知症
5. a. 症候性てんかん b. 特発性てんかん
6. a. 部分発作 b. 単純部分発作
7. a. 熱性痙攣 b. 過換気症候群

4 運動麻痺 (p.126～128)

■要点整理

1. 中心前回
2. 神経細胞
3. 皮質脊髄路
4. 中枢神経性麻痺
5. a. 完全麻痺 b. 不全麻痺
6. a. 痙性麻痺 b. 弛緩性麻痺
7. a. 片麻痺 b. 対麻痺 c. 単麻痺
8. 徒手筋力テスト

■トレーニング

1. (×) 運動麻痺とは,筋肉もしくはそれを支配している神経系の機能障害によって随意的に筋肉を収縮できなくなり,運動できなくなった状態をいう.
2. (×) 脳幹や脊髄の運動神経細胞の障害による運動麻痺は,下位運動ニューロン性麻痺である.

3. (○) 麻痺した筋肉を多動的にゆっくり伸展させると抵抗はないが，急激に伸展させると痙縮が起こる．
4. (×) 正しくは対麻痺．単麻痺は一肢が麻痺した状態をいう．
5. (○) 運動野は自動運動に関与していると考えられている．
6. (×) 筋肉を支配する末梢運動神経の機能障害によって筋肉が麻痺した状態は，末梢神経性麻痺という．
7. (×) 正しくは随意運動系．不随意運動系は歩行中に自然に腕が振られるといったような運動のことである．

5 運動失調 (p.129～130)

■要点整理

1. a. 筋肉運動 b. 姿勢
2. 小脳徴候
3. a. 失行 b. 運動失調
4. a. 体幹失調 b. 体幹
5. 指鼻指試験

■トレーニング

1. (×) 起立位で閉眼するとふらつくのは，ロンベルク徴候陽性である．
2. (○) 測定障害は，小脳障害でみられる．
3. (×) 運動分解である．
4. (○) 回内回外変換運動障害である．
5. (○) 運動記憶機構が障害された状態である．

6 歩行障害 (p.131～133)

■要点整理

1. a. 下垂足 b. 鶏歩 (順不同)
2. 前傾姿勢
3. 失調性歩行
4. 脊髄後索性立位障害
5. 間欠性跛行
6. 痙性歩行
7. 腰部

■トレーニング

1. (×) 膝を曲げない歩行は，痙性歩行の特徴である．
2. (○) 床の上に横線を描いた場合も，それをまたぎながら難なく歩く．
3. (○) 前庭性立位障害の原因は，前庭神経障害である．
4. (○) 脳梗塞や脳出血で痙性片麻痺になった場合，片麻痺性歩行がみられる．
5. (×) 小脳疾患で体幹失調があると，踵をそろえた立位を保持することができなくなり，両足を開いて立つ．
6. (○) 患側下肢は床に踵から足を下ろせなくなり，跛行となる．
7. (○) 脊髄の動静脈奇形なども間欠性跛行の原因となる．
8. (×) すくみ足がみられるのはパーキンソン病である．
9. (○) 片麻痺では分回し歩行，対麻痺でははさみ脚歩行がみられる．

7 しびれ感（感覚障害）(p.134～137)

■要点整理

1. 求心性神経路
2. 視床
3. a. 表在 b. 深部 c. 複合
4. 異なる
5. 末梢神経
6. 脊髄
7. 脳幹・視床・大脳皮質
8. 精神的
9. ロンベルク徴候

■トレーニング

1. (×) 運動麻痺のほか，感覚過敏，感覚低下，感覚脱失，異常感覚なども含めて「しびれ」と表現される場合が多い.
2. (○) 温痛覚は，側索を上行する経路を通る.
3. (○) 触覚などは，前索を上行する経路を通る.
4. (×) 触圧覚，振動覚は深部感覚である.
5. (×) 中心灰白質障害では，脊髄視床路の交叉部が障害される．そこで交叉する温痛覚のみが障害され，触覚・深部感覚は障害されない解離性感覚障害となるのが特徴である.
6. (×) 腰神経叢は，第12胸髄から第4腰髄までの神経根からなる．障害されると，下腹部，大腿，下腹と，広範囲の運動・感覚障害となって現れる.
7. (×) 右正中神経の支配領域は，第1～3指の運動と知覚である．小指（第5指）は，尺骨神経が関与している.

8 睡眠障害 (p.138～141)

■要点整理

1. レム
2. 覚醒
3. ノンレム
4. 恒常性
5. 体内時計機構
6. 光を浴びる

■トレーニング

1. (○) レム睡眠とノンレム睡眠の2つの状態が繰り返される.
2. (×) レム睡眠での状態である.
3. (×) 筋肉が完全に弛緩するのは，レム睡眠のときである.
4. (×) ノンレム睡眠について4段階に分けられる.
5. (×) 起きている時間が長いほど，ノンレム睡眠の量が多くなる.
6. (○) これより期間が短いものを一過性不眠，長いものを長期不眠という.
7. (×) 睡眠時間が標準的であっても，日中に過剰に居眠りをするなどの症状がある.

9節 感覚器の異常

1 嗄声 (p.142～144)

■要点整理

1. a. 声帯　b. 振動
2. 咽頭
3. 反回
4. 先天
5. 声門閉鎖不全
6. 過労
7. a. 反回　b. 左
8. a. 声帯ポリープ　b. ポリープ様声帯　c. 反回神経麻痺

■トレーニング

1. (×) 発声は呼気時に声帯が閉じ，ここを呼気が通り，声帯を振動させることによって起こる.
2. (○)
3. (○) 食事中の誤った吸引，睡眠，酩酊，てんかん発作などの意識喪失時，驚愕時のほか，姿勢，体位が関係する.
4. (×) 声帯の内転筋と外転筋は反回神経に支配される.
5. (×) 声帯が閉まらない状態で，反回神経麻痺を疑う.
6. (×) 喉頭の炎症では喫煙も禁止する.

2　めまい (p.145～147)

■要点整理

1. 内耳
2. 直線加速度
3. 半規管膨大部
4. 小脳
5. 回転性めまい
6. a. 内リンパ水腫　b. メニエール病
7. 前庭神経炎
8. a. 突発性　b. 良性発作性頭位めまい

■トレーニング

1. (○) 目の前が暗くなるような感じがする症状も浮動性めまいである.
2. (×) 神経系が原因となる場合，眼振を伴うことが多い.
3. (○) 浮動性めまいは，高血圧，低血圧，不整脈，貧血などが原因で，脳の循環不全により生じる.
4. (×) 中枢性めまいは，前庭－小脳系より高位の神経系の障害で起こる.
5. (○) 平衡斑の細胞変性やクプラの変性によって起こると考えられている.
6. (○) 中高年以上の患者で高血圧，糖尿病などを有する患者は，動脈硬化を基盤とした脳血管障害によってめまいをきたしている可能性が高い.
7. (○) 前庭神経のみが侵されるのが特徴で，難聴や耳鳴は生じない. めまいは通常，数日で消失し，発作性に繰り返すこともない.

3　視力障害 (p.148～151)

■要点整理

1. 視野
2. a. 網膜　b. 白内障
   c. 妊娠高血圧症候群　d. 加齢黄斑変性
   e. 糖尿病
3. 透光性
4. 白内障
5. 黄斑部
6. a. 糖尿病性　b. 増殖型
7. 視神経炎
8. 複視
9. a. 視交叉　b. 両耳側半盲

■トレーニング

1. (○) 眼球の障害，網膜の障害では視力障害が生じ，視神経の障害では視野の障害が生じる.
2. (○) 透光性が障害されて，光の通過障害を引き起こす.
3. (○)
4. (○)
5. (×) 軸索障害は，眼圧上昇により生じる.

■実力アップ

1. 1
   視神経交叉部への圧迫は，交叉部以降の神経伝達を遮断する. 視神経は視神経交叉部以降，左右が逆転し，視覚野（後頭葉）へつながる.
2. 2，3
   緑内障は，網膜神経節細胞が死滅する進行性の疾患で，視野欠損の症状が現れる. 一度喪失した視野を回復させることは困難なため，失明することが多い.

4　難聴 (p.152～153)

■要点整理

1. a. 伝音器　b. 伝音難聴　c. 感音難聴
   d. 混合難聴
2. 機能性難聴

3. a. デシベル　b. 中等度
4. a. 気導　b. 骨導
5. a. 補聴器　b. 伝音

5　耳鳴 (p.154～156)

要点整理

1. 慢性
2. 無難聴性
3. a. 自覚的　b. 他覚的
4. a. 内耳神経　b. 異常興奮
5. 聴覚神経路
6. 血管
7. a. 中耳炎　b. メニエール病　c. 糖尿病
8. a. 低音性　b. 短い
9. a. 高音性　b. 長い
10. a. 連続性　b. 拍動性
11. a. 眼振　b. 平衡
12. 対症

トレーニング

1. (×) 耳鳴は必ずしも頭痛を伴わない.
2. (×) 自覚的耳鳴は音響刺激がなく本人のみに聞こえる聴覚異常感である.
3. (○) 他覚的耳鳴は本人のみならず, 他人も聴診器などで聞くことができる.
4. (×) 他覚的耳鳴は実際に音が出ているので, 本人にも当然聞こえる.
5. (○)
6. (×) 耳鳴の多くは自覚的耳鳴である.
7. (×) 液体振動は内耳である. 中耳では固体振動の伝導減弱となる.
8. (○) 動脈－静脈の短絡も循環障害の一種である. この場合, 連続性の雑音が聞こえる.
9. (×) 感音難聴を伴う耳鳴が難治性となる.

実力アップ

1. 3
回転性めまいは前庭神経に関連して起こることが多く, 内耳あるいは半側の小脳病変で発生する. 難聴と耳鳴は蝸牛神経に関連した病変で起こる. 回転性めまい, 難聴, 耳鳴の三症状がある場合, 前庭神経と蝸牛神経の両者にまたがる病変があることになり, メニエール病ではいずれの症状も起こりうる.

6　味覚障害 (p.157～159)

要点整理

1. a. 味蕾　b. 咽頭
2. 苦味
3. a. 鼓索　b. 舌咽
4. a. 味覚伝導路　b. 心因性
   c. 解離性障害　d. 糖尿病　e. 脳梗塞
5. a. 味覚減退　b. 異味症
6. 亜鉛

トレーニング

1. (×) 糸状乳頭に味蕾はない. 舌の前方に多くみられる茸状乳頭の頂部に味蕾が1～2個ずつある. 舌の奥の有郭乳頭や, 舌の付け根の左右の側面の葉状乳頭には多数の味蕾が存在する. そのほか, 味蕾は上顎の口蓋垂付近の粘膜や, 咽頭や喉頭にもわずかではあるが存在している.
2. (○) 味覚の減少の程度による分類である.
3. (○) 多くの場合, 苦味を感じ続けるが, 甘味や酸味を感じることもある.
4. (×) 解離性味覚障害では, 甘味など特定の味覚だけがわからなくなる.
5. (×) 食べたものとは違う味を感じるものを異味症, 何を食べても嫌な味になるものを悪味症という．

6. （○）薬剤の亜鉛キレート作用や，吸収阻害作用が原因と考えられる．
7. （×）薬剤や添加物の亜鉛キレート作用で，亜鉛が捨てられ欠乏するために起こる．
8. （○）いずれも，神経の障害を原因として味覚障害が生じる．

■実力アップ

1. 3
看護師国家試験（第103回）午前第31問の類似問題．亜鉛は全身の組織細胞に多く存在し，特に前立腺・精液・舌の味蕾・眼球・筋肉など，新陳代謝が活発な部位に多い．味覚細胞の形成に関わり，不足すると味覚障害を起こす．カルシウム，銅，食物繊維，フィチン酸，カドミウムなどにより吸収が阻害される．その他，鉄，銅でも味覚障害をきたすことがある．

7　嗅覚障害 (p.160～161)

■要点整理

1. a．におい物質　b．嗅細胞
2. a．頭蓋　b．嗅球
3. a．行動反応　b．反射
4. a．器質的　b．嗅覚異常
5. a．末梢　b．呼吸　c．嗅粘膜　d．嗅細胞　e．末梢神経　f．嗅覚中枢　g．心身症
6. 変性

10節　筋・骨格系の異常

1　腰痛 (p.162～163)

■要点整理

1. 腰椎
2. a．椎体　b．椎弓
3. a．円柱状　b．椎孔　c．脊髄
4. a．下関節突起　b．椎間関節
5. 椎間板
6. a．座位　b．腰殿部

2　関節症状 (p.164～166)

■要点整理

1. 関節
2. 関節包
3. 線維膜
4. 滑液
5. 関節軟骨
6. a．滑膜　b．靱帯
7. a．炎症　b．神経障害
8. a．滑膜　b．関節破壊
9. a．抗リウマチ　b．薬物療法

■トレーニング

1. （×）関節リウマチは，滑膜の異常増殖により引き起こされる．
2. （○）朝のこわばりは関節リウマチの代表的な症状である．
3. （○）口渇，目の乾燥はシェーグレン症候群の代表的な症状である．
4. （○）リウマトイド因子が陰性の関節リウマチもある．
5. （×）痛風では，発赤や発熱がみられるが，関節内の出血はない．
6. （○）関節リウマチは，しばしば左右対称性に関節が腫れて痛む．
7. （×）非ステロイド性抗炎症薬の副作用で薬剤性の胃潰瘍を生じる．また，喘息の既往のある患者では喘息を悪化させることがある．
8. （×）関節痛は，関節周囲の組織（筋，筋膜，腱，靱帯など）の障害によっても起こる．
9. （○）急性期には炎症反応によって発熱が起

こり，冷やすと痛みが緩和される．慢性期（リハビリテーション期）には温熱療法が効果的である．

10. （○）抗リウマチ薬は，すべての患者に有効ではなく，注意すべき副作用も多いため，少量の投与から開始する．
11. （×）痛みの発症から2～3日ほどは安静第一であるが，その後の療養中は，関節拘縮や変形を治療するため運動療法を行うことが推奨されている．

■実力アップ

1. 2

   看護師国家試験第103回午後第34問の類似問題．関節リウマチによって滑膜炎を生じる．骨髄炎は黄色ブドウ球菌などの細菌が骨へ侵入することによって起こる骨の感染症である．骨軟骨炎は，離断性骨軟骨炎である．関節周囲炎は，関節とその周辺組織で起こる炎症であり，関節リウマチで起こる主な症状ではない．

2. 2

   1：溶連菌感染後関節炎は反応性，3：ベーチェット病は自己免疫に分類される．4：肩関節周囲炎は，加齢により起こる．

3. 4

   看護師国家試験第94回午後第99問の改変問題．1：急性期でなければ温熱療法が有効である．2：臥床時には良肢位に保持する．3：アスピリンは，入眠前1回ではなく1日4～6回に分けて服用し，血中濃度を一定に保つようにする．なお，必ず食後に服用する．4：関節拘縮の治療や不動による筋力低下を防ぐため，関節可動域訓練などの運動療法を行う．

11節　その他の異常

1　倦怠感 (p.167～168)

■要点整理

1. 倦怠感
2. a. 貧血　b. 肝硬変
   c. ネフローゼ症候群　d. クローン病
   e. 低カリウム血症
3. a. 栄養素　b. 活性酸素
4. サイトカイン
5. 慢性疲労

2　気分［感情］障害 (p.169～172)

■要点整理

1. 気分障害
2. 器質性因子
3. 身体疾患
4. セロトニン
5. 精神活動
6. 易疲労性
7. 日内変動
8. 微小妄想
9. a. 希死念慮　b. 回復期
10. 躁病相
11. 早期覚醒
12. 易怒性
13. 観念奔逸
14. 逸脱行為

■トレーニング

1. （×）抑うつ気分は，朝が強く，夕方にかけて軽くなることが多い．
2. （○）
3. （×）産後うつ病は，産後2～3週以降に発症することが多い．産後10日以内に起こる一過性の精神的な変化はマタニティブルーズという．

4. (○) 患者の病識が希薄であると，治療に対して拒否的となることも多く，強制的な入院を行わざるを得ないこともある．
5. (×) 双極性障害の治療は，躁病相，うつ病相いずれにおいても，気分安定薬および抗精神病薬による薬物療法が主体である．抗うつ薬の投与は躁転を招きやすいため，うつ病相においても原則として避ける．

■実力アップ

1. 2

躁状態では身体的・精神的活動性が亢進する．上機嫌であるかと思えば，突然怒り出したり（易怒性），周囲の人に攻撃的になったりする．また，考えが次々に浮かび話の脈絡が乏しくなる（観念奔逸），注意や関心が次々と変わる（転導性の亢進），多弁・多動などの症状がみられる．食欲は亢進することが多いが，活動性も亢進しているため，体重は減少することが多い．1．3．は抑うつ状態の症状である．

memo